UMA HISTÓRIA DA PINTURA MODERNA

GEORGES BRAQUE *Formas musicais*. 1913

UMA HISTÓRIA DA PINTURA MODERNA

Herbert Read

Prefácio de Benedict Read
Capítulo final de Caroline Tisdall
e William Feaver

500 ilustrações, 118 em cores

Tradução: Ivone Castilho Benedetti

Martins Fontes
São Paulo 2001

1ª edição
fevereiro de 2001

Tradução
IVONE CASTILHO BENEDETTI

Revisão gráfica
Maria Luiza Fravet
Helena Guimarães Bittencourt
Produção gráfica
Geraldo Alves
Paginação/Fotolitos
Studio 3 Desenvolvimento Editorial (6957-7653)

Dados Internacionais de Catalogação na Publicação (CIP)
(Câmara Brasileira do Livro, SP, Brasil)

Read, Herbert, 1893-1968.
Uma história da pintura moderna / Herbert Read ; tradução Ivone Castilho Benedetti. – São Paulo : Martins Fontes, 2000. (Coleção a)

Título original: Modern painting.
ISBN 85-336-1334-2

1. Pintura moderna – Século 20 2. Pintura moderna – Século 20 – História – História I. Título. II. Série.

00-4413 CDD-759.06

Índices para catálogo sistemático:
1. Pintura moderna : Século 20 759.06

Livraria Martins Fontes Editora Ltda.
Rua Conselheiro Ramalho, 330/340
01325-000 São Paulo SP Brasil
Tel. (11) 239-3677 Fax (11) 3105-6867
e-mail: info@martinsfontes.com
http://www.martinsfontes.com

ÍNDICE

PREFÁCIO

Uma história exaustiva da pintura moderna não é possível atualmente, no mínimo porque o desenrolar de tal história ainda não chegou ao fim. Mas pareceu ser boa medida tentar oferecer ao público em geral, dentro dos estritos limites estabelecidos pela editora, um apanhado conciso dos movimentos que, em conjunto, constituem as transformações extremamente complexas que ocorreram na arte pictural nos últimos cinqüenta anos. Para evitar uma longa lista de nomes e datas (que só por si poderia ocupar todo o espaço que me foi concedido), precisei agir drasticamente, depurando a narrativa de grande número de tópicos menores que lhe tolheriam a fluência. A seleção que fiz, de nomes e eventos, inevitavelmente trai preferências pessoais, o que tomei o cuidado de corrigir toda vez que isso se tornava evidente para mim; por isso, espero que qualquer ênfase que tenha permanecido esteja dentro dos limites do bom senso.

Certas omissões que poderiam ser confundidas com preconceito precisam ser explicadas. Por exemplo, não incluí Henri Rousseau entre os precursores da pintura moderna, apesar da grande reputação de que ele gozou entre os pintores modernos. Minha justificativa é que a ingenuidade de seu estilo não é de modo algum uma qualidade "moderna", e o mesmo se aplica a todos os pintores *naifs* de nosso tempo – Morris Hirshfield, Ivan Generalič,

Joseph Pickett, John Kane, Louis Vivin, André Bauchant, Camille Bombois –, grupo que, apesar de considerável e encantador, não afeta a corrente principal da pintura de nossa época.

Por razão semelhante, excluí a pintura realista, e assim designo o estilo de pintura que, com pouca variação, continua as tradições acadêmicas do século XIX. Não nego as realizações e o valor permanente da obra de pintores como Edward Hopper, Balthus, Christian Bérard ou Stanley Spencer (para citar nomes a esmo), pois eles certamente pertencem à história da arte de nosso tempo, mas não à história do estilo de pintura especificamente "moderna". Já descrevi esse estilo como "complexo", mas, apesar de toda a sua complexidade (que também implica variedade), ele tem uma unidade de intenção que o distingue completamente da pintura de períodos anteriores: a intenção, como dizia Klee, não de refletir o visível, mas de tornar visível. Esse é, de qualquer modo, o critério de modernidade que adotei, e minhas exclusões são determinadas por ele.

No entanto, há certos artistas que omitimos com algum sentimento de culpa, com a impressão de negligência. Maurice Utrillo, por exemplo, é um dos pintores contemporâneos mais renomados, porém seu objetivo era certamente refletir o visível, e ele permaneceu fiel ao estilo de um período anterior. Jules Pascin é outro grande artista que se recusa a enquadrar-se em nossa categorização. Mais passível de críticas, sem dúvida, é minha omissão da escola mexicana contemporânea – Diego Rivera, José Orozco e Alfaro Siqueiros. Assim como alguns de seus contemporâneos russos, eles adotaram para sua arte uma linha propagandista que me parece situá-la fora da evolução estilística que é minha preocupação exclusiva.

É fácil perceber que uma história concisa como esta é uma sinopse do conhecimento existente. Tal conhecimento continua disperso, no geral, mas nos últimos anos começou-se a tentar atingir a síntese necessária. Nesse sentido, gostaria de expressar minha grande dívida para com as publicações do Museum of Modern Art de Nova York e para com as admiráveis bibliografias compiladas por seu bibliotecário, Sr. Bernard Karpel. Fato curioso, porém bem conhecido, é que a documentação sobre arte contemporânea é freqüentemente inconsistente, e mesmo os artistas às vezes se contradizem no que declararam e está documentado. Em tais circunstâncias, de modo geral, aceitei a documentação publicada do Museum of Modern Art. Além dessa fonte de informação, há dois acadêmicos, ambos ligados a esse museu, a quem qualquer estudante do período forçosamente deve muito; refiro-me a Alfred Barr, Jr. e a John Rewald. As obras de Rewald sobre impressionismo e pós-impressionismo baseiam-se numa pesquisa ampla e paciente, podendo ser aceitas como uma autoridade no assunto. O mesmo se pode dizer das monografias de Barr, dedicadas a Matisse e Picasso, bem como dos muitos catálogos por ele editados, que constituíram uma inestimável fonte de informações. Também gostaria de citar um trabalho semelhante e pioneiro que o Professor Will Grohmann realizou com a arte moderna alemã, especialmente suas autorizadas monografias sobre Paul Klee e Kandinsky.

Na parte dedicada à Bibliografia, tentei dar alguma orientação ao leitor que queira passar deste resumo para um estudo mais detalhado das várias fases da pintura moderna, mas devo ressaltar que se trata de uma lista para o leitor em geral, e não para o especialista.

Gostaria de agradecer a todos os artistas, colecionadores e galerias de arte que me ajudaram a reunir o grande número de fotografias necessário à ilustração deste livro. As obras de aproximadamente 400 pintores são ilustradas no texto ou no catálogo. Sem dúvida há omissões por descuido, mas é preciso levar em conta que, além de certo ponto, a tarefa de seleção inevitavelmente se torna arbitrária, e devo pedir desculpas aos artistas cuja obra não aparece ilustrada, embora se trate de artistas que, em minha opinião, assim como na deles, teriam igual direito de representação.

PAUL CÉZANNE *Mulher com bule. 1890-94*

I. ORIGENS DA ARTE MODERNA

"Para o historiador acostumado a estudar o crescimento do conhecimento científico ou filosófico, a história da arte apresenta um espetáculo penoso e inquietante, pois normalmente ela não parece andar para a frente, mas sim para trás. Em ciência e filosofia, gente que se sucede no mesmo campo, trabalhando bem em geral, produz avanços, e algum movimento retrógrado sempre implica solução de continuidade. Mas, na arte, uma escola já consagrada normalmente se deteriora à medida que avança. Atinge a perfeição em seu gênero com um espantoso ímpeto de energia, num gesto rápido demais para que o olho do historiador acompanhe. É possível que este nunca explique tal movimento ou nos diga como ele aconteceu exatamente. Mas, uma vez consumado, há a melancólica certeza do declínio. A perfeição atingida não educa nem depura o gosto da posteridade; corrompe-o. A história é sempre a mesma, quer olhemos para a cerâmica de Samos ou para os entalhes da antiga Inglaterra, para o drama elisabetano ou para a pintura de Veneza. Até certo ponto, se é que há alguma lei observável na história da arte, em termos coletivos, ela é, assim como a lei da vida do artista como indivíduo, não a lei do progresso, mas da reação. Em grande ou pequena escala, o equilíbrio da vida estética é permanentemente instável."[1]

Assim escreveu um dos maiores filósofos modernos da história e um dos maiores filósofos da arte. O mesmo filósofo observou que a história contemporânea não é "escrevível" porque sabemos demais sobre ela. "A história contemporânea embaraça o escritor não só porque ele sabe demais, mas também porque o que ele sabe está indigerido demais, desconexo demais, atômico demais. É só depois de atenta e prolongada reflexão que começamos a ver o que era essencial e o que era importante, a ver por que as coisas aconteceram daquele modo e a escrever história, em vez de notícias."[2]

Esse autor pode afirmar que refletiu atenta e prolongadamente sobre os fatos que constituem a história do movimento modernista nas artes da pintura e da escultura, mas não afirma que pode observar qualquer lei nessa história. Ao contrário, a autocontradição fundamental inerente a toda história, segundo Collingwood, em nenhum lugar é mais evidente do que na história do nosso tema. A arte moderna, pode-se dizer, começa com um pai que teria renegado e deserdado seus filhos; continua por acidente e mal-entendido, e só pode ganhar coerência graças a uma filosofia da arte que defina a arte de maneira muito positiva e decisiva.

Essa filosofia define arte como um meio de conceber o mundo *visualmente.* Há outros métodos de conceber o mundo. Podemos medir o mundo e registrar nossas medidas num sistema convencional de sinais (números ou letras); podemos fazer afirmações sobre o mundo com base em experimentos. Podemos elaborar sistemas que expliquem o mundo imaginativamente (mitos). Mas a arte não deve ser confundida com nenhuma dessas atividades: ela é "uma pergunta perene, feita sobre o mundo visível pelo sentido da visão"[3], e o artista é simplesmente o homem que tem a capacidade e o desejo de transformar sua percepção visual numa forma material. A primeira parte de sua ação é *perceptiva*; a segunda é *expressiva*, mas não é possível na prática separar esses dois processos: o artista expressa o que percebe; e percebe o que expressa.

Toda a história da arte é uma história dos modos de percepção visual: as várias maneiras como o homem *viu* o mundo. O simplista poderá objetar que há só uma maneira de ver o mundo: a maneira como ele se apresenta à sua visão imediata. Mas isso não é verdade: vemos o que aprendemos a ver, e a visão se transforma em hábito, convenção, seleção parcial de tudo o que há para

PAUL CÉZANNE *Auto-retrato. c. 1886*

ver e resumo distorcido do resto. Vemos o que queremos ver, e o que queremos ver não é determinado pelas leis inevitáveis da óptica ou mesmo (como pode ocorrer com os animais selvagens) por um instinto de sobrevivência, mas pelo desejo de descobrir ou construir um mundo crível. O que vemos deve tornar-se real. A arte, desse modo, torna-se construção da realidade.

Não há dúvida de que o que chamamos de movimento modernista em arte começa com a determinação resoluta de um pintor francês de ver o mundo *objetivamente.* Não deve haver mistério acerca dessa palavra: o que Cézanne queria ver era o mundo, ou a parte do mundo que ele estava contemplando, *como um objeto*, sem nenhuma intervenção, seja da mente bem-arrumada ou das emoções mal-arrumadas. Seus predecessores imediatos, os impressionistas, tinham visto o mundo *subjetivamente* – isto é, do modo como ele se apresentava aos sentidos deles sob vários aspectos ou de vários pontos de vista. Cada ocasião propiciava uma impressão diferente e distinta sobre seus sentidos, e para cada ocasião deveria haver, necessariamente, uma obra de arte distinta. Mas Cézanne queria excluir essa superfície tremulante e ambígua das coisas e penetrar a realidade que não muda, que está presente por baixo do brilhante porém enganoso quadro apresentado pelo caleidoscópio dos sentidos.

Os grandes líderes revolucionários são homens que têm uma idéia única e simples em mente, e é exatamente da persistência com que perseguem essa idéia que vem a sua força. Mas, antes de relatarmos os estágios dessa busca, cabe perguntar por que, na longa história da arte, nunca antes ocorrera ao artista o desejo de ver o mundo objetivamente. Sabemos, por exemplo, que em vários estágios da história da arte houve tentativas de fazer arte "imitativa"; e tanto a arte grega e romana como também o Renascimento da arte clássica na Europa foram períodos em que dominou o desejo de representar o mundo "como ele realmente é". Mas entre o evento visual e o ato de realizar a visão sempre interveio uma atividade que só podemos chamar de *interpretativa*. Essa intervenção parecia ser necessária em virtude da própria natureza da percepção, que não apresenta aos sentidos um quadro bidimensional plano, com limites precisos, mas um foco central com um perímetro de objetos vagamente apreendidos e aparentemente distorcidos. O artista podia focalizar a visão num único objeto, digamos uma figura humana ou mesmo um rosto humano; mas mesmo nesse caso havia problemas, tais como, em pintura, representar a solidez do objeto, seu lugar no espaço.

Em todos os casos, antes de Cézanne, para resolver tais problemas o artista punha em ação faculdades extravisuais: podia ser a imaginação, que lhe possibilitava transformar os objetos do mundo visível e assim criar um espaço ideal ocupado por formas ideais; ou podia ser o intelecto, que lhe possibilitava elaborar um mapa científico, uma perspectiva, em que se podia atribuir situação exata ao objeto. Mas um sistema de perspectiva não representa com mais precisão aquilo que o olho vê do que uma projeção de Mercator representaria o mundo como ele é visto a partir de Sirius. Assim como o mapa, serve para orientar o intelecto: a perspectiva não nos dá nenhum vislumbre da realidade.

Poder-se-ia concluir, da história da arte, que a realidade nesse sentido é fogo-fátuo, uma existência que podemos ver, mas nunca agarrar. A natureza, como dizemos, é uma coisa; arte é outra bem diferente. Mas Cézanne, embora familiarizado com "a arte dos museus" e mesmo respeitando as tentativas de seus predecessores de chegar a um acordo com a natureza, não perdeu as esperanças de

PAUL CÉZANNE *La Montagne Sainte Victoire. 1904*

ter êxito naquilo em que eles haviam malogrado, ou seja, em "realizar" as suas sensações em presença da natureza.

Paul Cézanne nasceu em Aix-en-Provence em 19 de janeiro de 1839; morreu em Aix em 22 de outubro de 1906. A maior parte de sua vida pertence à história do impressionismo, e o que deve reter nossa atenção agora é apenas aquilo que há de único nele e que causou a ruptura com os impressionistas. Sua última exposição com os impressionistas ocorreu em 1877. Ele pensou em expor com eles no ano seguinte, mas a mostra foi adiada, e em 1879 Cézanne decidiu não voltar a expor com eles. Essa decisão foi comunicada numa carta breve a Camille Pissarro, datada de 1º de abril daquele ano. Sua desculpa foram "as dificuldades suscitadas pela pintura que ele enviou para o Salão", mas, embora Cézanne sem dúvida sentisse mais agudamente do que os companheiros o ridículo público que as exposições impressionistas haviam provocado (ele sempre teve a ambição de ser aceito pelo público), podemos estar certos de que ele começara a ter a sensação crescente de divergir dos objetivos deles. Até o fim da vida manteve seu respeito por Monet e Pissarro, porém cada vez mais voltou-se para si mesmo, a fim de fazer suas próprias pesquisas, e foi esse esforço solitário e concentrado que o levou a resultados revolucionários.

Cézanne não era um revolucionário por temperamento, e não é fácil explicar por que, apesar disso, sua obra se tornaria tão significativa para o futuro desenvolvimento da arte. A explicação depende do entendimento apropriado das duas palavras freqüentemente usadas por Cézanne – palavras talvez enganadoras por serem superficialmente idênticas em português e francês: são elas "réalisation" (*realização*) e "modulation" (*modulação*). *Réaliser* significa dar forma: o uso que Cézanne faz da palavra não inclui implicações do "realismo" literário ou acadêmico; *moduler* significa ajustar um material (no caso a tinta) a certo diapasão ou intensidade (nesse caso, da cor). O método de Cézanne em pintura consistiu, primeiramente, em escolher seu *motif* – uma paisagem, uma pessoa, uma natureza-morta – e depois dar forma à sua apreensão visual desse *motivo*; e nesse processo não se deveria perder nada da intensidade vital que o *motivo* possuía em sua existência real.

"Realizar" a sua apreensão visual do motivo era o primeiro problema, devido à dificuldade, já mencionada, de encontrar um foco, um princípio estrutural de qualquer tipo. O primeiro estágio da solução do problema foi selecionar um motivo adequado. O impressionista típico, como Monet, estava preparado para encontrar um motivo em qualquer lugar – num monte de feno ou nos lírios de uma lagoa –, não importava, porque seu principal interesse estava nos efeitos de luz. Isso acabou levando essa pintura a um grau de informalidade que só seria totalmente apreciada e desenvolvida por outra geração de artistas, meio século depois. Essa era, precisamente, uma das tendências latentes no impressionismo, contra a qual o "temperamento" de Cézanne reagiu por instinto. O temperamento de Cézanne era fundamentalmente clássico. Ele era pela *structure* a qualquer custo, ou seja, por um estilo enraizado na natureza das coisas, e não nas sensações subjetivas do indivíduo, que são sempre "confusas". Sentia que não podia "realizar" sua visão sem uma organização das linhas e das cores que conferisse estabilidade e claridade à imagem transferida para a tela. As "sensações" que os impressionistas estavam tão preocupados em representar – efeitos sutis da luz e do movimento cambiantes – pareciam-lhe frustrar o objetivo apropriado ou a probidade da arte, que era criar algo tão monumental e duradouro quanto a arte dos grandes mestres do passado. Não que os grandes mestres devessem ser imitados – eles haviam obtido monumentalidade sacrificando a realidade, a intensidade da imagem visual. A ambição de Cézanne era obter o mesmo efeito de monumentalidade conservando a intensidade da imagem visual, e era isso que ele queria dizer com "refazer Poussin a partir da natureza", "pintar um Poussin vivo ao ar livre, com cor e luz, em vez de uma daquelas obras criadas em estúdio, onde tudo tem a coloração castanha de uma luz natural esmaecida, sem reflexos do céu"[4].

Cézanne sempre afirmou com insistência que a percepção humana é inerentemente "confusa" – numa carta a Joachim Gasquet[5] ele se refere "às sensações confusas que trazemos conosco ao nascer"; mas achava que, por meio da concentração e da "pesquisa", o artista deveria ser capaz de conferir ordem a essa confusão, e a arte seria, essencialmente, a obtenção de tal ordem estrutural dentro do campo de nossas sensações visuais. Ele falava da arte como "teoria desenvolvida e aplicada em contato com a natureza"[6]; falava em tratar a natureza por meio "do cilindro, da esfera, do cone, tudo na perspectiva apropriada, de tal modo que cada lado de um objeto estivesse dirigido para um ponto central"[7]. "Para se obter progresso só a natureza conta, e o olho é treinado pelo contato com ela. Ele se torna concêntrico olhando e trabalhando. Com isso quero dizer que, numa laranja, numa maçã, numa tigela, numa cabeça, há um ponto culminante; e esse ponto é sempre o mais próximo de nosso olho, apesar dos efeitos tremendos de luz e sombra e das sensações coloridas; as bordas dos objetos retrocedem para um centro sobre o nosso horizonte."[8]

Poderíamos dizer que Cézanne descobriu uma contradição inerente no próprio processo da arte, problema que era evidente para os gregos, como se pode depreender da discussão de Platão sobre a *mimese* ou imitação. O desejo é criar a imagem do que vemos, sem nenhuma falsidade decorrente da emoção ou do intelecto, nenhum exagero sentimental ou "interpretação" romântica; na verdade, sem nenhuma das propriedades acidentais decorrentes da atmosfera e mesmo da luz – Cézanne declarou mais de uma vez que a luz não existe para o pintor[9]. Mas o campo da sensação visual não tem limites precisos; dentro dele os elementos são dispersos ou confusos. Por isso, introduzimos um foco e tentamos relacionar nossa sensação visual com esse ponto escolhido. O resultado é o que o próprio Cézanne chamava de "abstração"[10], uma representação incompleta do campo de visão, um "cone" no qual os objetos focalizados incidem com um sentido de ordem ou coesão. É o que Cézanne queria dizer com "uma construção a partir da natureza"; é o que ele queria dizer com realização de um motivo; e é o que fez dele "primígeno de uma nova arte".

A solução encontrada por Cézanne parecerá excessivamente estrutural e geométrica, a menos que se atribua força total à outra palavra significativa do seu vocabulário: modulação. Os impressionistas haviam purificado a cor, abolido o "molho pardo", o *chiaroscuro* artificial, para que as cores vibrassem com intensidade natural. Mas o desejo deles fora criar o que se chamou de coquetel visual, ou seja, uma justaposição de cores que se fundiam e produziam um efeito de vividez no próprio ato de percepção. O uso que faziam da cor era tão "impressionístico" quanto o uso que faziam do traço, e, no caso de um pintor como Renoir, seu desenvolvimento devia ser no sentido de um uso *modelador* da cor, que não é o que Cézanne designava como modulação. Modulação significa ajuste de uma área de cor às áreas vizinhas: um processo contínuo de conciliação da multiplicidade com uma unidade global. Cézanne descobriu que a solidez ou a monumentalidade em pintura depende tanto dessa paciente "alvenaria" quanto da concepção arquitetônica geral. O resultado, em termos de aplicação das tintas, é a aparente divisão da superfície plana de uma área de cor num mosaico de facetas cromáticas separadas. Essa técnica tornou-se cada vez mais evidente ao longo da evolução de Cézanne, e é bem óbvia num quadro como *Le Jardin des Lauves*, da Coleção Phillips, ou nas aquarelas tardias, como *Paisagem com moinho*, que pertenceu à Coleção Vollard. Se isolarmos detalhes de quase todos os quadros feitos depois de 1880, veremos

PAUL CÉZANNE *Le Jardin des Lauves. 1906*

a mesma estrutura de mosaico da superfície. Deve-se levar em conta, porém, que aquilo que assim isolamos para dissecar e chegar aos planos constitutivos está, na pintura toda, completamente integrado no todo; a justificação de tal técnica por Cézanne é que ela é "um bom método de construção". Como num monumento arquitetônico completo, não devemos ter consciência das unidades que, em conjunto, constituem a unidade.

* * *

Antes de continuarmos na avaliação da influência de Cézanne sobre o futuro desenvolvimento da pintura, faz-se necessário lembrar uma advertência que Lionello Venturi fez no seu estudo crítico dedicado ao artista em 1936[11], no qual ele diz que constituiria erro gravíssimo ver em Cézanne um precursor de todas as tendências da pintura posterior a ele: como tal, ele seria uma semente da qual teria nascido toda uma floresta. E Venturi cita Baudelaire: "O artista só depende de si mesmo. Promete aos séculos futuros apenas as suas obras; só dá garantia de si mesmo. Morre sem prole. Ele foi seu rei, seu sacerdote, seu deus."[12] Nesse sentido, Cézanne morreu sem prole: foi um artista único, o estilo era o homem, e não fundou escola. Citando Venturi novamente: "O erro em que quase todos os críticos de Cézanne incidem está exposto em suas últimas cartas, à luz do seu entusiasmo diante da natureza, de seu desdém por tudo em arte que não seja intuição individual, fundamental, livre de idéias acadêmicas preconcebidas. [...] Já é tempo de se afirmar que o mundo espiritual de Cézanne, no último minuto de sua vida, não era o dos simbolistas, dos *fauves* ou dos cubistas, mas sim o mundo que associamos a Flaubert, Baudelaire, Zola, Manet e Pissarro. Isso significa que Cézanne pertence ao período heróico da arte e da literatura na França que acreditava ter encontrado um novo caminho para a verdade natural, passando além do romantismo para transformá-lo numa arte duradoura. Não há nada decadente, nada abstrato, não há arte pela arte no caráter e na obra de Cézanne; nada, senão a vontade inata e indomável de criar arte."[13]

Essas palavras procedem e são mais um exemplo do desejo de escapar daquilo que Collingwood chama de equilíbrio permanentemente instável da vida estética. Contudo, como Venturi admitiu em primeiro lugar, a evolução da arte moderna é inconcebível sem a empreitada e o exemplo de Cézanne, e nenhum outro artista mantém uma relação tão significativa com seus sucessores. Não há uma "Escola de Cézanne", mas não há artista importante do século XX que não tenha sido influenciado por algum aspecto da obra de Cézanne. Essas influências eram às vezes superficiais e até mesmo – como ocorre com o cubismo – baseadas em algum mal-entendido de certas características da pintura de Cézanne. A intenção de Cézanne era criar uma ordem da arte que correspondesse à ordem da natureza, independente de suas próprias sensações confusas. Gradualmente, foi ficando evidente que tal ordem da arte tem uma vida e uma lógica próprias, que as sensações confusas do artista poderiam cristalizar-se e formar sua própria ordem lúcida. Essa era a libertação que o espírito artístico do mundo estava esperando; veremos a que distância das intenções de Cézanne ela levou e a que novas dimensões da experiência estética.

* * *

A heróica tentativa de Cézanne de ultrapassar o romantismo (o que não significa necessariamente tomar direção diferente) estava em oposição a certas tendências mais gerais do período. Tendências que, perto do fim do século, ganharam um nome genérico – na Alemanha, *Jugendstil*; na França, *art nouveau*; na Inglaterra e nos Estados Unidos, *modern style*. Não era tanto um estilo, porém mais um maneirismo, e manifestava-se sobretudo nas artes aplicadas: decoração de interiores, ornamentos arquitetônicos, tipografia e artes gráficas. No entanto, esse maneirismo pode ser detectado, nem que seja superficialmente, na obra de diversos artistas que continuam sendo citados como predecessores do modernismo. Gauguin, Van Gogh, Munch, Seurat e Toulouse-Lautrec estavam ativos e criando suas obras mais características entre 1880 e 1900, e, por mais diferentes que sejam, há um elemento comum, que todos demonstram inconscientemente. É precisamente o elemento que Cézanne mais rejeitava: o elemento decorativo. Cézanne certa vez referiu-se desdenhosamente a Gauguin como "fazedor de imagens chinesas", e com essa frase repudiou o simbolismo sofisticado que, numa forma ou noutra, caracterizava a pintura européia das últimas duas décadas do século XIX. É fácil classificar Gauguin e Munch como simbolistas, mas nem Van Gogh nem Toulouse-Lautrec eram fazedores de imagens simbólicas do tipo repudiado por Cézanne; no entanto, há um elemento que eles possuem em comum com Munch e Gauguin.

Voltamos então às pistas visuais e técnicas, únicas que fazem sentido na história da arte. As pistas nesse caso vêm de duas fontes bem distintas e inesperadas: do Japão e da Grã-Bretanha. Da Grã-Bretanha veio uma influência que, embora manifestada sobretudo na arquitetura e nas artes aplicadas, ao se disseminar para o continente a partir de 1890, mais ou menos, fundiu suas influências estilísticas com as que estavam ativas na pintura e na escultura. Trata-se do movimento iniciado em artes e ofícios por William Morris (1834-96 [*arts and crafts movement*]) em torno de 1870, que, além de se manifestar na mobília, na tapeçaria, nos papéis de parede e nos livros ilustrados produzidos sob sua supervisão direta, também se manifestou na arquitetura de Charles Rennie Macintosh (1868-1928), na Escócia, e de Charles Voysey (1857-1941), na Inglaterra. A história da difusão dessa influência, através de um meio de comunicação como a revista de arte *The Studio*, nunca foi estudada em detalhe[14], mas não há dúvida de que ela era mundial e podia ser encontrada não só na arquitetura da Bélgica (Van de Velde), da Holanda (J. J. P. Oud), da Áustria (Adolf Loos), da Alemanha (Peter Behrens), da França (Auguste Perret) e dos Estados Unidos (Frank Lloyd Wright), como também nas artes gráficas e ornamentais de todos os países[15]. Quaisquer influências se transformam à medida que se disseminam e encontram outras influências em ambientes diferentes, mas é indubitável que um elemento comum aos arquitetos e decoradores que citei também é detectável na pintura de Edvard Munch, Ferdinand Hodler, Puvis de Chavannes, Toulouse-Lautrec e muitos outros. Não é fantasioso demais dizer que há elementos decorativos na pintura de Gauguin e Van Gogh, bem como no trabalho posterior de Vuillard e Bonnard, que talvez derive, inconscientemente, desse estilo difundido. Van Gogh esteve na Inglaterra de 1873 a 1875 e novamente em 1876, sendo então cedo demais para conhecer qualquer coisa das atividades de Morris; mas estava trabalhando para um *marchand* da moda (Goupil) e deve ter tomado consciência do espírito novo que despertava ao seu redor (embora Millais e Seymour Haden sejam os únicos pintores ingleses contemporâneos que ele cita em suas cartas da Inglaterra). Camille Pissarro e Monet foram para a Inglaterra em 1870, e em 1883 o filho de Pissarro, Lucien, estabeleceu-se em Londres, onde montou a Eragny Press. Logo ficou conhecendo Morris, além de outros artistas, como Charles Ricketts, Charles Shannon e até mesmo Whistler, e a correspondência entre pai e filho mostra o grande interesse que ambos nutriam pelo movimento inglês de artes e ofícios[16].

Aqui também se deve ter em mente que tais influências, difundidas de modo gradual e até imperceptível durante um período de vinte ou trinta anos, não têm sua trajetória estudada em detalhes; na verdade, detalhá-las é distorcer a realidade histórica, que corresponde a uma impregnação por influências diminutas e particulares que, sendo absorvidas tão logo caem em chão seco, são menos significativas quando diretas e óbvias.

VINCENT VAN GOGH *Le Père Tanguy. c. 1887*

Algo diferente ocorre com a outra fonte de transformação estilística daquela época. Do Japão chegou uma daquelas intervenções técnicas aparentemente triviais porém decisivas que mudam os rumos da arte. Com a abertura do comércio com aquele país em meados do século XIX, houve uma verdadeira invasão do mercado europeu por pequenos objetos japoneses, entre os quais xilogravuras que foram imediatamente apreciadas por seus méritos artísticos. Muitos artistas franceses tornaram-se colecionadores entusiásticos da obra de Hokusai e Utamaro, e não demorou muito para que a influência desses mestres japoneses se tornasse evidente no trabalho de muitos impressionistas. Uma gravura japonesa aparece ao fundo do retrato de Zola feito por Manet (1868); há também uma no quadro *Le Père Tanguy* de Van Gogh (1886-88) (p. 23), e outra no seu *Auto-retrato com bandagem na orelha* (1889), no Instituto Courtauld; *Natureza-morta com gravura japonesa* (1889), de Gauguin, é outro exemplo[17]. Mas isso é simples demonstração da popularidade das gravuras, e sua influência é evidente nas transformações que foram ocorrendo gradualmente no *estilo* dos pintores franceses: uso de arabescos lineares para encerrar áreas chapadas de cor não modulada, abandono da perspectiva tridimensional e concepção da pintura como algo heráldico, alegórico ou simbólico.

Embora muitos impressionistas fossem influenciados superficialmente pelas gravuras japonesas, o verdadeiro impacto dessa arte só se tornou evidente na obra de Van Gogh e Gauguin. Ambos os pintores sentiram o desejo de criar em óleo uma forma equivalente dessa arte. É verdade que um pintor como Whistler havia imitado as características estruturais ou composicionais das gravuras japonesas, mas sobre essa estrutura ele sobrepôs um impressionismo atmosférico que – dir-se-ia – tinha alguma dívida para com a pintura chinesa, mas que não se afastava essencialmente do estilo de Monet ou Degas. Quando, por volta de 1886, Van Gogh começou a copiar as xilogravuras japonesas, não utilizando as técnicas da gravura em madeira, mas sim da pintura a óleo, estava tentando transferir para o âmbito europeu as virtudes estéticas do estilo japonês. Ele chegou a ponto de usar penas orientais de junco para fazer desenhos a tinta, a fim de simular a técnica dos japoneses[18]. Mas sua principal finalidade era reproduzir na pintura a óleo a força expressiva das áreas chapadas de cor pura. Ele disse a respeito de seu quadro *Quarto do artista em Arles* (1888): "É apenas meu dormitório, só que ali a cor faz tudo e, conferindo com sua simplificação um estilo mais grandioso às coisas, a sugestão deve ser *de repouso* ou de sono em geral. [...] Eliminam-se os sombreados e as sombras projetadas, a pintura é feita em cor chapada livre ou em finas camadas de aguada, como nas gravuras japonesas."[19] Cabe notar, para futuros comentários, que foi visando à função *expressiva* que Van Gogh adotou essa característica particular da arte japonesa.

Gauguin adotou essas ou outras características da arte oriental com finalidade um pouco diferente. Ele não apreciava menos do que Van Gogh o valor expressivo das grandes áreas de cor pura, mas também havia estudado arte medieval (escultura, tapeçaria e vitrais), xilogravuras primitivas e certo tipo de arte exótica que vira na Feira Mundial de 1889; sabia que a cor deve ser usada de modo simbólico e expressivo. Esse era um dos assuntos favoritos de discussão com o grupo que costumava reunir-se em casa de Marie-Jeanne Gloanec, em Pont-Aven, e de Marie Henry, em Le Pouldu, duas aldeias da Bretanha – grupo de que participavam Paul Sérusier e Émile Bernard, pintores preocupados com a teoria tanto quanto com a prática da arte. Vários outros pintores uniram-se ao grupo: Émile Schuffenecker, Louis Anquetin e Meyer de Haan. Embora Gauguin dominasse o grupo em virtude da força de sua personalidade, de sua energia incansável de pesquisador e de sua inteligência, o estilo coletivo que emergiu – o nome que escolheram para ele era *Synthétisme* – não era essencialmente o estilo pessoal de Gauguin. Era um estilo que devia muito às fontes que acabamos de mencionar, fontes que estavam disponíveis para todos e agiam não só sobre o grupo como um todo, mas também sobre os artistas de toda a Europa. Basta comparar a obra de Gauguin e de seu grupo com os trabalhos que eram feitos de forma independente, tanto na França (Seurat, Puvis de Chavannes e Toulouse-Lautrec) como em outros lugares mais afastados (Munch na Noruega; Hodler na Suíça) para perceber um maneirismo próprio do período, cujas fontes estavam em alguma transformação mais profunda do espírito. Podemos ver agora, setenta anos depois, que estava começando a emergir na arte européia um novo ímpeto para a abstração, e, embora precisemos deixar a descrição mais detalhada desse fenômeno para outro capítulo, podemos notar aqui que suas primeiras manifestações eram fragmentárias e aparentemente desconexas. A atração que a xilogravura japonesa exercia sobre os impressionistas, a atração semelhante que a arte primitiva exercia sobre Gauguin e os sintetistas, a busca de Seurat por uma estrutura geométrica para a sua técnica pontilhista, a subordinação da visão realista de Munch a um ritmo arabescado – em cada um desses casos havia busca de uma nova fórmula em arte, e essa fórmula tinha de ser, em algum sentido, supra-real, alguma forma arquetípica na qual o espírito deserdado do homem pudesse encontrar estabilidade e repouso. A arte perdera todas as suas sanções: a sanção divina no serviço de deus (pois deus estava morto), a sanção humana no serviço da comunidade (pois o homem perdera todos os seus elos). À medida que possuía qualquer capacidade de expressar-se em termos filosóficos (e tanto Van Gogh quanto Gauguin tinham essa capacidade em grau considerável, como indicam suas cartas), toda essa geração tinha consciência daquilo que agora chamamos de dilema existencial. Cézanne não sabia expressar-se em tais termos metafísicos; no entanto, mais do que qualquer um de seus contemporâneos, estava consciente do que precisava ser feito; e Gauguin estava ciente do que Cézanne estava fazendo, e por mais que rejeitasse as técnicas adotadas por Cézanne, costumava dizer, quando começava uma nova tela: "Vamos fazer um Cézanne."[20]

A indicação mais clara da direção que a arte do século XX ia tomar encontra-se no trabalho de um gênio cuja morte prematura deixou uma obra incompleta: Georges Seurat (1859-91). Ele nascera vinte anos depois de Cézanne e, se tivesse morrido com a mesma idade de Cézanne, sua vida teria atravessado o período cubista: na verdade, até 1926. Poderia ser chamado de Piero della Francesca do modernismo. Com mais consciência que Cézanne e mais deliberação e inteligência do que qualquer um de seus contemporâneos, ele aceitou o caráter científico da época e conferiu expressão precisa a seu ideal de objetividade. Era ainda estudante na École des Beaux Arts quando leu tratados científicos sobre óptica e cor, especialmente os de Eugène Chevreul sobre a divisão da luz em suas cores constituintes. Com base nessa teoria, Seurat elaborou – é difícil dizer que *descobriu* – a técnica que veio a ser conhecida como *pontilhismo*, embora ele mesmo preferisse o nome *divisionismo*. Significava decompor as cores presentes na natureza em suas variações cromáticas constituintes, transferindo-as para a tela no estado puro ou primário, em forma de pinceladas minúsculas ou pontos e deixando por conta da retina do observador a tarefa de reconstituir essas variações como uma "mistura óptica". O objetivo, evidentemente, era preservar as cores da natureza em toda a sua realidade e vividez, ambição tão antiga quanto Constable e Delacroix. Se Seurat tivesse limi-

PAUL GAUGUIN *A Lua e a Terra. 1893*

tado suas investigações à cor, não teria ido além dos seus companheiros impressionistas (Pissarro e Signac em particular); mas suas pesquisas com cor foram seguidas por pesquisas com traços e, de modo geral, com as bases científicas da harmonia estética. E perguntava: "Se com a experiência da arte fui capaz de descobrir cientificamente a lei da cor pictórica, não seria possível descobrir um sistema igualmente lógico, científico e pictórico para compor harmoniosamente os traços de um quadro do mesmo modo que consigo compor suas cores?"[21] Em 1886 ele conheceu um jovem cientista, Charles Henry, que tinha a resposta para essa e para muitas outras perguntas. Henry, polímata extraordinariamente brilhante e produtivo, parece ter concebido a ambição de reconciliar ciência e arte em alguma síntese intelectual superior – o que Paul Valéry, que o conhecia, chamava de "sistema unificado da sensibilidade e da atividade humana"[22]. Longas e absorventes foram as discussões que se seguiram, pois havia artistas – Pissarro em particular – suficientemente inteligentes para perceber que o que estava em questão era toda a base intuitiva dos valores estéticos até então aceitos. Mas o próprio Seurat – e essa é a prova de sua grandeza – não estava pronto para desistir dessa base tradicional, e sua obra incompleta gira em torno da necessidade de achar uma solução para o problema dialético presente nessa questão. É lamentável que um dos *meios* usados por Seurat – pontilhismo ou divisionismo – tivesse toldado sua finalidade real, que era "uma arte da harmonia". A harmonia pode ser resolvida em elementos de tom, cor e traço, como ele disse em sua famosa "Estética"[23], e essas harmonias podem expressar sentimento de alegria, calma ou tristeza. Os meios devem ser calculados, mas os efeitos são incalculáveis, visto que operam na gama infinita da sensibilidade humana. Como ocorria com a adoção de cores chapadas em aguadas e de outros elementos da xilogravura japonesa por Van Gogh, a função *expressiva* da obra de arte era reconhecida e preservada.

Vinte anos depois de sua morte precoce, num estágio crucial do desenvolvimento da arte moderna, Seurat deveria exercer influência decisiva sobre Picasso, Braque e Gris. Para um contemporâneo solidário como Camille Pissarro, na época da morte de Seurat parecia que o pontilhismo tinha acabado, "mas – acres-

GEORGES SEURAT *Place de la Concorde, Inverno. 1882-83*

centava o perspicaz Pissarro – acho que ele dará origem a outros efeitos que mais tarde terão grande significado artístico. Seurat realmente trouxe algo."[24] Esse "algo" não era o pontilhismo, que Pissarro adotara de início como técnica e depois rejeitara decisivamente, nem mesmo os fundamentos científicos para a harmonia estética na arte da pintura, mas uma consciência dos problemas dialéticos no próprio processo artístico que só poderiam ser resolvidos com uma transformação revolucionária de sua situação cognitiva. A antiga linguagem da arte já não era adequada para a consciência humana: era preciso estabelecer uma nova linguagem, sílaba por sílaba, imagem por imagem, até que a arte pudesse mais uma vez ser uma necessidade social tanto quanto individual.

GEORGES SEURAT *Uma tarde em La Grande Jatte. 1884*

II. A GUINADA

No começo do novo século a arte européia tinha atingido um estágio que mais vale descrever com a frase francesa *reculer pour mieux sauter.* Não havia indício de retrocesso, mas havia uma pausa. Em 1900 Maurice Denis pintou *Hommage à Cézanne*, que está agora no Musée d'Art Moderne de Paris. Mostra, entre outros, Bonnard, Vuillard, Redon, Roussel, Sérusier e o próprio Denis reunidos em torno do homem que eles reconheciam como mestre – um grupo sóbrio. Naquele mesmo ano Gauguin retirou-se para seu exílio final, as ilhas Marquesas, onde morreria na miséria três anos depois. Van Gogh e Seurat estavam mortos, e Toulouse-Lautrec estava morrendo; Degas estava ficando cego, e Monet, embora ainda fosse pintar uma série de quadros da maior importância para o futuro – lagoas e nenúfares –, estava igualmente ameaçado pela cegueira. Renoir também era doente, se bem que, nos dezenove anos que lhe restavam, ainda fosse pintar algumas de suas maiores obras.

Apesar dessa aparente interrupção do movimento, tinha sido firmada uma posição a partir da qual não havia retrocesso: e o que fora atingido era tão deslumbrante em sua glória que todo jovem artista da Europa e da América se voltava para Paris com insopitáveis anseios. Na Grande Exposição Mundial realizada em Paris em 1900, os impressionistas e pós-impressionistas haviam sido admitidos em grande número, e, embora o público ainda estivesse longe de aceitá-los integralmente, sua fama já era mundial.

De todos os pontos cardeais, os jovens artistas dirigiam-se para Paris. Nos dez primeiros anos praticamente todo artista que se tornaria um líder de novos movimentos no século que se iniciava visitava Paris, e muitos iam para ficar. Alguns tinham nascido lá ou nas proximidades: Rouault, Picabia, Delaunay, Utrillo, Derain e Vlaminck; outros franceses provenientes das províncias mudavam-se para lá: Braque e Léger em 1900, Arp e Marcel Duchamp em 1904. Picasso foi a Paris pela primeira vez em 1900 e logo voltou para ficar. Brancusi chegou via Munique em 1904; Archipenko em 1908; Chagall em 1910. Kandinsky visitou Paris em 1902 e novamente em 1906-07; Klee, em 1905. Juan Gris foi e fixou-se ali em 1906. Da Alemanha chegaram Nolde em 1899, Paula Modersohn-Becker em 1900 e Franz Marc em 1903. Da Itália chegaram Carrà em 1900, Boccioni em 1902 e Severini e Modigliani em 1906. Mesmo dos Estados Unidos um artista pioneiro, John Marin, foi para lá em 1905; e no mesmo ano Max Weber saiu de Paris e estabeleceu um posto avançado do novo movimento em Nova York.

Na mesma época outra concentração de forças estava ocorrendo em Munique. A história dessa primeira década em Munique nunca foi escrita de modo adequado, e não há dúvida de que ela não é estritamente comparável à história da mesma década em Paris. Os impressionistas alemães, Lovis Corinth e Max Slevogt, atuavam em Munique na virada do século, mas era a fama acadêmica de Munique que atraía artistas estrangeiros como Wassily Kandinsky e Alexei von Jawlensky, Naum Gabo e Paul Klee; e embora Munique estivesse alerta para tudo o que estava acontecendo em Paris, a capital bávara irradiava um espírito mais filosófico, com o conseqüente desejo de justificar a prática da arte em termos teóricos. Dois dos documentos decisivos do movimento moderno foram escritos em Munique nessa época: *Abstraktion und Einfahlung* de Wilhelm Worringer (1908)[1], em que, pela primeira vez, se postulava o desejo de abstração em arte como um fenômeno histórico recorrente, e *Uber das Geistige in der Kunst* de Kandinsky (1912)[2], no qual, também pela primeira vez, se proclamava e justificava uma abstrata "arte da necessidade interna" como fenômeno contemporâneo.

Em Paris, os pintores que reagiam contra o impressionismo eram conhecidos como *les fauves* (as feras), nome usado pela primeira vez como chiste pelo crítico Louis Vauxcelles na época do Salão de Outono de 1905. O nome pegou porque os meios usados por aqueles pintores eram inegavelmente violentos. Na verdade, eles eram expressionistas, como veremos, e, embora o resultado final de cada movimento acabasse sendo bem diferente, houve durante certo tempo um paralelismo no desenvolvimento concomitante que tiveram em Paris e na Alemanha (particularmente em Munique). Mas é bom lembrar que as paralelas partem de pontos distintos e nunca se encontram.

O fauvismo, a acreditar-se nas afirmações do pintor que se tornou líder do grupo, Henri Matisse (1869-1954), começou como revolta contra o procedimento excessivamente metódico de neo-impressionistas como Seurat e Signac. "O fauvismo sacudiu a tirania do divisionismo", declarou certa vez Matisse, e depois explicou[3]:

"O neo-impressionismo, ou melhor, a parte dele que é chamada de divisionismo, foi a primeira organização do método do impressionismo, mas essa organização era puramente física e muitas vezes mecânica. A divisão da cor trouxe a divisão da forma e do contorno. Resultado: uma superfície convulsiva. Tudo é reduzido à mera sensação da retina, mas uma sensação que destrói a tranqüilidade da superfície e do contorno. Os objetos são distinguidos apenas pela luminosidade que lhes é dada. Tudo é tratado da mesma maneira. No fim, não há nada mais que animação tátil, comparável ao vibrato de um violino ou da voz. Tornando-se cada vez mais cinzentas com o tempo, as pinturas de Seurat perderam a qualidade programática do arranjo das cores e só ficaram com seus valores autênticos, os humanos, valores picturais que hoje parecem os mais profundos."

Matisse abandonara a carreira de advogado e com vinte e dois anos de idade, no inverno de 1891-92, foi a Paris para estudar com Bouguereau, então no auge da popularidade. Logo descobriu que cometera um erro e transferiu-se para o estúdio mais romântico porém ainda acadêmico de Gustave Moreau. Ali foi condiscípulo de Georges Rouault (1871-1958), de Albert Marquet (1875-1947) e de vários outros que se associariam a ele nas lutas

HENRI MATISSE *Natureza-morta com peixinhos dourados.* 1911

futuras. É difícil perceber o que qualquer um deles deve a Moreau como professor, com exceção das virtudes da aplicação e da autodisciplina (o "orientalismo" dos *fauves*, que às vezes é atribuído a Moreau, com certeza teve origem diferente). A iluminação particular de Matisse não viria do estúdio de Moreau, mas de um contato direto com Pissarro e com outros impressionistas. Seu genro, numa nota de rodapé importante demais para ser relegada à obscuridade tipográfica, conta que "Foi Wéry, um dos alunos de Bonnat [Léon Bonnat era outro professor com quem Othon Friesz e Raoul Dufy estudaram], quem apresentou Matisse ao impressionismo. Ele estava viajando pela Bretanha com esse pintor, então sob a influência da técnica de Sisley. Depois de breve estada juntos em Belle-Ile (1896), Matisse prosseguiu sozinho até Beuzec-Cap-Sizun, cidadezinha de Finistère, de onde trouxe as usuais e indispensáveis lembranças: um quadro chamado *Église* e outro chamado *Femme gardant un cochon.* Ele já pintara na Bretanha algumas paisagens muito originais, de composição ampla e tonalidade azulada plena. Nessas obras, que lembram curiosamente Courbet e Delacroix, o pintor emprega a usual escala de tons. A amplitude de sua visão e a intensidade da expressão indicam que ele se está aproximando de um ponto de êxtase (1895). A efusão da hemorragia *fauve* pareceria decorrente da intervenção indireta de Wéry. Cada um dos dois jovens pintores, durante discussões repetidas, conseguira convencer o outro da excelência e da superioridade de suas razões. Ao voltarem para Paris, a paleta de Matisse era composta por cores brilhantes; a de Wéry, por betume, o que lhe granjeou considerável, ainda que breve, popularidade."[4]

Isso foi em 1896. Quando, por volta de 1897, a pintura de Matisse, até então sombria, "assumiu a radiância de sua obra posterior (quem relata é Duthuit), foi do mais profundo de seu ser que ele extraiu aquela paleta de azul brilhante, azul esverdeado, esmeralda e vermelho-vivo"[5]. Assim, mesmo antes de 1900, como Marquet também confirma, Matisse estava trabalhando naquilo que mais tarde ficou conhecido como a maneira *fauve.* Em 1898, havia pintado um grande nu masculino em azul puro que até os amigos acharam desconcertante. Esse parece ter sido um experimento espontâneo, produto de sua revolta instintiva. Mas bem nesse

HENRI MATISSE *Auto-retrato*

estágio do seu desenvolvimento ele foi orientado para a verdadeira fonte da disciplina por Camille Pissarro, o gênio mais perceptivo de toda aquela época. Pissarro pode não ter sido o primeiro a levar Matisse a conhecer Cézanne, mas com certeza foi quem deixou claro o seu significado, a tal ponto que em 1899 Matisse, que mal podia arcar com o módico preço (1300 francos) solicitado pelo *marchand* Vollard, comprou um quadro do mestre de Aix. Esse quadro, *Três banhistas*, acabaria ficando com ele até 1936, quando foi doado ao Museu da Cidade de Paris, com a observação, feita numa carta que acompanhou a doação, de que durante trinta e sete anos aquele quadro "deu-me apoio espiritual nos momentos críticos da minha carreira de artista; por ele tracei minha fé e minha perseverança"[6].

O que Matisse descobrira em Cézanne nesse ponto decisivo de sua carreira? Simplesmente que as cores de um quadro devem ter uma estrutura, ou, parafraseando-o, que a estrutura é dada ao quadro pela relação entre suas cores constitutivas. Isso pode parecer não diferir em nada do ideal de harmonia estrutural preconizado por Seurat, mas Matisse o condenava por destruir a integridade da cor: a divisão da cor em pontos tirava-lhe a vida. As cores precisam ser usadas em sua "plenitude" (palavras de Cézanne), e o problema era revelar a estrutura em que se mantinha a pureza das cores, abstendo-se de meios auxiliares fortuitos decorrentes da mistura de preto ou cinzento. Cézanne era o único precursor que tivera a mesma ambição.

Mas Matisse não se tornou mero imitador de Cézanne, e isso graças à convicção, compartilhada com muitos artistas daquela época, de que a arte deve ser dinâmica, e não estática (como parecia ser a arte de Seurat), expressiva de um "sentimento quase religioso em relação à vida" e não simples registro de uma sensação passageira (como fora a arte dos impressionistas). Essa atitude fica bem clara nas "Notes d'un peintre" que Matisse publicou em *La Grande Revue*, Paris, 25 de dezembro de 1908, um dos documentos fundamentais da história da arte moderna. Nos dez anos que se passaram desde seu quadro *Nu azul*, Matisse havia-se encontrado, tornando-se seguro da direção que devia tomar. É significativo que o primeiro aspecto em que ele insiste nesse artigo diga respeito à expressão. "O que procuro, acima de tudo, é a expressão. [...] Sou incapaz de distinguir entre o sentimento que tenho pela vida e a maneira de expressá-lo. [...] Expressão, no meu modo de pensar, não consiste na paixão espelhada por um rosto humano ou demonstrada por um gesto violento. Todo o arranjo da minha pintura é expressivo. O lugar ocupado pelas figuras ou objetos, os espaços vazios em torno deles, as proporções, tudo tem um papel. Composição é a arte de organizar de maneira decorativa os vários elementos que estão à disposição do pintor para a expressão de seus sentimentos."[7]

Não podia ser mais claro, e, como veremos, os objetivos dos expressionistas alemães, que estavam ganhando forma na mesma época, eram idênticos, pelo menos no que se refere às formulações verbais. Mas Matisse continuava e fazia algumas restrições. A primeira era a insistência na "solidez" em oposição às qualidades de "encanto, leveza, fragilidade" dos impressionistas. As sensações cromáticas imediatas ou superficiais devem ser "con-

HENRI MATISSE *O pintor e seu modelo.* 1917

densadas", e é essa condensação das sensações que constitui um quadro. Esse é o primeiro sinal da influência de Cézanne: a obra de arte não é "imediata", é "uma obra de meu espírito": precisa ter um teor e um caráter *duradouros*, um caráter de *serenidade*, e só se chega a isso por meio da demorada contemplação do problema da expressão.

Há duas maneiras de expressar as coisas, conforme apontado por Matisse: "Uma é mostrá-las cruamente; outra é evocá-las artisticamente." Aí está o ponto crucial que indica a possibilidade de divergência entre Matisse e alguns colegas seus e, de modo mais geral, entre o expressionismo francês e o alemão. Matisse examinara as artes egípcia, grega e oriental, e chegara à importante conclusão de que "abandonando-se a representação literal do movimento é possível caminhar em direção a *um ideal mais elevado de beleza*". A fera havia sido domada! Procuramos no resto do artigo uma definição desse ideal mais elevado e encontramo-nos diante de uma referência às virtudes gregas de serenidade e harmonia. "Os gregos também são calmos; um homem que esteja arremessando um disco será mostrado no momento de ganhar forças, antes do esforço, ou então, se for mostrado na posição mais violenta e precária provocada por essa ação, o escultor a resumirá e condensará para que se restabeleça o equilíbrio, sugerindo assim um sentimento de duração. O movimento em si é instável, e não apropriado a algo duradouro como uma estátua, a menos que o artista tenha conscientizado toda a ação da qual ele representa apenas um momento."

É significativo que Matisse tenha escolhido a escultura para ilustrar o que queria dizer, pois ele se exercitava nessa forma de arte desde 1899, e durante certo tempo fora influenciado por Rodin. Na verdade, junto com o quadro de Cézanne adquirido de Vollard em 1899, ele também comprou o busto original em gesso de Henri Rochefort feito por Rodin, e a essa obra ele também se apegara durante os anos de pobreza; dela também extraíra fé e perseverança. Sua primeira obra importante em escultura, *O escravo*, iniciada em 1900 e não terminada antes de 1903, é obviamente influenciada pelo *Homem a andar* de Rodin. Matisse chegou até a pedir a Rodin que o tomasse como aluno, mas parece que Rodin o repeliu[8], e por isso Matisse procurou Bourdelle para

HENRI MATISSE *Vaso e romãs. 1947*

o mesmo fim. A escultura sempre desempenhou papel significativo, embora secundário, na carreira de Matisse, desde esse *Escravo*, de 1900, até o *Crucifixo*, que ele fez para a capela de Vence no fim da vida.

Voltando às "Notes" de 1908: ao tratar do modo "artístico" de expressar seus sentimentos pela vida, Matisse distingue ordem (clareza da forma) e expressão (pureza da sensação). O sentido de ordem vem-lhe de Cézanne, em cujos quadros "tudo é tão bem ordenado [...] que, não importa a distância em que se esteja, sempre se é capaz de distinguir cada figura claramente e saber que membro pertence a que corpo. Se no quadro houver ordem e clareza, significa que essa mesma ordem e essa clareza existiam no espírito do pintor e que o pintor estava consciente de sua necessidade."

Em primeiro lugar, portanto, uma visão clara de toda a composição *no espírito* do pintor.

Depois vem a escolha das cores, com base na observação, no sentir e "na própria natureza de cada experiência". Esta última frase implica que não há teoria *a priori* da cor à qual ajustar o assunto (como Seurat e Signac haviam tentado), mas que o artista deve, a cada vez, tentar encontrar uma cor que se ajuste às suas sensações. A linguagem de Matisse é um pouco obscura nesse ponto (e não é ajudada pela tradução inglesa, que ignora a distinção entre "tom" e "cor"), mas Matisse quer dizer que é preciso criar entre todas as cores que constituem o quadro um equilíbrio tal que "chegue um momento em que cada parte tenha encontrado sua relação definitiva, e a partir de então será impossível dar mais uma pincelada em qualquer quadro sem que seja preciso pintá-lo de novo".

Depois da expressão de seu eterno humanismo ("o que me interessa mais não é a vida nem a paisagem, porém a figura humana"), Matisse faz uma confissão que produziu muitos malentendidos, mas que deve ser reproduzida novamente porque indica, mais decisivamente do que qualquer outra expressão de seu ponto de vista, a distância que deveria separá-lo não só de seus colegas *fauves* como também dos expressionistas da Alemanha e de outros países:

HENRI MATISSE *Retrato da Sra. Matisse. 1913*

> "Sonho com uma arte do equilíbrio, da pureza e da serenidade, que não contenha temas perturbadores ou depressivos, uma arte que para qualquer trabalhador intelectual, seja ele um homem de negócios ou um escritor, possa exercer influência apaziguadora, como um bálsamo espiritual, algo como um bom sofá no qual nos refazemos do cansaço físico."

Afirmação ingênua, não corroborada pelas obras com que Matisse se ocupava na época, como por exemplo *As duas negras* de 1908 (bronze), *Jeannette* (também bronze) de 1910-11, *A ninfa e o sátiro* de 1909 (Museu da Arte Ocidental, Moscou) ou *O peixinho dourado*, de 1909-10 (Copenhague, Museu Statens). Mas esse é também o período de *Danças*, de 1909 (Coleção Chrysler) e 1910 (Museu da Arte Ocidental, Moscou), e já em 1911 Matisse havia aceitado por inteiro as implicações de seu credo. Exatamente quarenta anos depois, porém, para o catálogo de uma exposição de desenhos realizada no Philadelphia Museum of Art, Matisse fez outra afirmação segundo a qual fica claro que ele nunca deixou de lado seu intuito expressivo: "Há uma verdade inerente que deve ser depreendida da aparência externa do objeto que vai ser representado. Essa é a única verdade que interessa. [...] Esses desenhos resultam tão pouco do acaso que em cada um deles se pode ver, à medida que se expressa a verdade do seu caráter, que a mesma luz os banha todos e que a qualidade plástica de suas diferentes partes – rosto, fundo, transparência dos espetáculos e sensação do peso do material, tudo o que é impossível de verbalizar, mas fácil de fazer dividindo um pedaço de papel em espaços com uma simples linha de largura quase uniforme – todas essas coisas continuam as mesmas [...] sua verdade essencial constitui o desenho [...] *L'exactitude n'est pas la vérité.*"[9]

Exatidão não é verdade é a tese de todo o modernismo em arte, mas como tese foi formulada com clareza pela primeira por Matisse e pelos *fauves*. Gauguin e os sintetistas haviam formulado uma tese diferente que chamamos simbolismo: a obra de arte não é expressiva, mas representativa, é correlativa *ao* sentimento, e não expressão *do* sentimento. Por mais que admirasse Gauguin, Matisse compartilhava da desconfiança de Pissarro em relação ao simbolismo em geral, e provavelmente, com exceção das pri-

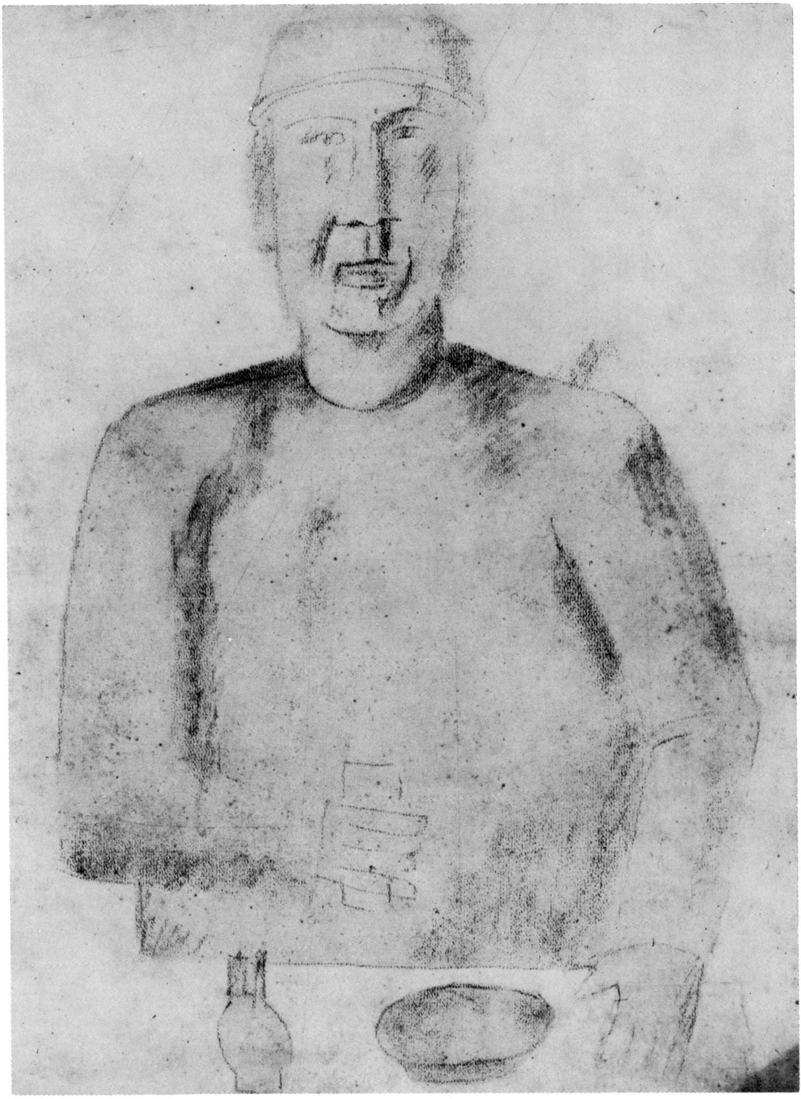

ANDRÉ DERAIN *Auto-retrato. c. 1912*

ANDRÉ DERAIN *Westminster Bridge. 1907*

meiras obras, como *Luxe, calme et volupté* (1904-05), *Bonheur de vivre* (1905-06) e *La danse* (1909-10), em que composição e cor estão subordinadas à *idéia*, ele nunca foi propriamente um simbolista. É necessário ressaltar isso porque seu uso da cor é muitas vezes descrito como "simbólico", apenas porque ele não é "exato" ou naturalista. Mas, por mais que possam ser modificadas no interesse da harmonia ou da serenidade, as cores de Matisse permanecem essencialmente expressivas, o que deriva da função que a cor tem na existência real do objeto retratado. As modificações ou transposições que as cores sofrem no processo da pintura baseiam-se na observação seletiva, e não em escolha intelectual. "Para pintar uma paisagem outonal eu não tentarei lembrar que cores são adequadas a essa estação; serei inspirado apenas pela

HENRI MATISSE *Mulher de azul. 1937*

sensação que a estação me passa; a claridade gélida do céu azul expressará a estação tanto quanto as tonalidades das folhas. Minha própria sensação pode variar, e o outono poderá ser suave e quente como um verão que se prolongou, ou então muito frio, com um céu frio e árvores de um amarelo citrino que dão uma impressão friorenta e anunciam o inverno."[10]

Os *fauves* nunca foram um grupo coerente, e Matisse era um líder mais pelo exemplo do que por preceitos. Dos artistas que se associariam com ele, só Albert Marquet e Henri Manguin (1874-1943) haviam sido colegas seus no estúdio de Gustave Moreau, embora outros artistas *fauves*, como Charles Camoin (n. 1879) e Jules Flandrin (1871-1947), o tenham seguido depois. A partir de 1902 todos esses artistas mais jovens exibiam com Matisse na galeria de Berthe Weill e, mais tarde, no Salon des Indépendants. Outros que se juntaram ao grupo, não formalmente mas por associação e simpatia, foram Jean Puy (n. 1876), Raoul Dufy (1877-1953), Kees van Dongen (n. 1877) e Othon Friesz (1879-1949). Porém mais importante foi a adesão anterior – de caráter simpático e não-formal – de André Derain (1880-1954) e de Maurice de Vlaminck (1876-1958). Matisse conhecera Derain já em 1899, no estúdio de Eugène Carrière, onde também ficara conhecendo Jean Puy, e Derain apresentou-o a Vlaminck numa exposição de Van Gogh em 1901. Derain e Vlaminck já haviam chegado, independentemente, a um estilo que Matisse achou agradável. Mais tarde lembrava: "A pintura de Derain e Vlaminck não me surpreendeu, pois estava próxima dos estudos que eu mesmo estava fazendo. Mas fiquei impressionado ao ver que aqueles rapazes tão jovens tinham certas convicções semelhantes às minhas."[11]

Finalmente veio Georges Braque (n. 1882), mas não antes de 1907 e não para ficar com o grupo; no entanto, outros artistas – Metzinger e Le Fauconnier – também estavam exibindo com os *fauves* no Salon d'Automne ou des Indépendants; e fora de quaisquer grupos havia dois pintores que eram tão *fauves* quanto qualquer outro do mesmo período – Georges Rouault e Pablo Picasso (n. 1881). Rouault já foi citado como colega de Matisse no estúdio de Moreau; a partir dessa fase de estudante ele enveredaria por um caminho solitário, mas não poderia ter escapado das influências externas. De todos os pintores modernos franceses

MAURICE DE VLAMINCK *Rua de aldeia*

ele era o mais expressionista – no sentido que em breve ficará claro quando passarmos a tratar dos expressionistas alemães. Mas Picasso, também, em seu *Auto-retrato* de 1906 (Philadelphia Museum of Art) ou nos dois *Nus* do mesmo ano, estava deixando seu maneirismo sentimental da juventude e sentindo que seu caminho era de um estilo mais "sólido" e mais pujante. Mas seria erro ver no tumulto dessa década qualquer tendência decisiva a uma unidade de estilo. Na verdade, à parte os maneirismos pessoais devidos ao temperamento individual dos artistas, o cenário todo estava cindido por duas forças contrárias, que podem ser simbolizadas pelos nomes de Cézanne e de Van Gogh. A divergência de Matisse em relação a Vlaminck ou Friesz, por exemplo, sem considerar qualquer questão de obstinação pessoal, deve ser vista como triunfo da influência de Cézanne, num caso, e de Van Gogh, no outro. Mas o que deveremos então dizer dos caminhos divergentes de Matisse e Picasso, que tiveram Cézanne como ponto de partida comum? Poder-se-ia supor que Cézanne era suficientemente rico para conter todos os contrários, mas a verdade é complicada demais para uma análise cronológica. Todos os nomes, Matisse, Rouault, Vlaminck, Derain, Picasso, referem-se a seres humanos, que em si são extremamente complexos, sendo cada qual uma sensibilidade exposta a um número infinito de sensações, e o movimento não avança como um exército em marcha com um ou dois comandantes, mas como o estabelecimento gradual de uma série de baluartes, cada um deles ocupado por um gênio solitário.

No entanto, o historiador, mesmo se desesperando diante de um fenômeno tão intangível quanto a arte, deve apontar as semelhanças e identidades que indicam que o indivíduo não é tão único quanto talvez suponha, e que, por mais isolada que seja a posição adotada, ele está exposto à germinação de uma semente invisível. Já falei sobre o grande número de artistas importantes que foram para Paris naquela primeira década do século. Mas alguma inquietação espiritual os desarraigara, e essa inquietação afetava a muitos que, apesar disso, permaneceram em sua solidez provinciana. A história da arte, como já disse, deve ser escrita nos termos da própria arte, ou seja, como uma transformação paulatina das formas visuais; isso não significa que devemos subestimar as forças intelectuais e sociais que, desde o início do Romantismo, vinham transformando a civilização do Ocidente. Nesse aspecto, as artes visuais e todas as artes estão profundamente implicadas, tanto como causa quanto como sintoma, no processo histórico geral. As artes têm uma função engendradora nesse processo: elas prefiguram as inibições e as aspirações que de outro modo permaneceriam reprimidas e mudas, conferindo-lhes precisão plástica. Nesse sentido, os artistas estão socialmente integrados e atuam como unidades dispersas por toda a sociedade, e não como membros de um ou mais grupos auto-suficientes e independentes.

As origens do movimento expressionista na Alemanha ilustram isso com grande força. O que causa impressão imediata é o fato de, embora alguns grupos de artistas realmente convergirem para centros bem definidos, em especial *Die Brücke*, em Dresden em 1905, e *Der Blaue Reiter* em Munique, em 1911-12, alguns dos membros mais influentes desses grupos teimavam em permanecer independentes em suas atividades. Típica nesse sentido

RAOUL DUFY *O artista e seu modelo no ateliê do Havre. 1929*

é uma artista como Paula Modersohn-Becker (1876-1907), natureza sensível que absorvia as influências românticas de Böcklin e Hans von Marées, misturando-as com uma compreensão vívida de Gauguin e Van Gogh e mantendo uma ternura essencialmente feminina, mas chegando, em seu isolamento, a um estilo que de modo algum é incompatível com o do período, sendo este último mais conscientemente formulado por grupos como *Die Brücke*. Karl Hofer (1878-1955) é outro artista alemão independente do período, cuja obra, porém, se conforma estilisticamente ao caráter geral do expressionismo.

Cabe lembrar que o que leva os artistas a formar grupos são motivos mais de ordem prática do que ideológica. Eles se vêem num mundo hostil a qualquer tipo de originalidade, em condições nas quais só é possível abrir portas ou obter fundos por meio da ação conjunta. Essa ação é em parte prática, em parte propagandista. O lado prático pode incluir – como ocorreu até certo ponto no caso do *Brücke* – a participação comum no ateliê e nos materiais; e o lado da propaganda pode incluir manifestos, periódicos e livros que expressem uma finalidade comum. Mas é mais provável que essa comunhão de propósitos e práticas se evidencie nos difíceis dias do início da vida do jovem artista. Com a chegada da independência econômica a individualidade de cada membro do grupo com certeza se afirma e sua unidade se dissolve. A vida média de tais grupos não é superior a quatro ou cinco anos.

O expressionismo alemão tem certos elementos comuns com o fauvismo francês, e estes têm uma fonte comum, não só nos maneirismos do *Jugendstil* e do *Art Nouveau*, já mencionados, como também nas características mais pessoais de Van Gogh e Gauguin. Visto que no expressionismo alemão existe um elemento exótico – o que é muito evidente na obra de Emil Nolde (1867-1956) e, em menor grau, na de Paula Modersohn-Becker, Otto Mueller (1874- 1930) e Max Pechstein (1881-1955) –, e em cada um desses casos ele é quase certamente derivado de Gauguin, devemos lembrar também a presença da influência direta da arte oriental. Mas esse não é o elemento distintivo do expressionismo alemão ou de Van Gogh, pois o que distingue esse estilo do fauvismo francês é a presença de idéias preestabelecidas em grau muito maior e mais básico – o que Wilhelm Worringer chamaria de "transcendentalismo do mundo gótico da expressão". Os dois tratados de Worringer, *Abstraktion und Einfühlung* (1908) e *Formprobleme der Gothik* (1912), seriam documentos decisivos no desenvolvimento do expressionismo alemão. O primeiro livro, como ele mesmo afirma com justiça, "tornou-se um 'abre-te Sésamo' para a formulação de todo um espectro de questões importantes para a época". [...] "Essa tese de doutorado de um estudante jovem e desconhecido influenciou a vida de muitas pessoas e a vida espiritual de toda uma era."[12] Worringer apresentava pela primeira vez uma formulação teórica clara das motivações psicológicas que distinguem a arte nórdica da arte clássica e oriental, e os pintores que viriam a constituir o movimento expressionista moderno poderiam daí por diante avançar com uma confian-

KARL HOFER *Menina e Lua.* 1923

ça baseada em demonstração histórica, ou seja, numa tradição que tinha raízes no chão e na evolução social dos povos transalpinos. Essa tradição nórdica é, em si, complexa, mas um fato é decisivo: a convenção clássica do mundo organizado, sereno cenário para os esforços humanos, e da arte como reflexo harmonioso desse mundo (o ideal de "arte do sofá", alegre e repousante, que Matisse adotaria), não é suficientemente expressivo para ela; "ao contrário, ela precisa daquele sinistro *pathos* que liga à animação do inorgânico". Daí a tendência à abstração inquieta que sempre caracterizou o desenvolvimento histórico da arte do Norte e que reapareceu com intensidade redobrada em nossos tempos difíceis; e daí as distorções emotivas das formas naturais que pro-

EDVARD MUNCH *A dança da vida*. *1899-1900*

curam exprimir o mal-estar e o terror que o homem pode sentir em presença de uma natureza fundamentalmente hostil e desumana. Como lhe são negados o repouso e a clareza de visão, seu único recurso é aumentar sua inquietação e confusão até o grau em que elas lhe confiram estupefação e libertação. "A necessidade de atividade do homem nórdico, atividade que é impossibilitada de traduzir-se em claro conhecimento da realidade e é intensificada pela falta dessa solução natural, acaba por desafogar-se num jogo doentio de fantasia. A realidade, que o homem gótico não conseguia transformar em naturalidade por meio do conhecimento clarividente, era subjugada por esse jogo intensificado da fantasia e transformada numa realidade espectralmente exaltada e distorcida. Tudo se torna misterioso e fantástico. Por trás da aparência visível de uma coisa espreita a sua caricatura, por trás da falta de vida de uma coisa, uma vida sinistra e fantasmagórica, e assim todas as coisas reais se tornam grotescas. [...] Comum a todos, a ânsia pela atividade, que, não estando ligada a objeto nenhum, perde-se, por conseguinte, na infinidade."[13]

JAMES ENSOR *Menina com boneca. 1884*

Há algumas frases nesse trecho que descrevem todas as variedades de expressionismo nórdico de nosso tempo. Edvard Munch e James Ensor (1860-1949), Ferdinand Hodler e Vincent van Gogh são todos impelidos por essa energia incansável que os leva a pintar "uma realidade espectralmente exaltada e distorcida". É isso o expressionismo, sem absolutamente nenhum vínculo com o calmo refinamento da arte clássica (o "autodeleite objetificado" da famosa definição de Theodor Lipps) nem com o caráter místico e longínquo da arte oriental.

Implícita nessa atitude nórdica há, conforme Worringer também apontou[14], uma tendência à individualização e à fragmentação. A "personalidade" não é cultivada por seus valores sociais; em lugar disso, o "indivíduo" torna-se consciente de seu isolamento, de sua desvinculação, e pode intensificar essa consciência a tal ponto que chegue a um estado de auto-recusa ou autodesdém (vemos isso com clareza na trágica vida de Van Gogh). Mas o resultado mais normal dessa individualização é o voluntário isolamento do artista, que para motivar-se e inspirar-se passa a contar apenas com sua subjetividade ou introspeção.

Se considerarmos os precursores e fundadores do expressionismo por ordem de nascimento, veremos que oito deles nasceram entre 1849 e 1870 – Christian Rohlfs (1849), Ferdinand Hodler (1853), James Ensor (1860), Edvard Munch (1863), Alexei von Jawlensky (1864), Wassily Kandinsky (1866), Emil Nolde (1867) e Ernst Barlach (1870) – e que os oito passaram a maior parte dos anos decisivos da vida labutando no isolamento individual, no meio hostil da província. Rohlfs, que chegou primeiro, desenvolveu-se devagar, atrapalhado pela doença e pela pobreza, trabalhando em escolas provincianas; seu estilo evoluiu do naturalismo para o impressionismo, deste para o pós-impressionismo e só depois de 1905-6, quando passou a ser influenciado por Nolde, adquiriu total vigor expressionista. Portanto, dificilmente ele pode ser chamado de precursor do expressionismo, embora tenha trazido para este a experiência de uma natureza amadurecida na solidão mística. Hodler era outra figura solitária e misticizante, condenada ao isolamento e afetada por um dos meios menos simpáticos e mais hostis possíveis para um artista: a calvinista Genebra. Ensor viveu a maior parte da sua longa vida no isolamento

EDVARD MUNCH *O grito. 1895*

CHRISTIAN ROHLFS *A mãe do artista. 1934*

EMIL NOLDE *O limoeiro. 1933*

ainda mais extremo de Ostend, desenvolvendo seu tipo individualíssimo de expressionismo místico. Jawlensky e Kandinsky nasceram na Rússia (perto de Moscou). Embora ambos tivessem muitos contatos com artistas mais jovens durante a vida, foram essencialmente solitários: Kandinsky metafísico, Jawlensky místico. Munch, a influência mais dominante em todo o norte da Europa, era a mais isolada, mais introspectiva e mais mordaz de todas aquelas naturezas melancólicas; visitava Paris de vez em quando e passava períodos mais longos na Alemanha, mas geográfica e psicologicamente era um *outsider*, cujos paralelos mais próximos seriam espíritos como Kierkegaard e Strindberg, Ibsen

ERNST BARLACH *Rebelião (O Profeta Elias). 1922*

e Nietzsche. Nolde era outro *outsider* da mesma raça e com o mesmo histórico de Kierkegaard: solitário, inibido, morbidamente religioso. Quanto a Barlach, assim como Rouault na França, a paixão humanística e religiosa transformou-o numa figura profética, num artista que depositou símbolos incôngruos em nosso ermo social. Contudo, sua escultura, sua obra gráfica e seus dramas fizeram dele o expoente mais típico entre todos aqueles artistas do transcendentalismo inato do mundo nórdico.

É típica de artistas desse tipo a forte consciência da missão que devem cumprir e o fato de geralmente se expressarem também em literatura, além das artes visuais. Os textos autobiográficos e as cartas de Nolde[15], os vários dramas e a autobiografia de Barlach[16], os poemas e os trabalhos mais teóricos de Kandinsky, os poemas de Munch[17], os textos e as cartas de Hodler[18], tudo isso, assim como as cartas de Van Gogh, constitui obras de arte de pleno direito, e não meros documentos[19].

EMIL NOLDE *Profeta. 1912*

KARL SCHMIDT-ROTTLUFF *No caminho de Emaús.* 1918

Muitos outros artistas da Alemanha, da Bélgica e da Escandinávia amadureceram e atuaram durante a primeira década do século. Por enquanto, só mencionarei aqueles que possibilitam um bom paralelismo cronológico e estilístico com os fauvistas, em especial o grupo que se formou em Dresden em 1905 com o nome de *Die Brücke* (A ponte). A iniciativa da formação desse grupo foi tomada por Ernst Ludwig Kirchner (1880-1938), que começara como estudante de arquitetura em Dresden e Munique, mas que foi cada vez mais atraído para as artes gráficas. Seus primeiros experimentos (xilogravuras) foram influenciados pelo *Jugendstil*, mas ele também sucumbiu ao entusiasmo onipresente da década: pintura neo-impressionista, arte africana e oriental, Gauguin e Van Gogh. Comunicou seu entusiasmo a três colegas da escola de arquitetura: primeiro, em 1902, a Fritz Bleyl; depois, em 1904, a Erich Heckel (n. 1883); e em 1905 a Karl Schmidt-Rottluff (n. 1884). Outros artistas logo se associaram ao quarteto: Emil Nolde e Max Pechstein em 1906; Kees van Dongen em 1907; Otto Mueller em 1910. Mas alguns desses adeptos foram

ERNST LUDWIG KIRCHNER *Cinco mulheres na rua. 1913*

MAX PECHSTEIN *Retrato do Dr.ª Paul Fechter. 1921*

muito efêmeros: Nolde ficou menos de dois anos e Van Dongen, por tempo menor ainda. O pintor suíço Cuno Amiet (n. 1868) e um pintor finlandês chamado Axel Gallén-Kallela (1865-1930) também expuseram durante algum tempo com o grupo. Mas não há dúvida de que Kirchner, Heckel, Schmidt-Rottluff e Pechstein eram os principais expoentes da Ponte: moravam e trabalhavam juntos, compartilhavam material e dinheiro, e juntos produziram os periódicos, catálogos, cartazes, xilogravuras e litografias que conferem ao grupo uma documentação histórica insolitamente coerente.

A *Brücke* foi dissolvida em 1913, período em que as diferenças individuais talvez estivessem se tornando óbvias demais para uma frente comum; seus componentes também estavam começando a encontrar mercado, e numa economia competitiva isso exerce forte pressão sobre a unidade do grupo. Mas em 1913 o fermento expressionista já crescera em toda a Alemanha; Munique, em especial, tornara-se um centro de atividade. Multiplicavam-se exposições, e de fora chegavam novas influências. Em Munique, Wassily Kandinsky estava elaborando, na teoria e na prática, o

OTTO MUELLER *Ciganos com girassóis. 1927*

outro aspecto da sensibilidade nórdica: seu "impulso à auto-alienação", esse instinto originário, como designou Worringer em 1908, que "está à cata da pura abstração, como única possibilidade de repouso em meio à confusão e à obscuridade do mundo-quadro, e cria a partir de si mesmo, com necessidade instintiva, a abstração geométrica". Essa era uma reação ao mesmo mundo-quadro que estava diante dos expressionistas, e na maioria dos casos os artistas da nova tendência emergiam de um estágio preliminar do expressionismo. Mas os principais expoentes da Ponte permaneceriam constantes. Nem Nolde nem Kirchner, Pechstein ou Schmidt-Rottluff jamais se afastaram de seus ideais essencialmente humanistas. Nesse aspecto (e apesar das diferenças estilísticas a que já me referi), eles devem ser vinculados a fauvistas como Matisse, Derain e Vlaminck, que resistiram às abstrações geométricas do cubismo. Fundamentalmente, não diferem em estilo dos expressionistas nórdicos da Idade Média, como mostrou Worringer em *Formprobleme der Gothik*. Os manuscritos e as esculturas iluminadas, os vitrais e os marfins dos séculos XI, XII e XIII expressam o mesmo *pathos* com distorções convulsivas semelhantes, com o mesmo realismo implacável. As diferenças ideológicas – visto que no século XX o misticismo introspectivo individual substituiu as imagens coletivas do misticismo cristão – só servem para toldar a identidade dos modos visuais de expressão. As obras de um expressionista moderno como Barlach, ainda animado pelo espírito religioso da Idade Média, servem de demonstração pungente desse fato.

ERICH HECKEL *Sol nascente*. *1914*

III. CUBISMO

Vimos que fauvismo era um rótulo que pouco se justificava do ponto de vista histórico ou teórico. Cubismo também é um termo ambíguo, de origem escarninha e aplicação restrita. No entanto, o movimento cubista, cujo início pode ser datado de 1907 e cujo fim se daria com a deflagração da guerra, em 1914, teve uma coerência estilística que faltou ao fauvismo. Muito tempo depois de ter sido abandonado ou transformado pelos artistas que o promoveram, esse estilo persistia como influência na arquitetura e nas artes decorativas do novo século. As conseqüências de um ato individual de percepção eram e continuavam sendo incalculáveis.

Esse ato individual de percepção é registrado num quadro de Picasso, agora chamado *Les demoiselles d'Avignon* (p. 69). Ele começara a ser feito na primavera de 1907, depois de muitos estudos preliminares; a data em que foi terminado é incerta, embora Picasso tenha admitido que as duas figuras da direita da composição, que dificilmente se conformam às restantes, foram pintadas em data posterior: quanto tempo depois ele não sabia ou não queria dizer[1]. A data de seu término tem alguma importância, porque com base nisso poderemos ou não dizer que essa pintura foi influenciada pela escultura africana. O próprio Picasso disse que viu escultura africana pela primeira vez na seção etnográfica do Palais du Trocadéro no outono daquele mesmo ano de 1907; ou seja, depois de ter pintado *Les demoiselles*[2]. Mas a evidência visual, como mostrou claramente John Golding[3], demonstra que a experiência decisiva ocorreu enquanto ele estava realmente trabalhando no quadro, que, aliás, é estilisticamente incoerente e nunca foi considerado "terminado" pelo próprio Picasso. Os rostos das três *demoiselles* da esquerda do quadro são indubitavelmente influenciados pela escultura ibérica[4]. Picasso estudara tal escultura no Louvre, e até estava de posse de duas peças na época em que começara a pintar *Les demoiselles*[5]. Mas as duas figuras da direita do quadro, uma acocorada e a outra em pé, empurrando uma cortina, são diretamente influenciadas pela escultura da África negra para a qual a atenção de Picasso fora atraída pela primeira vez por Matisse em 1906, mas que ele começara a entender e apreciar em 1907, enquanto pintava *Les demoiselles.* Picasso descobrira uma arte essencialmente conceptual (que ele mesmo chamava de *raisonnable*), e o cubismo emerge como uma fusão do elemento conceptual ou racional da arte africana com o princípio de Cézanne, de "realização" do motivo.

Não há dúvida, porém, de que a principal influência revelada em *Les demoiselles* é de Cézanne. Picasso, como a maioria dos prodígios artísticos, era um eclético errante nas primeiras fases do seu desenvolvimento. São muitas as fontes de influência que se mostram em sua obra: arte românica de sua Catalunha nativa, arte gótica em geral, pintura espanhola do século XVI (particularmente a obra de El Greco) e finalmente a obra de seus predecessores imediatos, como Toulouse-Lautrec, e dos *fauves* que ele conheceu quando de sua primeira estada em Paris. Mas essas influências eram relativamente esporádicas e superficiais, ao passo que a de Cézanne era profunda e permanente.

As pinturas de Cézanne expostas no Salon d'Automne de 1904 e 1905 e novamente no Salon de 1906 tinham provocado críticas e admiração gerais[6]. Em 1907 foi feita em Paris uma retrospectiva com cinqüenta e seis pinturas do agora reverenciado mestre de Aix. Picasso pode tê-las visto e certamente viu algumas dessas exposições; também pode ter visto pinturas de Cézanne na galeria de Vollard. Se compararmos a composição das *Demoiselles* com as numerosas *Baigneuses* de Cézanne, a derivação do grupo ficará óbvia: há a diferença essencial que consiste na substituição da estrutura piramidal de Cézanne por

PABLO PICASSO *Les demoiselles d'Avignon. 1907*

paralelas verticais, mas a pose de algumas das figuras é idêntica[7]. No quadro completo, porém, aparecem certas inovações para as quais não há paralelo nas *Baigneuses* de Cézanne, sobretudo a geometrização das figuras delineadas com precisão e as pregas do panejamento sobre o qual as *demoiselles* se recreiam.

As questões de derivação e semelhança em si não são importantes; o novo estilo que emerge de sua completa fusão é que seria decisivo para o futuro da arte ocidental como um todo. Mas, antes que a fusão se completasse, haveria um fortalecimento da influência africana. *Le corsage jaune* [O corpete amarelo] de 1907, na Coleção Pulitzer, a *Dançarina*, do mesmo ano, na Coleção Chrysler, *Amizade* (primavera de 1908), no Museu da Arte Moderna Ocidental, Moscou, e a *Cabeça*, do verão de 1908 (também na Coleção Chrysler), são todos transposições diretas da "racionalidade" da escultura da África negra em composições pictóricas; em um ou dois casos é até possível indicar a proveniência do tipo de escultura africana que deve ter servido de modelo[8].

A obra *Les demoiselles* continha elementos de geometrização que se fundem, formando os mesmos elementos estilísticos do cubismo, mas ainda não era um quadro cubista. Os dois anos que transcorreram da primavera de 1907, quando Picasso começou a pintar *Les demoiselles*, ao verão de 1909, quando ele passou algum tempo em Horta de Ebro, na Espanha, foi um período de intensa revisão para o artista. E não só para Picasso. No outono de 1907 David Henry Kahnweiler, que abrira uma galeria que a partir de então seria foco dos novos desenvolvimentos, apresentou-o a um jovem pintor oriundo do Havre, Georges Braque (n. 1882). No ano seguinte (1908), começou a tomar forma em Montmartre um grupo de pintores e poetas às vezes chamado de *Groupe du Bateau-Lavoir* (do apelido do apartamento em que Picasso morava desde 1904, "lavanderia flutuante"). Além de Braque e Picasso, havia também Max Jacob, Marie Laurencin (1885-1956), Guillaume Apollinaire, André Salmon, Maurice Raynal, Juan Gris (1887-1927) e Gertrude e Leo Stein. No mesmo ano Apollinaire apresentou Fernand Léger (1881-1955) ao grupo, embora só depois de 1910 Léger tenha mantido contato pessoal mais próximo com Picasso e Braque. Durante o ano de 1909 houve várias novas

PABLO PICASSO *Cabeça de mulher. 1909*

PABLO PICASSO *Retrato de Ambroise Vollard. 1909-10*

← PABLO PICASSO *Mulher sentada com leque. 1908*

PABLO PICASSO *Fábrica em Horta de Ebro*. 1909

adesões: Robert Delaunay (1885-1941), Albert Gleizes (1881-1953), Auguste Herbin (n. 1882), Henri Le Fauconnier (1881-1946), André Lhote (n. 1885), Jean Metzinger (1883-1956), Francis Picabia (1878-1953) e o escultor Alexander Archipenko (n. 1887).

É difícil distinguir as contribuições individuais dos membros do grupo para a formação do estilo cubista, mas seria um erro ver Picasso como influência dominante. Certas paisagens pintadas por Braque em L'Estaque no verão de 1908 prenunciam claramente as paisagens que Picasso pintou em Horta de Ebro no verão de 1909 (comparar *Casas em L'Estaque* de Braque, 1908, com *Fábrica em Horta de Ebro* de Picasso, 1909). Ao longo de toda a sua carreira Braque manteve uma integridade estilística que Picasso não podia afirmar ter, e essa integridade data do estágio de formação do cubismo. No entanto, quando Picasso voltou de Horta de Ebro, no verão de 1909, e fez na galeria de Ambroise Vollard uma exposição dos quadros que pintara durante o verão, logo ficou evidente que o cubismo adquirira novo sig-

GEORGES BRAQUE *Casas em L'Estaque*. *1908*

nificado. O que em *Les demoiselles* fora um maneirismo, no retrato de *Fernande* (Museum of Modern Art, Nova York) tornou-se um estilo.

Esse estilo costuma ser distinguido das fases iniciais do cubismo com a designação "analítico", mas esse termo sugere uma abordagem intelectual ou metódica que foi repudiada tanto por Picasso quanto por Braque, que sempre insistiram na natureza essencialmente intuitiva ou sensitiva de sua atividade criativa. Há, evidentemente, uma "estruturalização" geométrica completa e coerente do tema, como a que Cézanne praticara de modo menos óbvio. Mas também nesse caso (ver página 12) chegara-se a isso por meio da "modulação", ou seja, por uma coordenação sensível dos planos constitutivos; a diferença era que Braque e Picasso agora abandonavam a tentativa de resolver esse problema em termos de cor e baseavam-se essencialmente em luz e sombra. O próprio Picasso definiu o cubismo como "uma arte que lidava principalmente com formas, e, quando uma forma é realizada, fica

PABLO PICASSO *O jogador de cartas*. 1913-14

GEORGES BRAQUE *Jovem com violão. 1913*

ali a viver sua própria vida". O objetivo não é *analisar* dado tema: numa mesma frase Picasso repudiava qualquer idéia de pesquisa, que ele via mais como "o principal defeito da arte moderna". E dizia que o cubismo se manteve dentro dos limites e das limitações da pintura como ela sempre foi praticada: só os temas pintados podiam ser diferentes, "visto que introduzimos em pintura objetos e formas que antes eram ignorados". Mas "muitos relacionaram matemática, trigonometria, química, psicanálise, música e não sei que mais com o cubismo, para poder interpretá-lo melhor. Tudo isso não passou de literatura, para não dizer disparate, que deu maus resultados, cegando as pessoas com teorias"[9].

A exclusão da cor conferiu efeito escultural à grandiosa série de retratos e naturezas-mortas que Picasso e Braque pintaram durante os dois ou três anos seguintes, mas trata-se de uma escultura fragmentada, como se refletida num mosaico de espelhos. Quando Picasso praticava a escultura – o que fazia de tempos em tempos (há uma *Cabeça de mulher* de bronze que data de 1909 no Museum of Modern Art, Nova York), o efeito fragmentado é produzido por distorções angulares da superfície modelada. A análise nesse caso (que não é menos óbvia nas pinturas do período) não tem justificação científica (em anatomia ou em representação; os retratos, por exemplo, não se assemelham aos seus modelos na aparência característica). A forma produzida está ali para viver sua própria vida, que é uma vida comunicada pelo sujeito mas recriada no objeto.

Se "analítico" é um termo falacioso para a pintura cubista de Picasso e Braque entre 1910 e 1912, "sintético", que é por implicação o termo oposto, é ainda menos apropriado para a fase seguinte da obra deles, que continua até a deflagração da guerra. Não há, na verdade, nenhuma possibilidade de fazer-se uma distinção estética entre essas duas fases de um estilo em evolução; certos elementos que se tornariam dominantes nas pinturas de 1913-14 (partes de instrumentos musicais, fragmentos de tipografia, texturas de madeira etc.) estão presentes embrionariamente nas pinturas de 1910-12. *Menina com bandolim* (1910), de Picasso, é ainda identificável como um retrato de Fanny Tellier; mas o *Acordeonista*, de 1911, é já anônimo, e *Ma jolie*, de 1911-12, sem qualquer transição violenta, introduz a tipografia, que se

GEORGES BRAQUE *Cabeça de menina. 1929*

tornaria característica tão dominante das colagens de 1913-14. Por analogia, pode-se falar de um cubismo "rococó" em oposição a um cubismo "clássico" anterior; mas o estilo é o próprio homem, os elementos visuais que ele seleciona para criar uma organização vital da forma.

No entanto, a gradual introdução de elementos não-pictóricos produziu outra variação no estilo de Picasso que deveria afastá-

ROGER DE LA FRESNAYE *Vida conjugal.* 1913

lo do cubismo; mas antes de tratarmos dessa transformação precisamos estudar a difusão imediata do próprio movimento. O desenvolvimento de Braque continuou paralelo ao de Picasso até a deflagração da guerra, na qual ele serviu e foi ferido. Depois da guerra, recomeçou de onde havia parado, mas apenas para consolidar a posição que atingira em 1914. O idioma geométrico foi sendo gradualmente modificado, para ser substituído por formas mais livres e cursivas, uma iconografia pessoal de gosto impecável, uma arte tão serena e confortadora quanto a de Matisse. Braque transformou-se naquilo que às vezes é chamado de "pintor dos pintores", de tal forma que, do ponto de vista de um pintor de uma geração mais jovem, como Patrick Heron, é possível afir-

LOUIS MARCOUSSIS *Dois poetas. 1929*

mar que ele é "o maior pintor vivo" e, ao fazer isso, "lembrar ao público contemporâneo, que já está saciado de inovações retumbantes, novidades frenéticas e todos os tipos de expressão espontânea, que, afinal, a permanência, a dignidade, a deliberação, a lucidez e a calma são virtudes excelsas da arte da pintura"[10]. Isso é verdade, mas nossa era tem exigido outras virtudes: uma nova visão para expressar uma nova dimensão da consciência: não só harmonia, mas a verdade que, infelizmente, é fragmentária e desconsoladora.

A partir de 1909 novos adeptos juntaram-se ao movimento cubista. Os de 1909 já foram mencionados; em 1910 vieram Roger de la Fresnaye (1885-1925), Louis Marcoussis (1883-1941)

JUAN GRIS *Cabeça de mulher. 1922*

e os três irmãos Duchamp, que devem ser distinguidos como Jacques Villon (n. 1875), Duchamp-Villon (1876-1918) e Marcel Duchamp (n. 1887). Nessa época tornou-se inevitável uma cisão: um novo grupo, o *Groupe de Puteaux*, reuniu-se em torno de Jacques Villon e era composto por Gleizes, La Fresnaye, Léger, Metzinger, Picabia e Frank Kupka (1871-1957). Em 1912 Piet Mondrian (1872-1944), que chegara a Paris proveniente da Holanda em 1910, e Diego Rivera (1886-1957), que chegara do México mais ou menos na mesma época, entraram em contato com esse grupo. Mas quanto mais aumentava o número dos autodenominados cubistas, mais evidente ficava que o movimento continha não só individualidades distintas mas até contradições estilísticas. Isso se tornou bem claro com a publicação de um livro em 1912, *Du cubisme*, de Gleizes e Metzinger, que revelava uma tendência para aquilo que nunca seria defendido pelos fundadores do movimento, Picasso e Braque. Essa tendência, que pode estar implícita nos pendores mecanicistas da nossa civilização moder-

ALBERT GLEIZES *Estudo 5 para "Retrato de um médico do exército". 1915*

JEAN METZINGER *Paisagem. 1912*

na, é uma expressão, talvez inconsciente, da vontade de substituir o princípio de *composição segundo a natureza* pelo princípio de *estrutura autônoma*[11]. Veremos aqui de que modo, nos anos seguintes, essa tendência evoluiu para os tipos de arte completamente não-figurativos, mas no período que estamos considerando tal resultado não era previsível. Em *Les peintres cubistes*, que Guillaume Apollinaire escreveu por volta de 1911-12 e publicou em 1913, diz-se corretamente que essa tendência "científica" remonta a Seurat, "em cujas obras com a firmeza de estilo só rivaliza a clareza quase científica da concepção". Foi Metzinger quem fez avançar essa "visão intelectual" e essa "sublimidade aproximada". E Apollinaire escrevia então: "Sua arte, cada vez mais abstrata, porém sempre encantadora, formula e tenta solu-

JUAN GRIS *Garrafa e copo. 1914*

cionar os problemas mais difíceis e imprevistos da estética. Cada um de seus quadros contém um juízo do universo, e toda a sua obra é como o céu noturno, que, livre de nuvens, tremula com luzes encantadoras. Nada há de irrealizado em seus trabalhos; a poesia enobrece seus mínimos detalhes."[12]

Quanto a Gleizes, que sempre é inevitavelmente vinculado a Metzinger, seu objetivo era "uma precisão sublime" e "uma capacidade de individualizar abstrações". "Todas as figuras dos quadros de Albert Gleizes não são a mesma figura, todas as árvores não são a árvore, todos os rios, rio; mas o observador, se aspirar à generalidade, poderá rapidamente generalizar a figura, a árvore ou o rio, porque a obra do pintor alçou esses objetos a um grau superior de plasticidade em que todos os elementos que constituem caracteres individuais são representados com a mesma dramática majestade."

Por mais importantes que fossem nesse estágio exploratório do desenvolvimento do cubismo, Gleizes e Metzinger não tiveram, porém, a importância final de um pintor a quem Apollinaire concedeu um reconhecimento algo relutante: Juan Gris. Para Apollinaire, Juan Gris parecia correr o risco de tornar-se decorativo demais (um vitrinista), "vigoroso e empobrecido demais; é uma arte profundamente intelectual que atribui à cor significado meramente simbólico". Essa observação procede, mas não toca no que era mais significativo na arte de Gris – sua capacidade de combinar a "composição segundo a natureza" com a estrutura autônoma do espaço pictórico. Gris fazia isso planejando em primeiro lugar a estrutura de sua pintura, e impondo depois o tema a essa estrutura; e por essa razão o estilo que desenvolveu foi chamado de cubismo "sintético". Trata-se de uma técnica que influenciou profundamente o desenvolvimento da arte não-figurativa do pós-guerra, embora o próprio desenvolvimento de Gris nos anos que precederam imediatamente a sua morte (ocorrida em 1927, quando ele tinha apenas quarenta anos) fosse desapontador, e o termo "empobrecido" empregado por Apollinaire se torne muito mais apropriado. Ele é um exemplo – ao lado de pintores como Gleizes e Lhote – da facilidade com que um estilo novo se transforma numa nova forma de academicismo.

É mais uma ilustração da ilogicidade do desenvolvimento histórico da arte que um pintor relativamente menor como Gris tenha exercido uma influência mais óbvia do que uma das principais figuras do modernismo, alguém com os mesmos antecedentes estéticos: Fernand Léger (1881-1955). Léger se mantivera um tanto afastado dos artistas do Bateau-Lavoir de Montmartre. De 1905 a 1906 fora influenciado por Matisse e pelos *fauves* em geral, mas depois também descobriu a importância de Cézanne, e, de modo mais literal do que qualquer outro pintor da época, parece ter levado a sério a famosa observação de Cézanne sobre a interpretação da natureza por meio do cilindro, da esfera e do cone[13]. Seu primeiro grande quadro nesse estilo, *Nus na floresta*, de 1910, agora no Museu Kröller-Muller de Otterloo (Holanda), é uma densa montagem dessas formas geométricas. Em 1911, quando pintou *Os fumantes*, agora no Solomon Guggenheim Museum, Nova York, encontrou uma linguagem mais livre e mais pessoal, bem descrita por suas próprias palavras:

FERNAND LÉGER *Ciclistas. 1944*

FERNAND LÉGER *Cidade. 1919*

"Ser livre, *mas nem por isso perder o contato com a realidade*, que é o drama dessa figura épica que se chama ora inventor, ora artista ou poeta. Dias e noites, escuridão ou luz forte, sentado em algum bar de decoração berrante: visões renovadas de formas e objetos banhados em luz artificial. As árvores deixam de ser árvores, uma sombra atravessa a mão posta sobre o balcão, um olho deformado pela luz, as silhuetas cambiantes dos transeuntes. A vida dos fragmentos: uma unha vermelha, um olho, uma boca. Os efeitos elásticos produzidos por cores complementares que transformam objetos em alguma outra realidade. Ele é preenchido por tudo isso, bebe na totalidade dessa instantaneidade vital que o atravessa em todas as direções. Ele é uma esponja: sensação de ser uma esponja, transparência, agudeza, novo realismo."[14]

Há uma retidão ou logicidade no desenvolvimento da pintura de Léger entre 1911 e 1918 que não está presente nos outros cubis-

FERNAND LÉGER *Soldado com cachimbo. 1916*

tas do período. Ele pode ter hesitado no início, mas, depois de encontrar sua linguagem, desenvolveu-a de modo consistente. Sempre partiu da experiência visual, e, embora tenha freqüentemente atingido um extremo de abstração no qual é difícil identificar o motivo original, sempre permaneceu em contato com sua experiência visual original e com uma noção generalizada de espaço real e formas vitais. Pode ter evoluído para uma arte formal pura, mas não no que se refere à guerra, na qual serviu como sapador. "Durante aqueles quatro anos – confessou ele uma vez – fui abruptamente empurrado para uma realidade ao mesmo tempo cegante e nova. Quando saí de Paris meu estilo era totalmente abstrato: período de liberação pictórica. De repente, sem nenhum intervalo, vi-me no mesmo plano de todo o povo francês; meus novos companheiros no Corpo de Engenharia eram mineiros, trabalhadores de estrada, operários do metal e da madeira. Entre eles, descobri o povo francês. Ao mesmo tempo, fui deslumbrado pela culatra de um canhão de 75 milímetros, descoberto, exposto ao sol: a magia da luz sobre o metal branco. Isso foi suficiente para levar-me a esquecer a arte abstrata de 1912-13."[15]

Foi uma revelação visionária. "Depois de ter entrado de cabeça nessa espécie de realidade nunca mais me afastei dos objetos novamente." Isso pode ser verdade no sentido de que os motivos de seus quadros a partir de então estariam vinculados à vida do povo, ou aos aspectos mecanicistas da civilização moderna; há, porém, quadros de 1920 (*La tombola*, da Coleção Kahnweiler; il. Cooper, p. 89) que são tão abstratos quanto qualquer coisa que ele tenha pintado em 1912-13; e muito mais tarde há naturezas-mortas em que a função da imagem visual é meramente formal ou "conceptual". Um molho de chaves, uma carta de baralho ou uma folha de árvore não significam nada, além da área chapada de cor pura que ocupam num quadro que, segundo palavras de Apollinaire, "contém sua própria explicação".

Apesar de sua imensa integridade (ou talvez devido a ela) Léger teve poucos seguidores. Enquanto houve uma centena de imitadores de Picasso em cada país da Europa e da América, apenas um ou dois adotaram a linguagem pessoal de Léger[16]. Sua influência mais direta deveu-se (à parte suas características pessoais, como a simplicidade e a humanidade) ao uso dinâmico que fez da

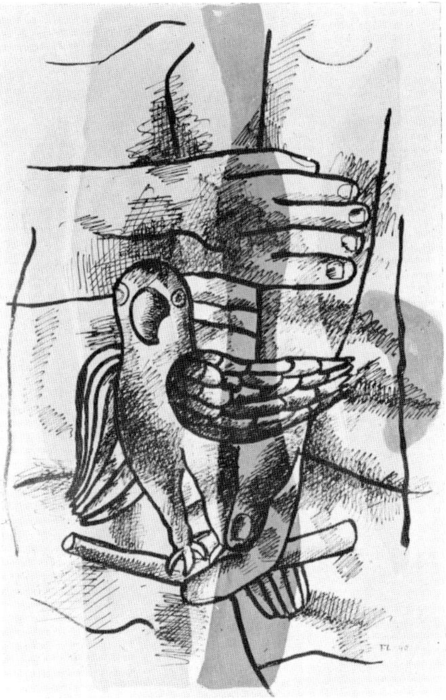

FERNAND LÉGER *O papagaio. 1940*

cor pura, o que aqui significa que a cor havia sido liberada de sua função figurativa para tornar-se puramente decorativa. Léger foi um daqueles grandes pintores, como Veronese ou Tiepolo, que não tinham inibições no que se refere à aplicação decorativa de sua arte. Ele sempre deu boas-vindas às oportunidades de pintar murais, nos quais sua espantosa energia podia ter plena liberdade de ação em grandes áreas rítmicas de cor pura.

Esse aspecto colorista do cubismo também fora a preocupação de Robert Delaunay (1885-1941), que era responsável por outra vertente do cubismo ortodoxo (com o que designo o cubismo "analítico" de Picasso e Braque). Essa vertente foi batizada de orfismo por Apollinaire, e definido por ele mesmo como "a arte de pintar estruturas novas a partir de elementos que não foram extraídos da esfera visual, mas sim criados inteiramente pelo próprio artista e por ele dotado com a plenitude da realidade. As obras do artista órfico devem, simultaneamente, transmitir um prazer

FERNAND LÉGER *Mulher em azul.* 1912

ROBERT DELAUNAY *Janela.* *1912-13*

estético puro, uma estrutura evidente por si só e um significado sublime, isto é, o tema. Isso é arte pura[17]. Apollinaire, escrevendo em torno de 1912, associava Léger, Picabia e Marcel Duchamp a essa "importante vertente". Mais tarde, o pintor tcheco já mencionado, Frank (Frantisek) Kupka, e dois americanos, Patrick Henry Bruce (1880-1937) e Stanton Macdonald Wright (n. 1890), uniram-se a Delaunay, juntamente com uma pintora russa que se tornou sua esposa, Sonia Terk. Delaunay, que era parisiense de nascimento, aderira ao grupo Bateau-Lavoir em 1909, depois de um desenvolvimento inicial que incluiu as habituais fases *fauve* e cézanniana. Apollinaire descreveu o tipo de cubismo de Delaunay como "instintivo", e ele certamente se baseava numa paixão que dava prioridade à cor – "só a cor é ao mesmo tempo forma e tema", declarou Delaunay. Mas também se baseava nos experimentos quase científicos dos impressionistas, e nesse aspecto Delaunay estava tentando desenvolver as pesquisas de Seurat e Signac, e, assim como estes artistas, estudara os tratados científicos de Michel Eugène Chevreul, aproveitando-os bem. Mas também como Picasso e Braque, ele estava preocupado com problemas formais, e esforçava-se em especial por combinar diferentes aspectos das figuras e dos objetos na mesma pintura. Ele mesmo deu o nome de *Simultanéisme* a esse tipo de pintura e mais tarde caracterizou-o com estas palavras: "Nada horizontal ou vertical: a luz deforma tudo, dissolve tudo." Nesse aspecto de sua obra, ele se aproximou dos futuristas, cujas atividades contemporâneas serão descritas no próximo capítulo. A originalidade de Delaunay e sua importância na história da arte moderna estão no fato de que ele gradualmente dispensaria o motivo e basearia seus efeitos numa exploração geométrica da refrangibilidade do próprio espectro. Suas pinturas transformaram-se no que se poderia chamar de arco-íris fragmentados, e em 1912 ele pintara uma composição completamente "não-objetiva" (*Le disque*), ou seja, um composição que não derivava de um motivo da natureza, mas era composta como uma disposição geométrica das cores. Já Kandinsky, em Munique, estava fazendo experimentos com "improvisações" que, de modo semelhante, eram completamente não-objetivas ou não-figurativas. O orfismo de Delaunay foi de início mais geométrico, mas a preocupação dos dois artistas era essencialmente a mesma.

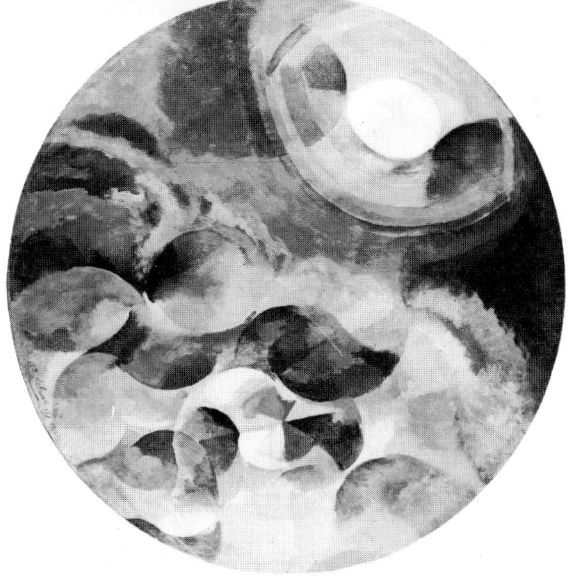

ROBERT DELAUNAY
Discos solares. 1912-13

A primeira exposição do grupo recém-formado (*Der Blaue Reiter*), Munique, dezembro de 1911 (ver p. 224), continha trabalhos de Delaunay, e a partir de então este e Kandinsky mantiveram-se em estreito contato por correspondência e avançaram numa frente comum. Na verdade, a influência de Delaunay na Alemanha era bem maior do que na França; Franz Marc e Paul Klee devem ser incluídos entre aqueles sobre os quais ele exerceu efeito decisivo.

Já no fim de 1910 a idéia original que dera origem ao movimento cubista, baseada sobretudo num sentido da estrutura geométrica derivado de Cézanne, sofrera várias mudanças de direção. O próprio Picasso, na série de retratos que pintou naquele ano de 1910-11 (Vollard, Kahnweiler, Uhde, Eva ou *Ma jolie*), e Braque em sua *Mulher com bandolim* (duas versões de 1910) e *Mulher sentada*, *Bandolinista* e *O português*, de 1911, iam além de uma estrutura que *interpretasse* o objeto visto e passavam para a criação de uma estrutura que, embora *sugerida* pelo objeto visto, existia em virtude de sua própria coerência e força monumental. O *Aficionado* de Picasso (Kunstmuseum, Basiléia), pintado em 1912, é "abstraído" no sentido de que os fragmentos ou facetas em que é dividido fazem referência direta ao tema. Podemos descobrir não só os elementos derivados dos traços (nariz, olhos) e da indumentária (chapéu) do fã de touradas que foi o ponto de partida, mas também fragmentos de tipografia (Nîmes, onde provavelmente ocorreu a tourada, e a palavra TORERO de um cartaz que anunciava o evento). Ou seja: embora a composição derive da realidade, não há imagem perceptiva imediata para ser representada, mas sim um grupo de elementos visuais associados a uma imagem-memória. Esses elementos associados podem de fato – como Picasso sempre insistiu – derivar da experiência visual, mas a distinção importante é que a pintura se torna uma associação livre de imagens (um constructo da *imaginação* visual), e não a representação de um tema controlada pelas leis da perspectiva. Toda a concepção de "realização", da forma tentada por Cézanne, fora abandonada. O "foco" já não é concêntrico, já não fixa o objeto num *continuum* espacial que retroceda para um ponto culminante em nosso horizonte. O foco está no próprio espaço do quadro, e para a sua organização contribuem todos os elementos visuais, como cor e forma, mas não como a representação de uma imagem perceptiva imediata. Há só um "percepto": é a própria composição; quaisquer elementos provenientes da natureza, ou seja, quaisquer imagens visuais derivadas do tema são decompostas de tal modo que podem servir de elementos estruturais. A rocha sólida é "lavrada" (cortada em cubos); as pedras são depois usadas para construir uma estrutura independente.

Esse é o momento de libertação a partir do qual todo o futuro das artes plásticas do Ocidente se irradiaria em toda a sua diversidade. Uma vez aceito que a imaginação plástica tem sob seu comando não a fixidez de um ponto de vista perspéctico (com a conseqüente necessidade de organizar as imagens visuais com coerência objetiva), mas a livre associação de quaisquer elementos visuais (sejam eles derivados da natureza ou construídos *a priori*), então o caminho estará aberto para uma atividade que tem pouca correspondência com as artes plásticas do passado. Evidentemente, há correspondências básicas, uma vez que as artes plásticas são plásticas, isto é, dizem respeito à manipulação da forma e da cor. Nesse sentido, a arte sempre foi abstrata e simbólica, apelando para a sensibilidade humana graças à organização que confere às sensações visuais e táteis. Mas a diferença vital consiste no fato de, com o fim de agitar a sensibilidade humana, o artista ir da percepção à representação ou da percepção à imaginação, decompondo as imagens perceptivas para recombiná-las numa estrutura não-representacional (racional ou conceptual). Essa estrutura conceptual deve ainda apelar para a sensibilidade humana, mas pressupõe-se que o faça de maneira mais direta, intensa e profunda por esse novo caminho do que se estivesse sobrecarregada por uma função representacional irrelevante. De um lado desse divisor de águas da história da arte, pode-se argumentar que as formas naturais realizadas no espaço convencional reforçam o apelo do artista à sensibilidade humana; do outro lado, pode-se argumentar que, visto que as formas naturais introduzem um critério de apresentação precisa que está sujeita a um juízo intelectual, é provável que o observador seja afetado mais fortemente através de imagens que possam ser livremente organizadas a fim de apelar diretamente para a sensibilidade humana.

A adoção desse princípio de livre associação de imagens ainda deixou o artista com ampla possibilidade de escolha, e o desenvolvimento histórico ocorrido depois de 1912 é em grande parte determinado pelo processo de seleção adotado pelo artista em particular ou pelo grupo de artistas. Picasso e Braque ampliaram sua liberdade de associação plástica, ou seja, embora sua gama de temas sempre tenha sido limitada, eles associariam instrumentos musicais com jornais, garrafas de vinho com papéis de parede, cartas de baralho com cachimbos, simplesmente porque esses objetos familiares se prestavam à construção de uma imagem efetiva. É discutível o fato de tais imagens terem qualquer significado mais profundo. Barr afirma[18] que, "embora se suponha que os cubistas, tradicionalmente, tiveram pouco interesse pela questão do tema, seja de forma objetiva, seja simbólica, ainda assim a preferência deles por uma série mais ou menos repetitiva de temas pode ser significativa. Além das eventuais paisagens de férias, Picasso e seus colegas pintavam figuras de poetas, escritores, músicos, pierrôs, arlequins e mulheres; ou então naturezas-mortas com recorrentes violões, violinos, garrafas de vinho, conhaque, cerveja e licor, além de copos, cachimbos, cigarros, dados, cartas de baralho e palavras ou fragmentos de palavras referentes a jornais, música ou bebidas. Esses temas – pessoas e coisas – pertencem uniformemente ao âmbito da vida artística e boêmia e formam uma iconografia do ateliê e do bar. Se eles representam simplesmente o ambiente do artista, ou se simbolizam de maneira mais positiva – ainda que sem dúvida inconsciente – seu isolamento da sociedade comum, é um questão discutível." Mas o que vemos no desenvolvimento do cubismo de 1912 a 1914 é a vinculação crescente não só ao motivo ou a quaisquer imagens visuais a este associadas, mas também às *texturas*. Picasso e Braque começaram imitando texturas em pintura e depois passaram a usá-las no original, grudando na tela pedaços de jornal, papel de parede, oleados ou tecidos, e ligando esses elementos com áreas de pintura ou desenhos a carvão. Essa técnica recebeu um nome novo, *collage*, palavra francesa do vocabulário comum para designar o processo de montar ou colar. Durante um ano ou dois essa técnica se manteve dentro de objetivos pictóricos, mas facilmente conduziu ao uso escultural dos mesmos métodos, e em 1914 Picasso construiu diversas naturezas-mortas tridimensionais com bricabraque de ateliês ou bares. Estas podem ser consideradas precursoras diretas das construções de natureza semelhante que, poucos anos depois, constituiriam uma das principais características do movimento surrealista.

A escultura cubista teve um desenvolvimento à parte, e os nomes que lhe estão associados são os de Brancusi, Duchamp-Villon, Gonzalez, Archipenko, Lipchitz e Henri Laurens, mas originalmente houve íntimo intercâmbio de conceitos visuais e mesmo de materiais, razão pela qual se justifica uma breve referência à escultura cubista nesta história da pintura moderna. Alguns dos pintores cubistas haviam-se exercitado em escultura; há até mesmo um *Arlequim* (1917) colorido de gesso feito por Juan Gris e um bronze *L'italienne* (1912) de Roger de la Fresnaye. O primeiro escultor que usou a linguagem cubista foi Raymond Duchamp-Villon (n. 1876) em 1910; Archipenko começou a expor trabalhos no Salon d'Automne de 1911; Brancusi seguiu-o em 1912 (no Salon des Indépendants: *La muse endormie*, agora no Musée d'Art Moderne, Paris), e Lipchitz em 1913. Duchamp-Villon foi sem dúvida o primeiro que formulou as implicações de uma escultura cubista e viu, imediatamente, que ela implicava uma identidade ou pelo menos uma confusão com os princípios da arquitetura. Como disse Apollinaire: "uma estrutura transforma-se em arquitetura, e não em escultura, quando seus elementos não encontram mais justificação na natureza". Uma escultura abstrata,

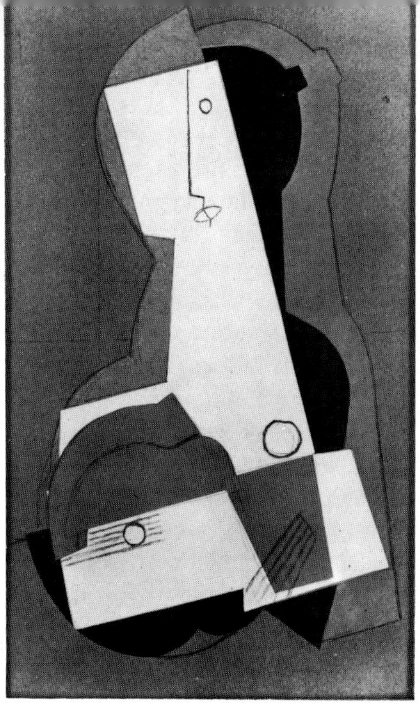

HENRI LAURENS *O violonista.* 1916

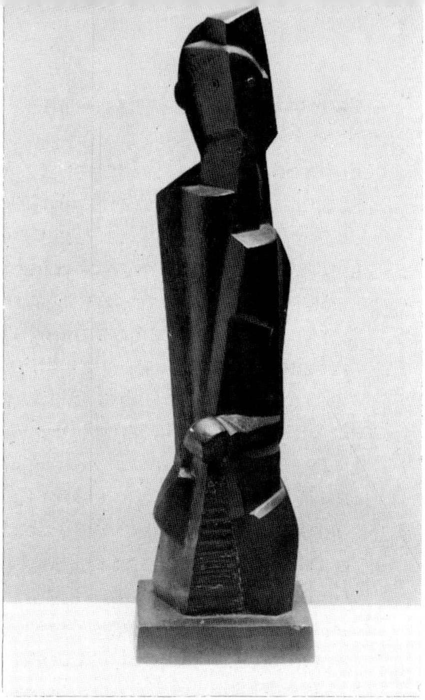

HENRI LAURENS *Cabeça de pugilista.* 1920

à parte a questão da escala (e por que restringir a escala da escultura?), seria uma arquitetura descompromissada:

"A finalidade utilitarista da maioria dos arquitetos contemporâneos é responsável pelo grande atraso da arquitetura em relação às outras artes. O arquiteto e o engenheiro devem ter metas sublimes: construir o edifício mais alto, preparar para o tempo e a hera a mais bela das ruínas, lançar sobre um ancoradouro ou um rio um arco mais audacioso que o arco-íris, enfim compor uma harmonia duradoura, a mais pujante jamais imaginada pelo homem.

"Duchamp-Villon tinha essa concepção titânica de arquitetura. Para o escultor e o arquiteto, o que mais conta é a luz; mas em todas as outras artes também é só a luz, a incorruptível luz, que conta."[19]

Mas há uma distinção que pode ser feita entre a arquitetura descompromissada e a escultura abstrata, e ela não diz tanto respeito à luz, porém mais à representação do movimento: é o fato de dotar de efeito dinâmico uma estrutura estática. Foi isso exatamente que Duchamp-Villon conseguiu em peças como *O cava-*

lo (bronze, 1914; Museum of Modern Art, Nova York, e Musée National d'Art Moderne, Paris) e Alexander Archipenko em *Luta de box* (pedra sintética, 1913; Coleção Peggy Guggenheim, Veneza). Duchamp-Villon morreu em 1918, mas em suas últimas obras, como *Cabeça de um professor Gosset* (bronze, 1917), ele atingira um grau de intensidade estrutural que prefigurava as futuras realizações do movimento construtivista (ver Capítulo IV). Quem também deve ser mencionado a propósito, nem que seja só por sua íntima associação com Picasso, é o escultor espanhol Julio Gonzalez (1876-1942), que chegou a Paris vindo de Barcelona em 1900. Começando como pintor, desde 1928 até morrer dedicou-se ao desenvolvimento da escultura em ferro forjado.

Archipenko (n. 1887), que chegou a Paris proveniente de Moscou em 1908, fez o primeiro contato com o grupo cubista em 1910 e foi o mais inventivo dos pioneiros da escultura moderna, fato que nem sempre é reconhecido. Já em 1912 ele introduzira (com o mesmo princípio da colagem) materiais diferentes – madeira, metal e vidro – na mesma construção; e foi o primeiro escultor que percebeu o valor expressivo do orifício vazado em contraste com a saliência ou como elo de ligação entre superfícies opostas (invenção que Henry Moore depois exploraria com tão bons efeitos).

Henri Laurens (1885-1954) e Jacques Lipchitz (n. 1891) pouco depois aderiram ao movimento cubista: Laurens em 1911 e Lipchitz só depois de 1913. Mas em fins de 1914 ambos já haviam contribuído de modo decisivo para o desenvolvimento da escultura cubista, primeiro traduzindo a análise geométrica da forma em estruturas tridimensionais sólidas, depois explorando a nova liberdade no sentido de uma arquitetura descompromissada. Nesse aspecto também foi prenunciado o construtivismo, mas certas obras características de escultores cubistas, como *Mulher com leque*, de Laurens, 1914, e *Homem com violão*, de Lipchitz, 1915 (?) (pedra moldada, Museum of Modern Art, Nova York), são transposições estritas do estilo pictórico de Picasso ou Braque para estruturas tridimensionais. A *Cabeça*, de Laurens, peça de madeira de 1918 (Museum of Modern Art, Nova York), parece diretamente inspirada em construções semelhantes de madeira feitas por Picasso em 1914. Tanto Laurens quanto Lipchitz mantiveram

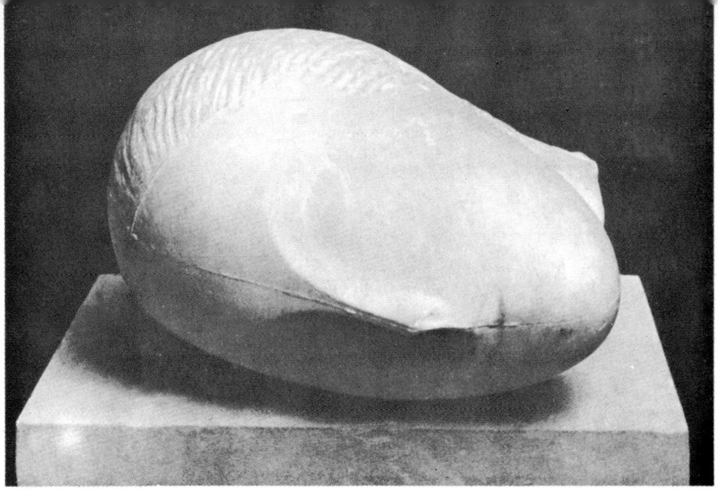

CONSTANTIN BRANCUSI *Musa adormecida. 1909-26*

a linguagem cubista por muito mais tempo do que os pintores que os haviam inspirado.

Chegamos finalmente a um escultor que, embora seja às vezes associado aos cubistas (expôs com eles no Salon des Indépendants em 1912 e de novo em 1913), permaneceu essencialmente individualista: o romeno Constantin Brancusi (1876-1957). E não só individualista, mas pragmatista, ou seja, alguém que nunca foi motivado pela teoria, mas que sempre se vinculou à ação. Há obras suas que, pela aparência geral, podem ser chamadas de cubistas (por exemplo, *O filho pródigo*, de 1914, Coleção Arensberg, Philadelphia Museum of Art), mas, se voltarmos àquilo que chamei de "momento de libertação" (ver página 90), então poderemos perceber como foi decisiva a rejeição de Brancusi pela revolução cubista. Ele nunca decompôs a unidade da imagem perceptiva, para recombinar os fragmentos numa construção livre. Ao contrário, todo o seu esforço foi por preservar a integridade da experiência visual original, a inocência de uma consciência primordial, não perturbada por pretensões egoístas. Desse ponto de vista sua arte é diametralmente oposta à do expressionismo. Brancusi lutou para eliminar o fator pessoal, para chegar à essência das coisas, para despojar os objetos de quaisquer acrescências decorrentes do tempo e da história. Mas isso também implicava uma arte diametralmente oposta ao cubismo, que, como vimos, se deleitava nos fragmentos da experiência visual, em arranjos de impressões. Brancusi dizia que a beleza é eqüidade absoluta, e com isso que-

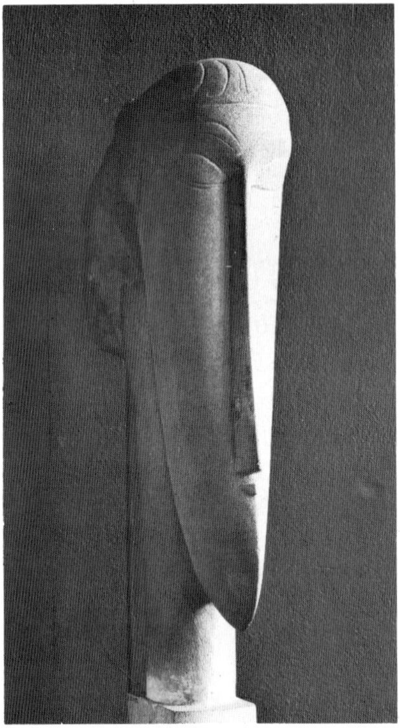

AMEDEO MODIGLIANI
Cabeça de mulher. 1910-13

CONSTANTIN BRANCUSI
Cabeça de jovem. 1907-08

ria dizer – usando expressão de Boileau e dos estetas do século XVIII – que nada é belo senão a verdade (*rien n'est beau que le vrai*)[20]. Em termos de escultura, arte que em qualquer caso exige concentração formal[21], isso significava para Brancusi uma redução do objeto à sua essência orgânica. Desse modo, o ovo tornava-se o arquétipo formal da vida orgânica, e, ao esculpir uma cabeça humana ou um pássaro ou um peixe, Brancusi esforçava-se por descobrir a forma orgânica irredutível, a conformação que significava o modo de ser daquele tema, sua realidade essencial. O fato de, nesse esforço, ele ter chegado freqüentemente a formas geométricas ou mesmo "abstratas" serve apenas para relacionar os objetivos de Brancusi com os de Cézanne: criações como o mármore *Leda* (Art Institute of Chicago), o *Torso de adolescente*, de

AMEDEO MODIGLIANI *Mulher italiana*

madeira (Coleção Arensberg, Philadelphia Museum of Art), e as várias versões do busto de *Mademoiselle Pogany* são ilustrações impressionantes de uma arte que procura interpretar a natureza pelo cilindro, pela esfera e pelo cone. Na verdade, poder-se-ia argumentar que Brancusi demonstrou entender melhor a intenção de Cézanne do que qualquer um dos pintores cubistas – certamente a tentativa mais consistente de "realizar" a estrutura orgânica dos objetos naturais.

Às vezes se objetou que o método de Brancusi, com sua busca meticulosa de simplicidade, na verdade levava a certo tipo de sofisticação: o tipo da elegância sofisticada que também encontramos nas pinturas de Amedeo Modigliani (1884-1920), artista a quem ele deu amparo de amigo em 1909 e convenceu a voltar-se para a escultura durante certo período. Modigliani expusera no ano anterior no Salon des Indépendants e ainda estava hesitante entre as influências contrárias de Gauguin e Cézanne. Mas Brancusi (e portanto, implicitamente, Cézanne) triunfaria. À medida que Modigliani foi-se encontrando, entre 1915 e 1920, seu estilo desenvolveu seus maneirismos característicos: figuras alongadas, ritmos curvilíneos, coloração ocre ou terrosa, mas sua dívida para com Brancusi permaneceu evidente até o fim prematuro.

O exame de Brancusi e Modigliani levou-nos para além do âmbito estilístico do cubismo. Outros artistas foram associados aos cubistas, em especial Picabia e Marcel Duchamp, que serão examinados de modo mais apropriado em relação aos movimentos subseqüentes (dadaísmo e surrealismo). O fim do movimento cubista (embora não o fim do cubismo) veio com o início da guerra, em 4 de agosto de 1914. Braque, Gleizes, Léger, Lhote, Villon e Duchamp-Villon foram imediatamente mobilizados. A maioria dos outros foi sendo gradualmente recrutada. Picasso e Gris, por serem espanhóis, ficaram livres e continuaram a trabalhar em Paris. O grupo nunca mais se reconstituiria, mas em sua breve existência libertara uma energia criativa que no imediato pós-guerra transformaria a arte do mundo inteiro.

IV. FUTURISMO, DADAÍSMO, SURREALISMO

Os oito anos que vão de 1906 a 1914 já foram descritos como um período de intensa fermentação. Fermento que não baixaria até hoje; não foram coerentes os resultados das experiências multiformes que precederam a Primeira Guerra Mundial. No entanto, duas direções gerais de desenvolvimento foram-se tornando gradualmente evidentes, e sem dúvida elas correspondem às principais divisões do temperamento humano, que chamamos de introvertido e extrovertido. Romantismo e classicismo são nomes que usamos para as mesmas tendências, manifestadas no passado, mas, quando estamos testemunhando o processo real da história e ainda não podemos generalizar a partir de experiências particulares, todas essas categorias se confundem. A partir do exemplo típico de Picasso, podemos ver como é difícil vincular as manifestações diversas de um só gênio às limitações lógicas de uma categoria histórica. O artista, como dizia Keats sobre o poeta, tem natureza de camaleão, capaz de chocar o filósofo virtuoso. Ele não tem identidade; está continuamente conformando e preenchendo algum outro corpo. Ou seja, na prática o artista tende intuitivamente a identificar-se com as finalidades e as realizações de todos os outros artistas, e só por meio do esforço ele se restringe a algum modo característico de expressão. Isso pode parecer uma espécie de desculpa para o plágio – e sempre houve muito plágio em todas as épocas –, mas também é a explicação de toda a evo-

GIORGIO DE CHIRICO *Place d'Italie. 1912*

lução histórica em arte bem como uma indicação da complexidade e até da falsidade das categorias lógicas.

Embora a constituição da personalidade humana explique duas tendências gerais na evolução da arte, o tempo todo é preciso levar em conta ambigüidades e evasivas. Lord Acton bem que ordenou: "não procure unidade artística no caráter", e a própria arte é exemplo desse aforismo. Em nosso estudo sobre o cubismo já distinguimos duas linhas de evolução: uma em direção à fragmentação da percepção e à reconstrução da forma segundo leis da imaginação, e outra em direção à "realização" do motivo, à composição segundo a natureza. Mas mesmo essas duas tendências gerais são difíceis de distinguir uma da outra, e cada uma delas se divide em ramos subsidiários que superficialmente têm pouca semelhança com o movimento que lhes deu origem. A "realiza-

CARLO CARRÀ *Musa metafísica.* 1917

ção do motivo", por exemplo, concepção que Cézanne tinha do realismo, leva ao cubismo, que é já uma distorção do motivo, o que produz uma estrutura independente; e esse desenvolvimento sugeriria a invenção de uma realidade plástica inteiramente autônoma: não a realização de um motivo, mas a criação de um motivo. Neste capítulo e no próximo falaremos dos movimentos em arte moderna que, tirando vantagem da liberdade oferecida pela fragmentação da imagem perceptiva, passaram a desenvolver formas de arte determinadas pela imaginação ou pela fantasia[1]. Sempre foi característica desses movimentos o fato de poetas e propagandistas literários terem desempenhado papel importante na sua formação.

O futurismo, primeiro movimento desse tipo, foi concebido e organizado como movimento pelo poeta italiano Filippo Tomasso Marinetti. Durante o ano de 1909 ele distribuiu pelo mundo inteiro um manifesto que, com expressões retóricas audazes, proclamava o fim da arte do passado (*le Passéisme*) e o nascimento de uma arte do futuro (*le Futurisme*). Reuniu em torno de si um grupo de poetas e pintores, dos quais os mais importantes eram Umberto Boccioni (1882-1916), Carlo Carrà (n. 1881), Luigi Russolo (1885-1947), Giacomo Balla (n. 1871) e Gino Severini (n. 1883). Boccioni compôs um *Manifesto dos pintores futuristas* que foi publicado em 11 de fevereiro e proclamado publicamente em 3 de março de 1910 diante de grande auditório no Teatro Chiarella de Turim. A esse seguiu-se, em 11 de abril do mesmo ano, um *Manifesto das técnicas da pintura futurista.* Demonstrações e manifestos foram então aparecendo em rápida sucessão[2]. Em 1912 o grupo organizou uma exposição de suas obras em Paris (depois transferida para Londres e Berlim), e em 1914 Boccioni publicou um livro que dava expressão final a seus ideais[3] – final na forma e de fato, pois a guerra que irrompeu no mesmo ano dispersou o grupo. Boccioni, que fora sua força dinâmica, morreu acidentalmente em 1916 enquanto convalescia de ferimentos. O grupo nunca mais foi reconstituído. Severini voltou durante certo tempo ao cubismo; Carrà passou a ser influenciado pela pintura metafísica de De Chirico (ver p. 121 adiante); Balla acabou revertendo para o realismo acadêmico, e Russolo, que era principalmente compositor de música futurista (às vezes conhecida como "bruitismo"), perdeu o interesse pela pintura.

CARLO CARRÀ *Estudo em preto e branco para "La Galleria"*. 1912

O manifesto de 1910 é um documento lógico. Começa declarando que a crescente necessidade de *verdade* já não pode ser satisfeita pela forma e pela cor, como estas foram entendidas no passado: todas as coisas se movem e correm, mudam rapidamente, e esse dinamismo universal é o que o artista deve esforçar-se por representar. O espaço já não existe, ou só existe como atmosfera dentro da qual os corpos se movem e interpenetram. A cor também é iridescente, cintilante; as sombras são luminosas, bruxuleantes. E assim aqueles cinco pintores eram levados a declarar:

"1. Que todas as formas de imitação devem ser desprezadas e que todas as formas de originalidade devem ser glorificadas.

"2. Que devemos rebelar-nos contra a tirania das palavras harmonia e bom gosto. Com essas expressões, que são elásticas demais, seria fácil demolir as obras de Rembrandt, Goya e Rodin.

"3. Que as críticas de arte são inúteis ou prejudiciais.

"4. Que devem ser sumariamente varridos todos os temas velhos e surrados e dar lugar à expressão do vórtice da vida moderna: vida feita de aço, febre, orgulho e velocidade vertiginosa.

"5. Que a acusação de loucura feita para ridicularizar os inovadores deve ser considerada um título nobre e honroso.

"6. Que o complementarismo em pintura é uma necessidade absoluta, assim como o verso livre em poesia e a polifonia em música.

"7. Que o dinamismo universal deve ser traduzido em pintura como sensação dinâmica.

"8. Que a sinceridade e a virgindade, mais que quaisquer outras qualidades, são necessárias à interpretação da natureza.

"9. Que o movimento e a luz destroem a materialidade dos corpos."

O conteúdo dogmático dessa declaração está resumido na quarta frase – o artista deve expressar o vórtice[4] da vida moderna: vida feita de aço, febre, orgulho e velocidade vertiginosa. Tal ênfase nas qualidades dinâmicas da vida começou com os impressionistas, mas estes nunca resolveram o problema de como representar o movimento nas formas estáticas da pintura e da escultura. A solução futurista foi um tanto ingênua: um cavalo a galope – diziam – não tem quatro patas, mas vinte, e o movimento delas é triangular. Portanto, pintavam cavalos, cães ou seres humanos com vários membros num arranjo em série ou radial. O som também podia ser representado como uma sucessão de ondas; a cor, como um ritmo prismático. Os diferentes aspectos da visão podiam ser combinados em um "processo de interpenetração: simultaneidade-fusão". Nesse aspecto de sua técnica, os futuristas prefiguraram o *simultanéisme* de Delaunay (ver p. 94).

O movimento futurista teve vida breve, mas sua contribuição para o modernismo como um todo foi importante e decisiva. Uma vez que tentavam representar o movimento, aqueles pioneiros seriam surpreendidos pela cinematografia; suas pinturas per-

MARCEL DUCHAMP *Le passage de la Vierge à la Mariée. 1912*

manecem como símbolos plásticos do movimento, e não como representações do movimento. A real importância deles provém do fato de terem desenvolvido uma nova sensibilidade para os objetos típicos de nossa era, sobretudo a máquina, e para as preocupações do homem moderno, em especial a velocidade. A figura de Boccioni, *Formas únicas de continuidade no espaço*, de 1913 (moldes de bronze no Museum of Modern Art, Nova York, Galleria d'Arte Moderna, Milão, Kunsthalle, Zurique e Coleção Winston), tem o vigor dinâmico que associamos à escultura barroca, mas enquanto esta gira dentro de si mesma, a peça de Boccioni parece arremessar-se para o espaço e prefigura as formas características do aeroplano. Todos os futuristas começaram tentando representar forças físicas ou mecânicas (por exemplo, Balla, *Automóvel e ruído*, 1912; Carrà, *O que o bonde me contou*, 1911?; Russolo, *Linhas de força de um raio*, 1911?; Severini, *Hieróglifo dinâmico do Bal Tabarin*, 1912). Mas a experimentação logo se esgotou. Boccioni pode tê-la concluído com uma nova síntese de algum tipo, mas os outros reincidiriam no realismo ou no academicismo. A razão não deve ser buscada muito longe: o futurismo era fundamentalmente uma arte simbólica, uma tentativa de ilustrar noções conceptuais com formas plásticas. A arte viva, porém, começa com sentimento, prossegue no material e só *incidentalmente* adquire significado simbólico.

A mesma crítica pode ser feita, evidentemente, ao orfismo de Delaunay e Picabia ou ao rayonismo de Michel Larionov (n. 1881), na Rússia, que lhes foi contemporâneo porém independente. De 1910 a 1915 Picabia e Marcel Duchamp estavam pintando de uma maneira que é difícil distinguir do futurismo. *Procissão em Sevilha* de Picabia (1912) encontra grande paralelo em *Funeral do anarquista Galli*, de Carrà (1911), que foi exposto em Paris naquele ano. O *Nu descendo a escada*, de Duchamp (1912) (Philadelphia Museum of Art), encontra paralelo em *Cão na corrente*, de Balla, do mesmo ano. O desenvolvimento subseqüente de Picabia pertence aos anais do dadaísmo e do surrealismo, como também, até certo ponto, o de Duchamp. Mas Duchamp, que foi uma das mais enigmáticas personalidades do movimento modernista (influente porque enigmática?) percebe com muito mais clareza o significado do futurismo do que seus fundadores. Já em

MARIO SIRONI *Composição. 1912*

1913 Apollinaire descrevera esse artista como "desligado de preocupações estéticas" e "preocupado com energia". Escrevendo sobre seu *Nu descendo a escada*, o próprio artista explicou que não é propriamente uma pintura, "é uma organização de elementos cinéticos, uma expressão do tempo e do espaço através da apresentação abstrata do movimento. Pintura é, necessariamente, uma justaposição de duas ou mais cores sobre uma superfície. Propositalmente restringi o *Nu* ao colorido da madeira, para que não fosse suscitada a questão da pintura *per se*. Há, admito, muitos modos pelos quais essa idéia poderia se expressar. A arte seria uma musa muito pobre se assim não fosse. Mas é preciso lembrar que, quando consideramos o movimento da forma através do espaço em dado tempo, entramos no reino da geometria e da matemática, exatamente como quando construímos uma máquina para esse fim. Agora, se eu mostrar a subida de um avião, tentarei mostrar o que ele está fazendo. Não faço uma natureza-morta com ele. Quando a visão do *Nu* espocou em mim, eu sabia que ele quebraria para sempre as cadeiras escravizadoras do naturalismo."[5]

Marcel Duchamp aqui se aproxima da concepção de realidade plástica de que trataremos no Capítulo VI: de objeto criado com sua própria identidade plástica, e não como "uma pintura de" outra coisa. Sua evolução depois de 1912 e, mais particularmente, após uma visita feita a Nova York com Picabia em 1915, esteve cada vez mais voltada para construções de vidro, metal e madeira; mas, atingindo esse objetivo absoluto, Duchamp, assim como Rimbaud antes dele, retirou-se e caiu na inação desdenhosa. Ele atingira o ponto no qual a obra de arte já não deve ser considerada mercadoria estética, e sim livre criação. Mas a sociedade não o acompanhara: Apollinaire profetizou que Marcel Duchamp estava destinado a "reconcilar a arte e o povo". Mas o povo não estava pronto para a reconciliação, e quase não está ainda hoje.

A guerra desfizera fisicamente os grupos que se haviam formado em Paris, Munique, Milão e no resto da Europa, mas a partir dessa mesma ruptura e do caos espiritual que se seguiu é que a próxima manifestação artística se desenvolveria. Durante o ano de 1915 certo número de artistas refugiou-se na cidade neutra de Zurique: Tristan Tzara e Marcel Janko da Romênia; Hans Arp da França; Hugo Ball, Hans Richter e Richard Huelsenbeck da Alemanha. Em encontros casuais, em cafés, conceberam a idéia de organizar um cabaré internacional. Hugo Bal foi o organizador da comemoração de fundação que ocorreu em 5 de fevereiro de 1916 numa sala alugada de Jan Ephraim, marinheiro holandês, proprietário de uma hospedaria na Spiegelgasse. O tipo de entretenimento oferecido era o seguinte: canções francesas e holandesas, música russa tocada por uma orquestra de balalaicas, música negra, recitais de poesia e exposições de obras de arte. Ball e Huelsenbeck, que haviam chegado de Berlim no começo de fevereiro, procurando num dicionário alemão-francês um nome adequado para a *chanteuse* do grupo, Madame le Roy, descobriram sem querer a palavra *Dada*, que foi adotada com entusiasmo como um nome apropriado para todas as atividades deles. Em junho

HANS ARP *Configuração. 1928*

daquele mesmo ano foi publicada uma brochura intitulada *Cabaret Voltaire* com editoração de Hugo Ball, projeto de capa de Arp e contribuições de Apollinaire, Marinetti, Picasso, Modigliani e Kandinsky, além dos pintores e poetas já mencionados. Em março de 1917 foi aberta a "Galerie Dada" na Bahnhofstrasse. Em julho apareceu o primeiro número de um periódico intitulado *Dada*, com editoração de Tzara. Seguiram-se os primeiros livros dadaístas: *La première aventure céleste de M. Antipyrine*, de Tzara, ilustrado por Janko, e *phantastische gebete* de Huelsenbeck, ilustrado por Arp. Viking Eggeling (1880-1925), pintor sueco, foi para Zurique em 1918 e, com Hans Richter, tentou "mobilizar" formas. Primeiro fizeram desenhos inspirados por música em rolos estiráveis de borracha, mas, como isso falhou, voltaram-se para o uso de rolos de películas. Seus caminhos separaram-se então, mas Richter continuou sendo um dos espíritos condutores do movimento.

Um parágrafo numa história do dadaísmo, publicada por Huelsenbeck em Hanover[6] em 1920, resume os objetivos do novo grupo:

> "O grupo do Cabaret Voltaire era formado por artistas no sentido de serem intensamente sensíveis às possibilidades artísticas recém-desenvolvidas. Ball e eu fôramos extremamente ativos na disseminação do expressionismo na Alemanha; Ball era amigo íntimo de Kandinsky, em colaboração com quem tentara fundar um teatro expressionista em Munique. Arp, em Paris, estivera em contato com Picasso e Braque, líderes do movimento cubista, e estava profundamente convencido da necessidade de combater a concepção naturalista em todas as formas. Tristan Tzara, o internacionalista romântico, cujo zelo propagandista precisamos agradecer, pelo enorme crescimento do dadaísmo, trouxe consigo da Romênia uma facilidade literária ilimitada. Naquele período, em que dançávamos, cantávamos e recitávamos noite após noite no Cabaret Voltaire, a arte abstrata era para nós equivalente a honra absoluta. O naturalismo era penetração psicológica dos motivos do burguês, no qual víamos nosso inimigo mortal, e a penetração psicológica, a despeito de todos os esforços de

resistência, traz uma identificação com os vários preceitos da moralidade burguesa. Archipenko, que venerávamos como um modelo inigualável no campo da arte plástica, afirmava que a arte não deve ser realista nem idealista, mas verdadeira; e com isso queríamos dizer, acima de tudo, que qualquer imitação da natureza, mesmo que encoberta, é uma mentira. Nesse sentido, o dadaísmo devia imprimir novo ímpeto à verdade. O dadaísmo deveria ser um ponto de convergência das energias abstratas e um impulso duradouro para os grandes movimentos artísticos internacionais."

Desde o começo o dadaísmo era conscientemente internacional: Tzara continuava em estreito contato com Marinetti, e, embora os dadaístas achassem o futurismo realista e programático demais, extraíram dele – como admite Huelsenbeck – o conceito de simultaneidade (por exemplo, recitar diferentes poemas simultaneamente) e o "bruitismo" ou música de ruído (precursora da música concreta). Mas "os dadaístas do Cabaret Voltaire assumiram o bruitismo sem suspeitar de sua filosofia; basicamente, desejavam o oposto: calma espiritual, acalanto infindável, arte, arte abstrata. Os artistas do Cabaret Voltaire realmente não tinham idéia do que queriam: os fiapos de 'arte moderna' que em algum momento grudaram na mente daqueles indivíduos foram reunidos e chamados de 'dadaísmo'"[7].

Picabia estivera em Nova York em 1913. Em 1915, como já dissemos, foi para lá novamente, a fim de reunir-se com Marcel Duchamp, que chegara em junho daquele ano. Encontraram um patrocinador favoravelmente disposto em Walter Arensberg e um empresário em Alfred Stieglitz, o artista-fotógrafo que abrira uma galeria na 5ª Avenida já em 1906 e fora o primeiro a expor não só artistas americanos da escola moderna, como John Marin, Max Weber e Man Ray, mas também Cézanne, Rousseau (*Douanier*), Toulouse-Lautrec e Picasso. Na famosa Armory Show, imensa exposição de mil e cem obras da escola moderna, realizada em Nova York em fevereiro de 1913 (e depois transferida para Chicago e Boston), o *Nu descendo a escada* de Duchamp causou grande sensação, como todas as outras obras expostas, e, quando ele chegou a Nova York dois anos depois, seu nome já era bem conhecido. Stieglitz cedeu de bom grado a sua galeria para que ela se tornasse um posto avançado do movimento europeu, e incumbiu-se de publicar uma revista que foi chamada "291", número do prédio de apartamentos da 5ª Avenida onde a galeria se situava. Picabia ficou em Nova York até o fim de 1916, quando voltou para Zurique via Barcelona, onde, unindo forças com Arthur Cravan, Gleizes e Marie Laurencin, publicou em 2 de janeiro de 1917 o primeiro número de um novo periódico chamado "391" em memória do periódico de Stieglitz. Após um breve retorno aos Estados Unidos, onde se reuniu de novo com Duchamp e publicou outros números do "391", voltou para a Suíça, passando antes por Lausanne para, em fevereiro de 1918, voltar a reunir-se com o grupo de Zurique que, naquele entretempo, intensificara suas atividades, publicando *Dada I* e *Dada II* em 1917 e um terceiro número em 1918[8].

No começo de 1917 Huelsenbeck voltara para Berlim e achou facilidade em estabelecer um movimento dadaísta alemão na desesperada confusão do último ano da guerra. A ele se juntaram George Grosz (n. 1893) e Raoul Hausmann. Em Colônia, também, durante o ano de 1918 ganhou forma um movimento que teve a liderança de um jornalista chamado Baargeld e do pintor Max Ernst (n. 1891), que haviam conhecido Arp em 1914. Outro grupo foi formado em Hanover com um editor chamado Stegeman como patrocinador e Kurt Schwitters (1887-1948) como líder. Formaram-se outros grupos dadaístas em Basiléia e Barcelona (como conseqüência da breve passagem de Picabia pela cidade). Nesse ínterim o grupo de Zurique, agora que a guerra estava acabando, começava a dispersar-se. Arp foi ter com o novo grupo em Colônia. Tzara voltou a Paris, onde durante o ano de 1920 ocorreram muitas manifestações e exposições. Foi promovido um *Festival Dada* na Salle Gaveau, e pela primeira vez aparecem vários nomes que seriam significativos no futuro: André Breton, Paul Eluard, Soupault e Aragon. Naquele ano também foi realizada uma Feira Internacional Dadaísta em Berlim (junho) que fora precedida (abril) por uma exposição em Colônia, organizada por Arp, Baargeld e Ernst. Essa exposição foi fechada pela polícia; na Alemanha o dadaísmo demonstrara desde o início uma tendência revolucionária e politicamente niilista; tornara-se um protesto social total, em vez de movimento artístico.

JOHN MARIN *Barco zarpando de Deer Isle.* 1926

Mas desde o início o dadaísmo, herdando a propaganda retórica de Marinetti, proclamara-se "ativista", e isso com efeito significava uma tentativa de sacudir de si o peso morto de todas as antigas tradições, sociais e artísticas, e não uma tentativa dogmática de criar um novo estilo em arte. Por trás disso havia forte inquietação social, a paixão da guerra, a própria guerra e depois a Revolução Russa. Anarquistas, e não socialistas, protofascistas em alguns casos, os dadaístas adotaram o slogan de Bakunin: destruição também é criação! A finalidade deles era chocar a burguesia (que consideravam responsável pela guerra) e estavam prontos a lançar mão de quaisquer meios que estivessem ao alcance de uma imaginação macabra: fazer quadros com lixo (*Merzbilder* de Schwitters [p. 123]) ou exaltar objetos escandalosos, como garrafeiros ou urinóis, à dignidade de objetos de arte. Duchamp pôs um bigode em Mona Lisa e Picabia pintou máquinas absurdas que não tinham outra função senão zombar da ciência e da eficiência. Alguns desses gestos podem hoje parecer triviais, mas

HANS ARP *Xilogravura para "Onze peintres vus par Arp"*. 1949

isso é esquecer a tarefa que ainda estava por ser cumprida: desfazer todas as noções convencionais de arte para emancipar completamente a imaginação visual. O cubismo conseguira muita coisa, mas, depois de rejeitar as leis da perspectiva, ameaçava ficar onde estava e retroceder para um classicismo formal mais severo e rígido que o realismo de que fugira. O dadaísmo era o ato final de libertação, e, à parte a reação que provocou em Picasso e Braque – e mesmo em Léger –, representou "um impulso duradouro" para uma nova e não menos importante geração de artistas. O dadaísmo seria em grande parte esquecido no período entreguerras, mas criara um ímpeto e fixara uma direção para o desenvolvimento artístico da arte ocidental que não se esgotaria com o tempo. O estado de consciência na Europa e nos Estados Unidos que provocou manifestações como o futurismo e o dadaísmo ainda prevalece: buscamos ainda imagens "para expressar o vórtice da vida moderna, uma vida feita de aço, febre, orgulho e velocidade vertiginosa".

Entre os italianos que tinham assinado o manifesto do dadaísmo em 1920 (publicado no periódico *Bleu* em Mântua) estava um pintor de Ferrara, nascido de pais italianos na Grécia em 1888. Esse artista, que, significativamente, fora a Munique para estudar (1905-08) e ali sofrera a influência do romantismo místico de Klinger e Böcklin, chamava-se Giorgio de Chirico e deveria desempenhar papel decisivo na fase seguinte da arte moderna. De Chirico morou em Milão e Florença de 1908 a 1910 e depois foi para Paris, onde conheceu Picasso e Apollinaire. Voltou para a Itália quando da deflagração da guerra, e em Ferrara conheceu Carlo

Carrà, com quem fundou a "scuola metafisica", nome com que se indicava um estilo de pintura que podia dever algo à filosofia de Nietzsche, mas que era essencialmente um novo tipo de paisagem romântica, baseada em Böcklin e Klinger, mas com o uso de imagens oníricas desconexas e desconcertantes, e não de imagens perceptivas. As primeiras paisagens de De Chirico nesse estilo (elas eram geralmente dominadas por elementos arquitetônicos) foram pintadas antes de sua ida a Paris, ou seja, em 1910. A seguir ele começou a usar elementos talvez sugeridos pelas "construções" de Picasso – instrumentos geométricos, fragmentos de mapas, *biscuits* etc., tudo pintado com exatidão de *trompe l'oeil* e formando figuras grotescas mais ou menos segundo os monstros de flores e frutas do pintor milanês do século XVI, Giuseppe Arcimboldo. Mas tais construções não são de modo algum cubistas, e pode-se até duvidar que De Chirico simpatizasse com os objetivos do cubismo ou mesmo os entendesse. Ele não tinha intenção analítica nem aptidão lógica: usava a perspectiva, por exemplo, não com finalidade representacional, mas por seu efeito emocional. Os objetos em suas pinturas geralmente estão isolados, são propriedades de um estágio imaginário e dispõem-se de tal modo que criam um sentido de expectativa, de drama. Mas não há sentido de deliberação em suas composições, e deve-se supor que as imagens lhe chegassem à visão interna com uma espontaneidade semelhante ao transe[9]. Dependiam de alguma misteriosa faculdade de evocação, que de fato o artista perdeu de repente, mas não antes de produzir um *corpus* pictórico que ainda exerce curioso poder mágico.

O próprio De Chirico deu-nos a melhor descrição verbal da poesia de suas paisagens:

> "Às vezes o horizonte é definido por um muro atrás do qual se ergue o barulho de um trem a desaparecer. Toda a nostalgia do infinito[10] nos é revelada por trás da precisão geométrica do quadrado. Experimentamos os mais inesquecíveis movimentos quando certos aspectos do mundo, cuja existência ignoramos por completo, de repente se nos deparam com a revelação de mistérios que jazem o tempo todo ao nosso alcance e que não podemos ver porque nossa visão é curta

MAX ERNST *Sol negro. 1927-28*

demais, e não podemos sentir porque nossos sentidos são insuficientemente desenvolvidos. Suas vozes mortas falam-nos de perto, mas soam como vozes de outro planeta."[11]

Durante alguns anos (1915-20) Carlo Carrà e Giorgio Morandi (n. 1890) trabalharam em sintonia com esse espírito poético, mas ambos sempre foram fundamentalmente clássicos, e, quando De Chirico voltou a Paris (em 1924*),* deixando-os entregues a si mesmos, eles aos poucos foram abandonando o estilo metafísico: não procuravam a nostalgia do infinito, mas a serenidade do finito.

Há outro espírito independente cuja presença em Paris contribuiria para as mudanças que ocorreram no fim do período dadaísta. Marc Chagall nasceu em Vitebsk, na Rússia, em 1887. Estudou

KURT SCHWITTERS *Merzbild Einunddreissig. 1920* →

31
Feiten.

na Escola Imperial de Belas-Artes, em São Petersburgo, e foi a Paris pela primeira vez em 1910, onde se uniu ao círculo de Apollinaire e Max Jacob e aos pintores Delaunay e La Fresnaye. Em 1911 já estava expondo, com os Indépendants, quadros como *L'homme à la tête coupée*, *L'âne rouge*, *À ma fiancée.* Chagall dizia que tinha chegado a Paris ainda com um pouco de terra russa grudada nos sapatos; certamente levou consigo uma visão poética que tinha raízes na vida e no folclore da Rússia, e isso ele nunca perdeu. Mas já em 1911 estava demonstrando a influência dos cubistas; na verdade expôs como cubista, juntamente com Gleizes e Metzinger. Os quadros daquele ano, como *Auto-retrato com sete dedos* (p. 126), Museu Stedelijk, em Amsterdam, ou o grande *Calvário*, de 1912, Museum of Modern Art, Nova York, embora contenham elementos característicos da iconografia russa de Chagall, são geometrizados, e neles prevalece o estilo cubista. Mas o cubismo, em Chagall, nunca passou de maneirismo superficial, e de fato ele confessou que não poderia aceitar a violação da textura sensível pertencente ao motivo. Segundo ele, no cubismo dava-se importância demasiada à forma arquitetônica, enquanto sua preferência era por "une figuration anti-logique", com o que ele designava um arranjo irracional dos objetos naturais, a ilogicidade da imagística onírica. La Fresnaye associou-se estreitamente a ele, mas entre ambos não houve grande troca de influências. Chagall, à medida que se via imerso na atmosfera de pré-guerra de Paris, foi-se voltando cada vez mais para as próprias origens e para aquilo a que deu o nome de intimidade da vida simples, para uma visão infantil. Mas, enquanto isso, o seu *illogisme* causava profunda impressão na geração mais jovem de pintores e poetas, e quando ele voltou a Paris no inverno de 1922-23 – estivera na Rússia durante a guerra – sua fantasia pessoal parecia reforçar a fantasia bem diferente de De Chirico, e juntos eles abriram caminho para o reino do inconsciente, no qual poucos artistas se haviam aventurado até então. Mas o próprio Chagall nunca cruzou inteiramente esse limiar: sempre ficou com os pés no chão que o nutrira. A terra russa nunca desgrudou completamente de seus sapatos.

Apesar dessa independência, Chagall continuou sendo um dos artistas mais influentes de nossos tempos; e por mais que se admi-

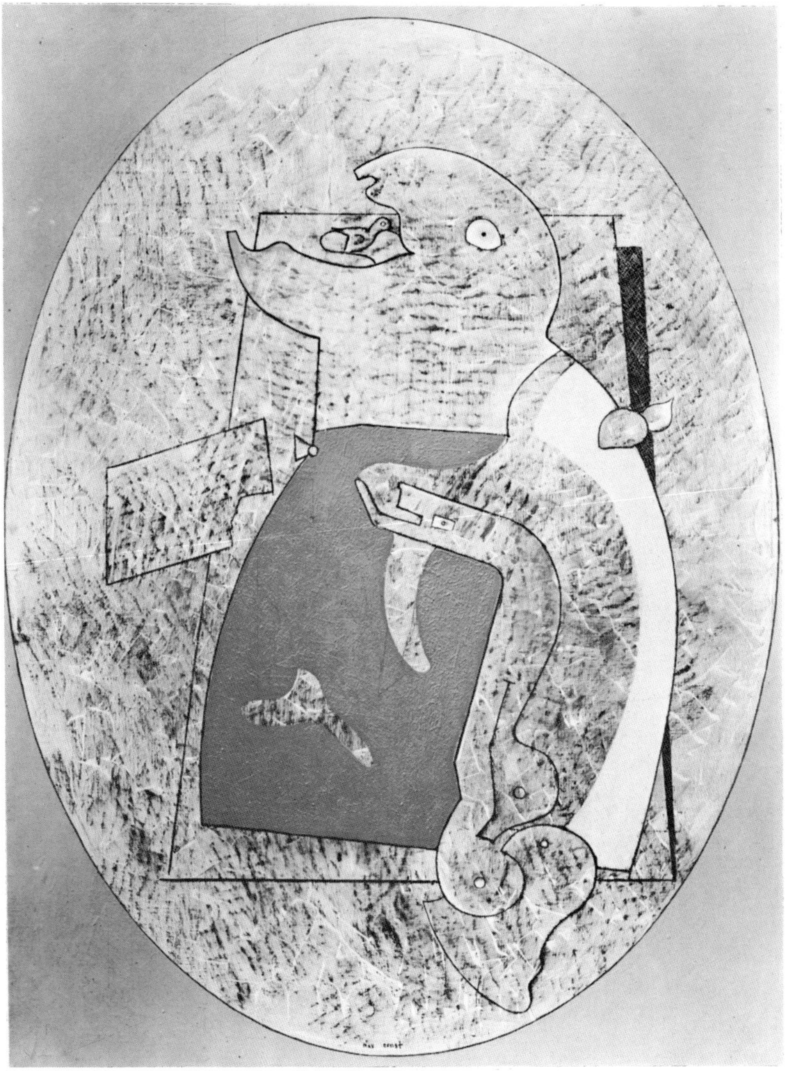

MAX ERNST *Figura. 1929*

MARC CHAGALL *Auto-retrato com sete dedos. 1912*

ta falar em qualidades puramente artísticas, como sua riqueza cromática crua (aquilo que ele mesmo chamaria de "paleta primordial"), não há dúvida de que seu apelo essencial é para as emoções, que são elaboradas por meio de um simbolismo mais ou menos nostálgico. Comparando-se aos impressionistas e aos cubistas, ele disse: "Tento preencher minha tela com formas anulares que, por sua vez, são preenchidas de paixão; elas devem criar

MARC CHAGALL *Maternidade. 1913*

uma dimensão extra que não pode ser atingida com a geometria pura das linhas cubistas nem com as pinceladas impressionistas de cor."[12] Ele não consegue libertar-se com tanta facilidade dos surrealistas, que encontrariam tanta inspiração em sua obra, mas tenta, acusando-os de abordar de forma literária a pintura. A mesma acusação foi feita com freqüência à sua própria obra, mas ele, pessoalmente, identificava pintura e poesia:

> "Tudo pode mudar em nosso mundo desmoralizado, exceto o coração, o amor humano e a luta do homem para conhecer o divino. A pintura, assim como toda a poesia, é uma parcela desse divino; as pessoas sentem isso hoje assim como sentiam antes. Foi tão pobre a minha juventude, foram tão grandes as provações de meu pai com seus nove filhos, e no entanto ele sempre esteve cheio de amor e, à sua maneira, foi poeta. Por intermédio dele senti pela primeira vez a existência da poesia neste mundo. Depois, eu a senti na noite, olhando para o céu escuro. Então aprendi que também havia outro mundo. Isso me encheu os olhos de lágrimas, de tanto que me comoveu."[13]

Esses não são, de fato, sentimentos de um surrealista, apesar do significado transcendental da palavra. Palavra que, mais uma vez, devemos a Apollinaire, que a usava para descrever sua própria peça, *Les mamelles de Tirésias (drame surréaliste en deux actes et un prologue)*, apresentada pela primeira vez em 24 de junho de 1917. Quando, em março de 1919, André Breton e Philippe Soupault fundaram uma revista (*Littérature*), foi adotada a palavra *surréalisme* para caracterizar um método de escrita espontânea que eles estavam experimentando. Breton já estava familiarizado com as novas doutrinas da psicanálise, e chegara à conclusão de que a imagística simbólica liberada em sonhos e na análise dos sonhos podia ser evocada para a obtenção de efeitos poéticos. As origens desse novo movimento foram, portanto, literárias, mas Breton viu bem depressa que as manifestações do dadaísmo, que começavam a chegar a Paris naquele ano, eram da maior importância para os objetivos experimentais de sua revista. Tzara foi convidado a contribuir e dirigiu-se a Paris; seguiram-se então as demonstrações desordeiras em que o dadaísmo expirou.

MARC CHAGALL *Auto-retrato com bode. 1922-23*

Seu culto do absurdo foi-se tornando cada vez mais extremado, e, em fins de 1922, deixara de existir como grupo coerente. Breton reuniu os membros remanescentes, pelo menos os que valorizavam seus objetivos sérios, e em 1924, quando podia contar com a colaboração de pintores como Arp e Max Ernst, bem como de poetas como Paul Eluard e Benjamin Péret, publicou seu *Primeiro Manifesto Surrealista.*

O surrealismo, como movimento, viria a ser tão "ativista" e incoerente em suas manifestações quanto o dadaísmo, mas tinha a enorme vantagem de contar com um coordenador inteligente e influente. Breton sempre rejeitou o título de "líder", e na verdade o próprio conceito de liderança é incompatível com o libertarismo essencial da doutrina surrealista. Contudo, foi Breton quem conduziu o movimento moderno da fase dadaísta para a fase surrealista. Isso fica bem claro em vários documentos, sobretudo nas páginas da revista *Littérature*, desde a data de sua fundação, em março de 1919. É verdade que a edição da revista era feita em conjunto por Louis Aragon, Breton e Philippe Soupault, mas durante as controvérsias de 1920-22, em que se assistiu à decisiva separação entre, de um lado, Breton e Picabia e, de outro, o restante dos dadaístas conduzidos por Tzara, a boa expressão das idéias e do espírito científico de Breton foi decisiva. Breton começou com manifestos de simpatia pelo dadaísmo, mas antes de 1924 já declarara que ele e seus amigos Soupault e Eluard "nunca haviam visto o 'dadaísmo' como algo além de uma imagem grosseira de um estado de espírito que ele de modo algum ajudara a criar"[14]. Breton percebeu a partir de então a existência de uma situação histórica que estava a exigir algo mais construtivo do que as já fúteis momices do grupo dadaísta. Concebeu a idéia de um congresso de intelectuais que "refinaria e unificaria os princípios essenciais do modernismo"[15].

As conseqüências disso foram bem descritas por Georges Hugnet: "É fácil conceber que um empreendimento daquele tipo pareceria reacionário ao dadaísmo e prever como cada dadaísta o interpretaria. Para o dadaísmo o adjetivo 'moderno' era pejorativo. O dadaísmo sempre lutara contra o espírito modernista. Quanto a Breton, sua intenção era clara. Em meio à maré montante da escuridão, ele queria criar luz. Queria estudar as manobras do dadaísmo. Este estava em fim de evolução. Fora a pique. Era preciso proceder a uma reorientação."[16]

Essa reorientação Breton encontrou nas doutrinas da psicanálise. No tempo em que era estudante de medicina, havia conhecido a obra de Freud, percebendo imediatamente sua importância para as manifestações do dadaísmo. À parte o significado que a psicanálise atribuía aos sonhos e às alucinações, as técnicas terapêuticas da análise levavam a pensar no uso da associação de idéias e de sonhos diurnos induzidos como possíveis métodos de criação artística. O próprio Breton descrevera a maneira como foi levado a fazer os primeiros experimentos nessa direção. Certa noite, quando ia dormir, ouviu distintamente, "como se batendo na vidraça", uma frase estranha: "Há um homem cortado em dois pela janela", e para reforçar o que ele ouvia havia uma imagem visual de um homem cortado em dois por uma janela. Ele então comenta:

> "Como na época ainda pensava muito em Freud e conhecia seus métodos de estudo, que havia praticado esporadica-

JOAN MIRÓ *Harlequinade. 1924-25*

mente com os doentes, durante a Primeira Guerra, resolvi obter de mim mesmo o que procuramos obter dos pacientes, ou seja, um monólogo emitido o mais rapidamente possível, sobre o qual a faculdade crítica do indivíduo não exercesse controle – o indivíduo abriria mão de suas resistências –, monólogo que representasse o máximo possível o pensamento falado. Pareciame, e ainda me parece, que a velocidade do pensamento não é maior que a das palavras, e por isso não excede o fluir da língua ou da pena. Foi nessas circunstâncias que, juntamente com Philippe Soupault, a quem falara acerca de minhas primeiras idéias sobre o assunto, comecei a encher páginas e páginas de escrita, sentindo um digno desprezo pelo resultado literário, fosse qual fosse. A facilidade da consecução produziu o resto. No fim do primeiro dia de experimentação já podíamos ler um para o outro cerca de cinqüenta páginas obtidas daquela maneira e comparar os resultados. As semelhanças, no todo, eram surpreendentes. Havia erros parecidos de construção, a mesma maneira hesitante e, em ambos os casos, uma ilusão de extraordinária verve, muita emoção, uma riqueza considerável em imagens que tinham uma qualidade que nunca fôramos capazes de obter pelas vias normais de escrita, um sentido muito especial do pitoresco e, aqui e ali, alguns exemplos de cabal bufonaria. As únicas diferenças apresentadas por nossos dois textos pareciam-me ser devidas essencialmente aos nossos respectivos temperamentos. Ao fato de Soupault ser menos estático que eu e – se ele ainda me permitir uma ligeira crítica – ao fato de ter espalhado, no topo de certas páginas – sem dúvida com um espírito de mistificação – várias palavras que serviam de título. Devo reconhecer, por outro lado, que ele teve o mérito de sempre fazer a mínima correção possível em qualquer trecho que não fosse do meu agrado. No que ele estava certíssimo."[17]

Essa passagem mostra que o surrealismo era, acima de tudo, uma questão de criação *poética*, e na verdade a pintura e a escultura seriam concebidas como transformações essencialmente plásticas da poesia. No manifesto Breton prossegue relatando como ele e Soupault continuaram e ampliaram tais experimentos, e como, em "homenagem a Guillaume Apollinaire", decidiram dar o nome de *Surréalisme* ao novo modo de expressão que assim obtiveram. Prossegue, então, em estilo de dicionário, definindo a palavra "de uma vez por todas":

> "Surrealismo, subst. Puro automatismo psíquico, com o que se pretende expressar, verbalmente, por escrito ou de qualquer outra maneira, o real processo de pensamento. É o ditado do pensamento, isento do controle da razão, independente de qualquer preocupação estética ou moral.
>
> ENCICL. *Filos.* O surrealismo baseia-se numa crença na realidade superior de certas formas de associação até agora desprezadas, na onipotência do sonho, na atuação descompromissada do pensamento. Tende decisivamente a destruir todos os outros mecanismos psíquicos e a ocupar o lugar deles na solução dos principais problemas da vida."[18]

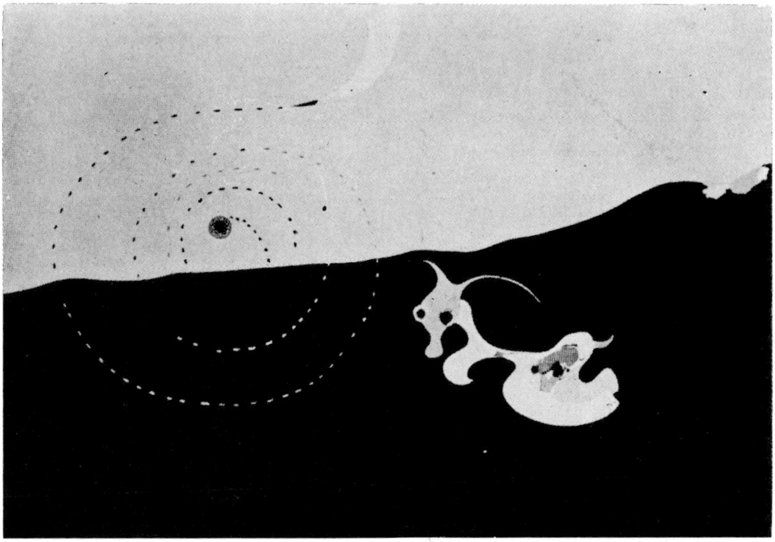

JOAN MIRÓ *A lebre. 1927*

Essa definição é suficientemente ampla para incluir todas as várias manifestações do surrealismo que apareceram nos vinte e cinco anos seguintes (e que ainda aparecem, pois artistas como Max Ernst, Hans Arp, Joan Miró [n. 1893] e muitos outros nunca deixaram de criar em conformidade com essa definição original do surrealismo). O próprio Breton, porém, distinguiria dois períodos de igual duração no movimento, descrevendo-os da seguinte maneira: "da origem (1919, ano da publicação de *Champs Magnétiques*)[19] até hoje [1936]: uma época puramente *intuitiva* e um período *racional.* A primeira pode ser sucintamente caracterizada pela crença de então na onipotência do pensamento, considerado capaz de libertar-se por seus próprios recursos. Essa crença reflete a visão prevalecente então, que hoje considero extremamente errônea, de que o *pensamento é supremo e está acima da matéria.* A definição de surrealismo que entrou para os dicionários, definição extraída do *Manifesto* de 1924, leva em conta apenas essa disposição inteiramente idealista e [...] o faz em termos que sugerem ter-me eu enganado na época, ao defender o uso de um pensamento automático não só desprovido de qualquer controle exercido pela razão, mas também liberto de '*preocupações estéticas ou morais*'. Deveriam pelo menos ter dito: preocupações estéticas ou morais *conscientes*. [...] Nenhuma atitude política ou social coerente apareceu até 1925, ou seja (e é importante frisar), até a deflagração da guerra de Marrocos, que, fazendo renascer em nós a especial hostilidade ao modo como os conflitos armados afetam o homem, pôs abruptamente diante de nós a necessidade de fazer um protesto público. Esse protesto, que sob o título *La Révolution d'Abord et Toujours* (outubro de 1925), reuniu os nomes dos surrealistas propriamente ditos aos de outros trinta intelectuais, foi sem dúvida um bocado confuso do ponto de vista ideológico; apesar disso, marcou o momento de libertação de todo um modo de pensar; apesar disso, criou um precedente que determinaria toda a orientação futura do movimento."[20]

Essa nova maneira de pensar era sem dúvida determinada pelo clima político dos anos 1930; não sobreviveu – nem em sentido concreto nem em sentido ativo – à ascensão do stalinismo. No entanto, há uma dicotomia permanente na atividade artística, e Breton e os surrealistas em geral estavam certos em reconhecer sua existência. Breton expressou isso em termos mais gerais numa conferência proferida em Bruxelas em 1934:

> "Na realidade existem dois problemas: um é o problema do conhecimento, suscitado no começo do século XX pelas relações entre o consciente e o inconsciente. Nós, surrealistas, parecemos ter sido escolhidos por esse problema: fomos nós que primeiramente aplicamos na sua solução um método especial que ainda nos parece ser um dos mais aptos e passíveis de aperfeiçoamento: não vemos razão para renunciar a ele. O outro problema que se nos apresenta é o da ação social por ser adotada – ação que, para nós, encontra seu método adequado no materialismo dialético, ação de que não podemos nos abster uma vez que afirmamos que a libertação da humanidade é a primeira condição para a libertação do espírito e que essa libertação da humanidade só pode ser esperada da revolução proletária."[21]

JOAN MIRÓ *Maternidade. 1924*

Em 1929 Breton publicou o "Segundo Manifesto do Surrealismo", no último número da revista *La Révolution Surréaliste*, que ele havia fundado em dezembro de 1924 com Pierre Naville e Benjamin Péret como editores. Breton assumira a editoração a partir do quarto número, e no quinto número (outubro de 1925) anunciava a adesão formal do movimento ao comunismo. Entre o fim de 1925 e o começo de 1930, quando surgiu um novo periódico – *Le Surréalisme au Service de la Révolution* –, ocorreu considerável reestruturação de forças. Por se tratarem de manifestações poéticas ou literárias, não constituem o principal objeto deste livro; como essas manifestações eram políticas, sempre foi intenção de Breton alinhar as artes plásticas com a literatura e a política do movimento. O primeiro número de *Le Surréalisme au Service de la Révolution* continha declarações de solidariedade ao ponto de vista de Breton escritas por Maxime Alexandre, Aragon, Joë Bosquet, Luis Buñuel, René Char, Crevel, Dalí, Eluard, Ernst, Marcel Fourrier, Camille Goemans, Georges Malkine, Paul Nogué, Benjamin Péret, Francis Ponge, Marco Ristitch, Georges Sadoul, Yves Tanguy, André Thirion, Tzara e Albert Valentin. Entre esses nomes só Salvador Dalí (n. 1904), Ernst e Yves Tanguy (1900-55) eram importantes como artistas visuais, embora Buñuel tivesse produzido dois filmes, *Le chien andalou* (1929) e *L'âge d'or* (1930), que são manifestações surrealistas da espécie mais típica. Ainda que não inclinado, por temperamento, às posições políticas adotadas por Breton, Arp e Miró expuseram de bom grado com os surrealistas, e surgiam novos seguidores a cada ano: René Magritte (1930), André Masson (1931), Giacometti, Valentine Hugo, Victor Brauner (1933); além disso, formavam-se grupos de pintores surrealistas em outros países: Estados Unidos, Bélgica (Bruxelas), Tchecoslováquia (Praga), Iugoslávia (Belgrado), Dinamarca, Japão e até Londres. O surrealismo desde o começo herdava o caráter internacional do dadaísmo.

Apesar das definições precisas de Breton e dos vários manifestos e programas coletivos, o surrealismo, assim como as fases anteriores do modernismo até agora estudadas, era um grupo flutuante de individualistas. Na verdade, duas tendências distintas e contraditórias estavam sempre evidentes: uma de derivação mais especificamente dadaísta e de propósitos mais niilistas, que se opunha a todos os conceitos tradicionais de "belas-artes" e a todas as categorias puramente estéticas, e outra que, apesar da originalidade, era ainda essencialmente dominada por critérios estéticos. Alguns artistas iam e vinham entre essas tendências.

Se a primeira tendência é considerada uma continuação, sem mudança abrupta, do movimento dadaísta, então o elo de ligação é Marcel Duchamp, sobre quem Breton escreveu em 1922: "É unindo-nos em torno desse nome, um verdadeiro oásis para quem ainda está *procurando*, que podemos empreender com mais acerto a luta de libertação da consciência moderna da terrível fixação que nunca deixamos de denunciar." E adiante: "o que constitui a força de Marcel Duchamp, aquilo a que ele deve o fato de ter escapado vivo de várias situações perigosas, é acima de tudo seu *desdém pela tese*, que sempre surpreenderá os menos dotados."[22] Pode-se dizer que ambas as tendências mencionadas representam uma tese, favorável ou contrária a certa concepção da obra de arte. Duchamp recusava-se a ter qualquer concepção prévia, e por essa razão podia assinar e expor um artigo manufaturado – mesmo esse ato de seleção podia constituir a verdade de uma situação pessoal. Esse ato de percepção era tudo o que Duchamp teria o cuidado de afirmar, pois a situação em si é sempre uma questão de acaso.

Duchamp se emancipara bem cedo das teses do cubismo e do futurismo; mas o futurismo deixara vestígios. "É apropriado, como seqüela do *futurismo*, levar em conta um período de transição, relativamente independente e de caráter *mecânico* (Duchamp, Picabia), que ocorreu como resultado de uma identificação premeditada do homem com a máquina. [...] A obra-prima desse movimento, que ultrapassou de todos os modos as intenções explícitas do período, foi *La mariée mise à nu par ses célibataires, même*, de Duchamp." Portanto, Breton[23]. Mas o "maquinismo" de Duchamp e Picabia nunca foi motivado pela aceitação de uma estética da máquina (como mais tarde a obra dos construtivistas); ao contrário, era uma revolta contra a ética da máquina, contra a subordinação dos valores humanos aos valores mecanicistas. As máquinas de Duchamp e Picabia são caricaturas irreverentes.

ANDRÉ MASSON *Paisagem iroquesa. 1942*

O "desdém pela tese" incluía um desdém pela categoria estética como tal: pois asseverar qualquer juízo de valor sobre a obra de arte constitui uma tese segundo o ponto de vista de Duchamp. Esse antiestetismo caracterizaria muitas das futuras manifestações do movimento. O princípio da colagem estendia-se até incluir qualquer montagem de objetos incôngruos: Kurt Schwitters usava o conteúdo de seu depósito de cinzas e do cesto de papéis para fazer esculturas e pinturas; Max Ernst fazia "poemas visíveis" com recortes de jornais e livros velhos ilustrados com gravuras em aço; também inventou o *frottage*, ou seja, desenhos compostos a partir do "atrito" de várias superfícies ásperas, técnica com a qual produziu uma *Histoire naturelle* (Paris, 1926) constituída por plantas e animais imaginários bem como por outras formas pseudo-orgânicas. Mesmo os poetas podiam comprazer-se nessa forma de criação plástica: o próprio Breton fez algumas construções arbitrárias com material de refugo. Mas a beleza continuaria irrompendo, e o mais resoluto desrespeito pelas

PAUL DELVAUX *As mãos.* 1941

convenções da arte muitas vezes produzia harmonias inconscientes como resultado. É óbvio agora, por exemplo, que os *Merzbilder* de Schwitters são obras de refinada sensibilidade.

Encontramos esse esteticismo involuntário não só na obra de Max Ernst e Schwitters, porém mais obviamente na de Hans Arp. Em 1916 ele fazia colagens ou construções com títulos como *Quadrados arranjados segundo a lei da probabilidade*, *Objetos arranjados segundo a lei da probabilidade.* Podemos apenas supor que a lei da probabilidade é idêntica à lei da beleza, pois desde o começo essas obras demonstram alto grau de sensibilidade plástica. Na tentativa de explicar a contradição, Breton disse[24] que há um nexo inerente entre probabilidade, ou o que ele prefere chamar de automatismo, e *unidade rítmica.* “As recentes pesquisas psicológicas, como sabemos, traçaram uma comparação entre a construção de um ninho de passarinho e o começo de uma melodia que tende para certa conclusão característica. [...] Eu afirmo que o automatismo na escrita e no desenho [...] é o único modo de expressão que dá inteira satisfação tanto ao olho quanto ao ouvido por conseguir uma *unidade rítmica* tão reconhecível num desenho ou num texto automático quanto numa melodia ou num ninho de passarinho."

Arp continuou, em toda a sua carreira, a realizar construções bidimensionais, presumivelmente ainda "segundo a lei da probabilidade", mas aos poucos foi atraído para a arte tridimensional da escultura, na qual criou formas que parecem ilustrar os modos essenciais do crescimento e da função orgânica. Talvez de todos os artistas surrealistas Arp seja o que mais merece o nome de surrealista, pois sua obra revela as modulações essenciais da matéria, decorrentes da ação secreta das forças naturais: assim como a água amolece a pedra, como o vento molda o monte de neve, como a pêra cresce e atinge um tipo de perfeição, e o cristal outro, assim também Arp escavava e modelava suas criações perfeitas: a arte, como ele mesmo dizia, é um fruto nascido do homem. Breton poderia acrescentar: nascido do inconsciente do homem.

O fruto do surrealismo, porém, não nasceu para Arp, mas para Max Ernst e André Masson (n. 1896), a quem Breton atribui a invenção do automatismo[25]. Mas uma vez proclamado o manifesto do surrealismo em 1924, ficou difícil conferir prioridades a todos os artistas que apareceram com suas contribuições pessoais para uma doutrina tão abrangente. Joan Miró emergiu de sua fazenda espanhola em 1924; Yves Tanguy, da Bretanha, em 1925; René Magritte (n. 1898), de Bruxelas, mais ou menos na mesma época; e finalmente, segundo palavras de Breton, "Dalí insinuou-se no movimento surrealista em 1929". O comentário ácido de Breton sobre a contribuição de Dalí para o movimento deve ser citado por inteiro: "No plano teórico ele passou a trabalhar daí em diante com uma série de empréstimos e justaposições. O exemplo mais marcante disso foi o estranho amálgama de dois elementos diferentes a que ele deu o nome de 'Atividade paranóico-crítica'; por um lado, a lição de Cosimo e Da Vinci (ficar absorto na contemplação de uma bolha de saliva ou de um

WILFREDO LAM *Cor de piche. 1946*

velho muro até que apareça diante dos olhos uma segunda revelação que a pintura é capaz de revelar) e, por outro lado, várias práticas – da ordem do *frottage* – já defendidas por Max Ernst para 'intensificar a irritabilidade das faculdades mentais'. Apesar do inegável talento de encenação, a obra de Dalí, tolhida por uma técnica ultra-retrógrada (retorno a Meissonier) e desmerecida pela cínica indiferença quanto aos meios que ele usava para pôr-se em evidência, durante muito tempo mostrou sinais de pânico, e só foi capaz de dar a impressão de resistir à tempestade temporariamente através de um processo de sistemática vulgarização. Essa obra está afundando no *academicismo – um academicismo* que se autodenomina classicismo com base em sua própria autoridade apenas –, e desde 1936 não teve interesse nenhum para o surrealismo."[26]

Desde que essas palavras foram escritas (1942) a obra de Salvador Dalí afundou ainda mais, explorando cinicamente uma religiosidade sentimental e sensacionalista (sua *Última Ceia*, emprestada à National Gallery of Art em Washington, está ali encenada para os supersticiosos). A teatralidade, que foi sempre uma

SALVADOR DALÍ *Premonição da Guerra Civil. 1936*

característica de seu comportamento, está agora a serviço das forças reacionárias da Espanha, cujo triunfo foi o maior afronto ao humanismo que sempre foi a constante preocupação do movimento surrealista, apesar de toda a sua extravagância. No entanto, deve-se admitir que Dalí, em grande parte devido ao sucesso de seu exibicionismo, ficou identificado, aos olhos do público, com o surrealismo, e na verdade sua "atividade paranóico-crítica" foi suficientemente engenhosa e chocante para desculpar essa

WILFREDO LAM *Harpa astral. 1944*

identificação equivocada. Mas já deve estar claro que a contradição e a ambigüidade são inerentes ao próprio conceito de "suprarealidade", e nenhum artista, nenhum grupo de artistas, pode representar um território que tem limites tão vagos.

Nesse vago conceito devemos incluir a obra de muitos artistas que nunca estiveram formalmente associados ao grupo de Paris e de muitos outros cuja adesão nunca deixou de ser apenas nominal. Victor Brauner (n. 1903), René Magritte (n. 1898), Paul Delvaux (n. 1898), Wolfgang Paalen (n. 1905), Wilfredo Lam (n. 1902), Kurt Seligmann (n. 1900), Matta Echaurren (n. 1912), Richard Oelze (n. 1900), Jindřich Styrsky (n. 1899) e Vilhelm Bjerke-Petersen (n. 1909) são pintores de origens muito distintas que contribuíram para emancipar a imaginação visual das cadeias da razão e da convenção. Mas essa emancipação tem sido característica do movimento modernista como um todo, e basta pensar na obra de artistas como Picasso, Paul Klee e Henry Moore para perceber que o movimento surrealista como tal era uma concentração local e temporária de forças cujas manifestações mais amplas eram mundiais e duradouras[27]. Grande parte da obra de Picasso, só para citar esse exemplo, conforma-se à definição de surrealismo de Breton, e sempre foi implicada, se não admitida, como tal. Novamente nossas categorias históricas se desintegram, e o surrealismo passa a ser apenas mais um termo para caracterizar um dos aspectos dos complexos fenômenos do movimento modernista. Esse aspecto está ainda em evidência, não só na obra de artistas como Max Ernst, Miró, Matta, Magritte, Delvaux e Lam, mas também na de artistas mais jovens, como Francis Bacon (n. 1909) e Heinz Troekes (n. 1913), cujo trabalho é tão "paranoicamente crítico" quanto poderia desejar qualquer surrealista. A última fase da arte contemporânea, *action painting* (pintura gestual, ver página 252 adiante), também teve origem no surrealismo, e distingue-se por certo grau de automatismo. O surrealismo, nas mãos de Breton, sempre foi um esforço heróico para conter e definir as energias demoníacas liberadas do inconsciente por meio do automatismo e de outros processos "paranóicos". Mas essas energias não podem ser contidas numa definição lógica, e o conformismo desde o começo estava fora de cogitação. A acusação que se pode fazer aos surrealistas – causa sutil de seu malogro final

VICTOR BRAUNER *Espaço hermético.* 1958

em realizar a "revolução" que queriam – é que "eles tentaram *forçar* o inconsciente, conquistar pela violência segredos que pudessem ser revelados mais depressa às mentes mais simples. Para enveredarem pelo verdadeiro misticismo, cristão ou não, faltou-lhes força, e com isso quero dizer fé, qualquer que fosse; faltou-lhes perseverança, devoção a algo mais interno do que o eu". No entanto, como esse mesmo crítico perspicaz está inclinado a admitir, "o surrealismo no sentido lato do termo representa a tentativa romântica mais recente de romper com as 'coisas como elas são' a fim de substituí-las por outras, em plena atividade, no processo de nascimento, cujos contornos móveis estejam inscritos em filigrana no cerne da existência. [...] Os poetas há muito cultivavam essa tendência a desconfiar da 'realidade' como faculdade mais preciosa; agora isso se torna algo absoluto [...] a essência da mensagem surrealista consiste nessa chamada à liberdade absoluta do espírito, na afirmação de que vida e poesia estão 'alhures', e de que precisam ser conquistadas perigosamente, cada uma delas em separado e cada uma delas por intermédio da outra, porque em última análise coincidem e fundem-se e negam esse falso mundo, dando testemunho do fato de que a última cartada ainda não foi dada, de que tudo ainda pode ser salvo."[28]

Marcel Raymond lembra-nos, nesse trecho e em outros de seu inteligente livro, que o exame do surrealismo não pode restringir-se às suas manifestações pictóricas e esculturais: ele talvez

ROBERTO SEBASTIAN MATTA ECHAURREN *To Give Painless Light*. 1955

tenha sido principalmente um movimento poético, mas do ponto de vista histórico nada mais seria que uma fase de transição daquele movimento romântico que foi, e ainda é, a aplicação de uma "sensibilidade metafísica" total, que explorava sem medo os confins da sina e do destino do homem. O surrealismo é uma afirmação dessa irredutível liberdade. "Somente a palavra liberdade ainda me exalta", declarava Breton[29]. "Dentre as muitas desgraças que herdamos, devemos reconhecer que nos sobrou a *maior liberdade* de espírito. Não devemos fazer mal uso dela. Reduzir imaginação a escravidão, ainda quando ela pudesse levar àquilo que se chama grosseiramente felicidade, é fugir do que quer que se encontre na profundidade do eu, da suprema justiça. Só a imaginação me diz *o que pode ser*, e isso é suficiente para suspender por um momento o terrível interdito – suficiente também para possibilitar que eu me entregue a essa liberdade sem medo de enganar-me."[30]

V. PICASSO, KANDINSKY, KLEE

Esses três artistas, que contribuíram mais do que quaisquer outros para o desenvolvimento da arte moderna, não podem ser associados a nenhuma fase particular dela. Alguns movimentos foram baseados em suas descobertas e invenções, mas eles, em si, permaneceram individualistas, como centros de energia criativa a influenciar movimentos e até a dar-lhes origem, mas não ficaram presos a nenhuma escola. Já vimos como Picasso, em íntima associação com Braque, iniciou o movimento cubista. Não se pode afirmar que ele tenha iniciado o movimento surrealista, mas, como já dissemos e veremos com mais detalhes, seu desenvolvimento pós-cubista não pode ser dissociado das típicas manifestações do surrealismo: Picasso estava sempre fornecendo grão para seus moinhos teóricos. Quanto a Kandinsky, não se pode afirmar que tenha iniciado a arte não-figurativa, seja em seus aspectos expressionistas ou geométricos, mas foi ele quem teve a intuição mais inteligente das possibilidades que aguardavam a nova época, e com mais precisão do que qualquer outro pintor indicou as prováveis linhas do futuro desenvolvimento. No que se refere a Klee, talvez se pudesse dizer que, entre todos os artistas do modernismo, era ele que possuía a suprema inteligência, e que foi ele quem lançou os alicerces estéticos do movimento, tanto em termos teóricos quanto práticos.

"Quando você vai fundo, o que tem é seu eu. Seu eu é um sol com mil raios em sua barriga. O resto é nada." Picasso disse isso em 1932, numa conversa com E. Tériade, enquanto inspecionava a instalação de seus quadros numa exposição retrospectiva realizada naquele ano em Paris[1]. Picasso falou de Matisse como exemplo de artista a quem seu aforismo se aplicaria, mas ao olhar a exposição em torno deve ter pensado em si mesmo, e essa continua sendo a melhor descrição de seu talento. Há um único centro irradiante de energia, e cada um dos raios disseminados a partir dele representa um aspecto diferente de seu estilo. Além de se dizer que o estilo é sempre o homem, não é possível individualizar utilmente esses milhares de raios. Eles se fundem quando se aproximam da fonte incandescente, e só os seus aspectos mais óbvios, os mais distantes desse centro, podem ser separados e designados. Podemos distinguir essas características superficiais e dizer que são cubistas ou clássicas, realistas ou surrealistas, mas a seguir nos vemos diante de desenhos clássicos feitos com intenção surrealista, ou de composições surrealistas que têm uma serenidade clássica. Estilo e significado estão sempre a sobrepor-se e contradizer-se.

Igualmente, qualquer tentativa de classificação cronológica logo fracassa, pois nenhum período é fechado, confinado a um só estilo. É verdade que há períodos curtos no começo de sua carreira em que o artista parece manter por certo tempo alguma constância de disposição, como o período azul, de 1901 a 1904, e o período rosa, de 1904 a 1906, assim chamados devido à cor predominante das pinturas de cada um deles. Mas mesmo dentro desses períodos há variações consideráveis de estilo – *La belle hollandaise*, de 1905, por exemplo, tem uma solidez cinzenta que contrasta fortemente com a débil delicadeza de *Mãe e filho*, do mesmo ano. O cubismo foi uma paixão constante de Picasso durante cerca de cinco anos, mas uma paixão exploratória, e cada tela revelava novas possibilidades, novas variações do idioma dominante. Uma vez exploradas, mas não abandonadas, todas essas possibilidades, em 1915 Picasso reverteu subitamente para um realismo mais preciso e sutil; mas de novo sem intenção fixa, pois alternava retratos e grupos clássicos com novas variações de seu estilo cubista, e naturezas-mortas realísticas com abstrações geométricas derivadas do mesmo motivo. Talvez fosse possível organizar umas mil obras de Picasso numa ordem que começasse com os exercícios acadêmicos da juventude e passasse pelos vários modos de realismo até chegar a composições geométricas como *A mesa*, de 1919-20 (Smith College Museum of Art, Northampton, Massachusetts), sem que houvesse mudança abrupta entre quaisquer dois quadros contíguos. Mas o significado desse fato não seria totalmente avaliado enquanto não se percebesse que a ordem estilística transicional não corresponde, de modo algum, à seqüência cronológica. Cada raio teria sido emitido pelo sol da barriga artística em data diferente e numa direção diferente.

Precisamos, porém, tentar de algum modo registrar essas mudanças caleidoscópicas. A partir de 1914 foram distinguidas as seguintes fases[2]:

1914: Maior desenvolvimento do cubismo em direção "rococó". Enriquecimento das cores, exploração de materiais e texturas diferentes do óleo sobre tela.
1915-16: Cubismo nitidamente linear, grandes composições.
1915-21: Realismo clássico, principalmente *crayons* no estilo de Ingres (*Duas mulheres sentadas*, 1920, Walter P. Chrysler, Jr., Coleção).
1918-25: Maneirismo, distorções e alongamentos da forma humana (as duas versões de *Três músicos* [p. 154], Museum of Modern Art; Philadelphia Museum of Art).
1920-24: Esses dois estilos se fundem num estilo neoclássico que é retomado em intervalos durante todo o restante da carreira de Picasso.
1924-28: Período das grandes composições cubistas em natureza-morta.
1923-25: Desenvolvimento de um "cubismo curvilíneo".
1925: Começo da fase surrealista de Picasso (com *Três dançarinos*, de 1925 [p. 155]). Barr evita a palavra "surrealista" e a substitui por qualificativos como "convulsivo", "inquieto" e "metamórfico", mas a obra de Picasso a partir desse ano ilustra a tese surrealis-

ta, e sem dúvida ele pode ter sido impressionado não só pelos escritos teóricos de Breton e colegas, mas também pela obra de artistas como Arp, Miró e Tanguy.

1928-33: Esculturas que começam com construções de metal, mas evoluem para cabeças moldadas em bronze.

1929-31: Arquétipos monumentais, como *Mulher em poltrona* (versões de 5 de maio e 13 de maio de 1929) e *Banhista em pé* e *Banhista sentada* de 1929 e *Figura atirando pedra*, de 8 de março de 1931. Mas esse estilo também perdura por todo o restante da carreira de Picasso: cf. *Meninas com barquinho de brinquedo* (1937), na Coleção Peggy Guggenheim, Veneza; *O rapto de Europa* (1946); e *Nu* de 1949 (cf. Boeck-Sabartés, Classificação catalográfica nº 213).

1931-34: Período de renovação da atividade escultórica.

1932-34: Séries de grandes telas de mulheres em estilo curvilíneo.

1937: Pintura de *Guernica* (maio a junho).

1938-40: Período de composições escultórias grandes e vigorosas. *Pesca noturna* (1939).

1940-44: Período da guerra em Paris: volta às composições bidimensionais planas; volta ao cubismo sintético. Reativação da atividade escultórica.

1945: Exuberância da pós-libertação.

1946-48: Interlúdio idílico em Antibes. *La joie de vivre* (1946); *Pastorale* (1946).

1948-54: Cerâmicas em Vallauris.

Semelhante seqüência cronológica tem quase o mesmo valor de um guia na selva; ao contrário, deveríamos tentar verificar se entre essas fases vacilantes da multifacetada atividade de Picasso é possível descobrir quaisquer unidades estilísticas que tenham contribuído para o desenvolvimento geral da arte em nosso tempo. Que Picasso foi o artista mais influente da primeira metade do século XX é óbvio, mas nem todas as influências são boas, e na verdade o fato de uma época ser dominada pelas idiossincrasias

PABLO PICASSO *Mulher sentada*. 1927

de uma única personalidade é sinal de fraqueza. O exemplo de Michelangelo no passado é testemunho melancólico disso.

Uma unidade estilística óbvia que se pode identificar na produção prodigiosa de Picasso é o neoclassicismo ao qual ele voltava em intervalos freqüentes. Por constituir um certificado de competência acadêmica ("afinal, Picasso sabe desenhar!"), isso pode ter sido mais que paradoxal: pode ter criado um padrão de execução pelo qual todos os experimentos contemporâneos deviam ser julgados. Um período experimental em artes é tempo de colheita para os charlatães. Alguns dos maneirismos de Picasso podem ser imitados de modo bem convincente – ele mesmo enganou-se em algumas identificações. Mas só um Picasso poderia ter desenhado as ilustrações que fez para a edição Skira das *Metamorfoses de Ovídio* (1931) ou a série de águas-fortes conhecida como *Estúdio do escultor* (1933).

Do ponto de vista de sua própria personalidade, podemos ver o retorno periódico de Picasso ao neoclassicismo como um retorno à ordem, submissão ocasional a uma disciplina necessária, ou simplesmente (e com maior probabilidade) renovada exibição de virtuosidade. Basta observar Picasso desenhando (num dos filmes em que o mostramos em ação) para ver como é instintiva e fácil essa atividade no seu caso. Não há deliberação, não há ansiedade: apenas uma mão que se move com tanta naturalidade quanto um pássaro a voar. Tal facilidade pode ser produto de treinamento precoce, mas também é dom inato; outros artistas tiveram treinamento semelhante mas não chegaram ao mesmo grau de habilidade. Esse estilo, portanto, é pessoal do artista, mas ao mesmo tempo universal. Como idioma linear, não difere dos desenhos dos vasos gregos, das gravações de espelhos etruscos ou mesmo dos desenhos pré-históricos das paredes das cavernas de Altamira. Só quando Picasso introduz distorções maneirísticas do motivo é que se pode dizer que seus desenhos neoclássicos têm alguma pertinência ao modernismo.

No entanto, o mesmo instinto caligráfico funciona nos desenhos que não são neoclássicos: na verdade, está presente em cada linha e em cada pincelada de sua obra.

Quanto ao corpo principal dessa obra, insere-se em dois principais grupos que novamente se fundem, mas que podem, em seus

PABLO PICASSO *Escultor descansando, modelo deitado e escultura.* 1933

extremos, ser distinguidos, da maneira já indicada, como imaginativo e fantástico. “Eu não trabalho *segundo* a natureza, mas *primeiro* que a natureza e com ela”, é outra das frases gnômicas de Picasso[3]. *Primeiro que* a natureza poderia indicar uma percepção intuitiva da forma simbólica; *com* a natureza (como algo distinto de *depois da* natureza), o fato de dotar tais formas simbólicas de uma vitalidade natural. Essa, de qualquer modo, é a distinção que proponho fazer para caracterizar as duas principais divisões pós-cubistas da obra de Picasso.

Alfred Barr já ressaltou o significado do grande óleo sobre tela de 1925, *Três dançarinos*, ainda de posse do artista, e fez um contraste entre ele e as duas versões de *Três músicos*, a de 1921, e o neoclássico *Três graças*, de 1924 (também ainda de posse do artista). Essas três pinturas são na verdade protótipos das três categorias em que a obra de Picasso pode ser dividida. “Em lugar da decoração estática e levemente cubista”, escreve Barr, “os *Três*

PABLO PICASSO *Três músicos. 1921*

PABLO PICASSO *Três dançarinos.* 1925

dançarinos põem diante de nós uma visão surpreendente em sua violência física e emocional. Vistas objetivamente como representações da natureza, certas pinturas cubistas como os *Três músicos*, de 1921, são bastante grotescas, mas suas distorções são comparativamente objetivas e formais, ao passo que em *Três dançarinos* o esgar amedrontador da máscara da figura da esquerda e seu gesto convulsivo não podem ser resolvidos num exercício de relações estéticas, em vista da magnificência da tela de um ponto de vista puramente formal. O metamórfico *Três dançarinos* é na realidade um ponto decisivo na arte de Picasso, quase tão radical quanto o protocubista *Demoiselles d'Avignon*. O dançarino convulsivo da esquerda prefigura novos períodos de sua arte nos quais energias psicologicamente perturbadoras reforçam ou – dependendo do ponto de vista – adulteram suas realizações sempre mutáveis no reino da forma."[4]

A distinção em termos de composição entre *Três músicos* (qualquer das versões) e *Três dançarinos* é que a primeira obra constitui um rearranjo calculado (Kandinsky diria "uma dispersão construtiva") de imagens que, derivadas do motivo, foram fragmentadas e geometrizadas, ao passo que o segundo é – usando o termo de Alfred Barr – uma *metamorfose* do próprio motivo. Mas esses termos são inadequados e até errôneos. O cálculo, como veremos quando estudarmos os primeiros experimentos de Kandinsky, não implica necessariamente um processo consciente de seleção e ajuste: o arranjo dos elementos dentro do espaço pictório continua intuitivo. Mas esses elementos derivam do motivo por meio de etapas calculáveis ou explicáveis. Os rostos cúbicos dos músicos ainda são frontais; seus olhos estão no mesmo plano; os membros e os instrumentos musicais conformam-se a uma ordem racional, ainda que deslocada. Mas em *Três dançarinos* o deslocamento dos elementos naturalísticos – olhos, peitos, membros – já não é racional ou calculável. Os olhos estão no lado da cabeça; um peito está transformado em olho, e pela primeira vez aparece a imagem compósita (com vistas lateral e frontal da face). A "ordem" dos *Três músicos* já não prevalece; em vez disso, os elementos da pintura exibem uma energia convulsiva que parece extravasar os limites da tela.

Mulher sentada, de 1926-27 (Museum of Modern Art, Nova York) e o correlato *Mulher sentada*, de 1927 [p. 151] (Coleção

James Thrall Soby), desenvolveram essa nova tendência "metamórfica" em grau mais marcante. Parecem combinar-se três imagens simultâneas da mulher, e o deslocamento dos olhos, da boca e do peito é arbitrário, embora ainda "com" a natureza, no sentido de que esses elementos continuam sendo vitais, e não abstratos. Mas Picasso rapidamente explorou essa nova tendência, levando-a a maiores extremos, o que é mais bem caracterizado pelo bronze *Figura*, do início de 1928. Naquele ano ele fez uma série de desenhos nos quais a figura humana é submetida a graus extremos de metamorfose: a cabeça assume forma de alfinete, os membros se fundem nos peitos flácidos, os olhos e a boca são inseridos em posições arbitrárias. Barr sugere que ele pode ter-se inspirado nas figuras metamórficas de seu amigo Joan Miró ou das primeiras pinturas de Yves Tanguy. Sendo verdade ou não, isso

PABLO PICASSO *Quatro crianças vendo um monstro. c. 1933*

PABLO PICASSO *Mulher de fazendeiro numa escada. 1933*

indica que Picasso havia ultrapassado seus estilos cubista e neoclássico, em que as imagens são pessoais, e havia entrado num reino de fantasia em que as imagens são arquetípicas ou genéricas. A apresentação de tais imagens ainda é extremamente individual – linha e cor ainda são a assinatura do homem –, mas os símbolos são projetados a partir daquela profundidade psíquica que C. G. Jung chamou de inconsciente coletivo, e sua coletividade garante-lhe a validade. Desse ponto de vista os surrealistas estavam certos em insistir no conteúdo autônomo e anônimo desse novo tipo de arte.

PABLO PICASSO *Mulher de vestido azul. 1941*

A partir de 1926 Picasso não parou de cultivar seu inconsciente – a observar objetivamente, como diz Jung, o desenvolvimento de qualquer elemento de fantasia. Não seria apropriado discorrer sobre o significado psicológico da imagística criada prolificamente por Picasso nessa fase de sua obra. Ele mesmo não está necessariamente ciente de seu significado, embora não ignore, de modo algum, o papel do simbolismo na história da arte. Mas poderíamos dizer, sucintamente, que a imagística é arquetípica, ou seja, é uma iconografia de sexo e fertilidade, nascimento e morte, amor e violência, como o que se encontra em todas as grandes épocas da arte. Revelar o significado dos símbolos não é atividade útil: eles permanecem mais potentes em sua secreta integridade. Provêm do inconsciente e falam ao inconsciente. Despi-los é perigoso.

Essa cautela aplica-se tanto a uma obra-prima como *Guernica* quanto a trabalhos menores dessa fatura. *Guernica* é uma prova – se é que é preciso prova – de que Picasso é um artista socialmente consciente: a pintura, disse ele, "é um instrumento de guerra para ataque e defesa contra o inimigo". Nunca é demais lembrar a seguinte afirmação sobre o assunto, escrita por Simone Téry e publicada pela primeira vez em *Lettres françaises* (Paris), 24 de março de 1945: "O que você pensa que um artista é? Um imbecil que só tem olhos se for pintor, ouvidos se for músico, uma lira em cada palmo do coração se for poeta, ou, se for pugilista, apenas músculos? Ao contrário, ele é ao mesmo tempo um ser político, constantemente alerta aos acontecimentos dramáticos, sejam eles de guerra ou felicidade, aos quais reage de todas as maneiras. Como seria possível não ter interesse por outras pessoas e, em virtude de uma indiferença insensível, desapegar-se da vida que elas lhe trazem com tanta abundância? Não, pintura não se faz para decorar apartamentos. É um instrumento de guerra para ataque e defesa contra o inimigo." Esse inimigo, como ele deixou claro em várias ocasiões, é o homem que explora os outros seres humanos por motivos de interesse egoístico e lucro. De modo mais geral, é preciso lutar contra tudo o que ameace a liberdade da imaginação, e nesse aspecto Picasso sempre aderiu ao programa político dos surrealistas. Mas *Guernica*, evidentemente, é mais que um documento da Guerra Civil Espanhola. Foi

PABLO PICASSO *A refeição*. 1953

pintado como reação imediata às notícias de destruição da cidade basca de Guernica por bombardeios alemães em 28 de abril de 1937. Foi pintado com paixão e convicção (fato que fica mais óbvio nos muitos desenhos e estudos preparatórios); no entanto, não está totalmente desvinculado das obras anteriores de Picasso, em especial a água-forte *Minotauromaquia*, de 1935. Mas essa semelhança pode ser explicada por fatores inconscientes, e não pelo uso deliberado dos mesmos símbolos (touro, cavalo, figura segurando uma luz). Ou os mesmos símbolos arquetípicos emergem automaticamente do inconsciente, ou fazem parte de uma necessária linguagem de símbolos. Mas os símbolos, como já se mostrou com freqüência, não estão totalmente livres de ambigüidade[5]: o touro representará o conceito de violência, ou o ditador

Franco e sua casta militar? E como pode o pobre cavalo destripado representar condignamente a humanidade sofredora? Diz-se que o próprio Picasso teria afirmado que "o touro não é o fascismo, mas é a brutalidade e as trevas [...] o cavalo representa o povo [...] o mural Guernica é simbólico [...] alegórico. Essa é a razão por que uso o touro, o cavalo, e assim por diante. O mural é pela expressão e solução definitivas de um problema, e foi por isso que usei o simbolismo."[6] Devemos acatar a interpretação que o artista dá de sua própria obra, mas é preciso notar que ele insiste na natureza genérica do simbolismo. Na época de sua primeira exposição chamei os símbolos usados em *Guernica* de "lugares-comuns", mas acrescentei: "só quando os lugares-comuns mais difundidos são impregnados da paixão mais intensa é que nasce uma grande obra de arte, obra que transcende todas as escolas e todas as categorias"[7]. *Guernica*, vinte anos depois, não perdeu sua monumental significação.

É impossível, no âmbito deste volume, pormenorizar todos os símbolos presentes no discurso de Picasso. Apesar de mais legível em obras como *Guernica* ou *Minotauromaquia*, ou nas alegorias de *Guerra e paz*, de 1952, o simbolismo ainda está presente quando ele pinta *Menina com galo* (1938) ou *La joie de vivre* (1946). A maioria de seus retratos tem elementos simbólicos, pois ele procura o homem por trás da máscara, ou melhor, as forças inconscientes que moldam a máscara. Pinta um de seus filhos, mas essa criança é tão simbólica quanto a de um quadro medieval da Virgem com o Menino. Essas obras simbólicas de menor porte, porém, fundem-se imperceptivelmente nas pinturas, também numerosas, de caráter inocente e alegre, que constituem descobertas felizes de algum aspecto da infinita variedade da natureza, na paisagem, nos frutos, nas flores ou no corpo humano, e que, em conjunto, constituem a terceira categoria da obra de Picasso. Não é apenas o talento inato incomparável que determina a grandeza de Picasso; é também a gama abrangente de sensibilidade e visão, bem como um inexaurível poder de transformação, que tudo recebe e tudo dá em infindável e açambarcante intercâmbio.

Pouquíssimos contemporâneos seus foram capazes de resistir ao impacto de tal força criativa, e por que haveriam de fazê-lo? Em muitos casos, a influência levou à imitação, mas o plágio não é o

PABLO PICASSO *Retrato de Vollard I. c. 1937*

GEORGES BRAQUE *Bandolim, copo, jarra e fruto.* 1927

efeito mais profundo de um gênio como Picasso. Tal efeito encontra-se na inspiração de seu método e no seu exemplo de coragem. Escultores como Jacques Lipchitz ou Henry Moore podem ter sido inicialmente influenciados em sentido superficial: podem ter transformado as formas da invenção de Picasso. Mas essa aprendizagem abriu as portas de suas próprias percepções e intuições, e, uma vez descoberto o método, podiam (ou na verdade deviam, em virtude da realidade do processo) estabelecer sua maneira própria. Foram os pintores mais velhos, contemporâneos de Picasso, como Braque e Léger, que com força própria já firmada conseguiram resistir mais às inovações de Picasso. É verdade que, a partir de 1929, aproximadamente, até 1931, Braque está consciente da nova tendência representada por Picasso, e introduz perfis duplos e outras distorções orgânicas, mas sem convicção. Adotou o "cubismo curvilíneo" de 1923 a 1924, mas com intenção decorativa, e daí por diante, protegendo-se do sol da barriga de Picasso, cultivou seu próprio esquema, perfeito porém restrito.

WASSILY KANDINSKY *Composição n.º 2. 1910*

Wassily Kandinsky já foi mencionado em relação com as origens do cubismo e do expressionismo (ver pp. 94 e 56), mas só retrospectivamente a sua contribuição para a história da pintura moderna adquire plena importância. Como pintor, como gênio criativo, ele pode parecer bem mais limitado que Picasso; no entanto, era mais que pintor: era um filósofo e até um visionário. Depois de um período de experimentação tomou decisões e perseguiu objetivos precisos. Sua obra tem uma coerência comparável apenas à de Léger ou Klee; sua influência foi bem maior do que com freqüência se reconhece e faz-se sentir hoje mais do que quando ele estava vivo.

Kandinsky nasceu em 4 de dezembro de 1866, ou seja, quinze anos antes de Picasso, e talvez devêssemos notar, seja qual for o significado que isso possa ter, que sua família, do lado paterno, provinha da Sibéria, e que seu pai na verdade nascera em Kjachta, perto da fronteira chinesa. Uma de suas avós era princesa asiática. A família de sua mãe, porém, provinha de Moscou, onde o próprio Kandinsky nasceu.

A primeira intenção de Kandinsky era ser músico – outro fato significativo, que ocorreria também na vida de Klee. Mas com vinte anos de idade foi para a Universidade de Moscou estudar direito e economia, e durante esse período teve o primeiro contato com a antiga arte da Rússia. Costumava ressaltar que a profunda impressão nele causada pelos ícones medievais russos influenciou todo o seu desenvolvimento artístico. Outra influência precoce foi a arte folclórica da Rússia, com a qual se familiarizou durante um estudo etnográfico que fez nas províncias do norte em 1889. Naquele mesmo ano estudou os antigos mestres em Moscou e São Petersburgo, fazendo a primeira visita a Paris. Voltou à capital francesa em 1892. Em 1893 formou-se em direito na Universidade de Moscou.

Em 1895, com vinte e nove anos, viu pela primeira vez uma exposição dos impressionistas franceses, experiência esta decisiva. Abandonou a carreira legal e no ano seguinte foi para Munique estudar pintura. Três anos depois, em 1900, recebeu o diploma da Academia Real de Munique.

Algumas de suas atividades subseqüentes já foram registradas quando falamos das origens do expressionismo (ver página 58). Deve-se notar, como fato significativo, que ele passou o outono de 1902 em Paris, o inverno de 1902-03 na Tunísia, e depois se estabeleceu em Rapallo (Itália), onde ficou mais de um ano. A seguir, mudou-se para Dresden, mas estava novamente em Paris no começo do ano seguinte (1906), e lá (ou melhor, em Sèvres, perto de Paris) ficou um ano. Em 1907 foi para Berlim, onde ficou alguns meses; finalmente, em 1908, voltou para Munique, onde ficaria os seis anos seguintes, que foram decisivos.

Kandinsky amealhara muita experiência nesses doze anos de vai-e-vem e aprendizagem, e na época em que foi para Munique, em 1908, sua pintura já havia atravessado várias fases estilísticas: partindo do academicismo que aprendera na Academia, com Franz Stuck, e passando por sucessivos graus de ecletismo (arte folclórica, impressionismo, pós-impressionismo), aos trinta e quatro anos de idade ele sentia ter chegado o momento de consolidar experiências e formular intuições sobre as possibilidades da arte pictórica, possibilidades que lhe haviam invadido o espírito e a visão no dia em que, doze anos antes, vira pela primeira vez um quadro de Monet.

WASSILY KANDINSKY *Composição. 1911*

O que mais tinha visto naqueles doze anos? Cézanne, claro, e os *fauves*: o que quer que houvesse para se ver na Paris de 1902-06. Naquele período também foi *fauve*, mas voltando a Munique começou a seguir seus próprios instintos, e o resultado foi a completa emancipação em relação às influências que até então o haviam dominado. Em seu livro, que agora examinaremos com mais detalhes, ele se refere a Matisse como "o maior dos jovens franceses", e a Picasso como "outro grande jovem artista em Paris", em cuja obra "nunca há indício de beleza convencional". "Matisse: cor. Picasso: forma. Dois grandes fanais que apontam para um grande destino."

Quando a guerra foi deflagrada em agosto de 1914, Kandinsky fugiu de Munique e voltou a Moscou através da Suíça. Deixou atrás de si uma coleção de trabalhos experimentais que, por sorte, foi preservada intacta e está agora na Städtische Galerie de Munique. Esse material mostra que, durante cerca de dois anos após o retor-

WASSILY KANDINSKY *Contraste com acompanhamento. 1935*

no a Munique, Kandinsky ainda estava apegado ao motivo, geralmente paisagem, e que suas variações extremistas ainda diziam respeito a uma sensibilidade orgânica. A seguir, segundo Lorenz Eitner, que publicou um interessante estudo desse material[8], ocorreu uma irrupção súbita da pintura não-objetiva, ou seja, de uma arte emancipada do motivo. "A abstração crescente nas paisagens de Kandinsky e nas composições figurativas não leva diretamente a ela, nem é ela a emancipação gradual da cor em relação ao significado descritivo que a enseja. As formas totalmente não-objetivas são encontradas de início em estudos de caráter eminentemente gráfico, e não em composições cromáticas. A Coleção de Münter compreende vários desenhos desses, feitos com bico-de-pena ou *crayon*. Suas linhas entrecruzadas, algumas bem marcadas e em forma de teia, outras delicadas e indefinidas, lançam-se através do papel isoladas ou enredadas, como traçados de súbitas descargas de energia, sugerindo tão-somente movimento ou tensão, não um corpo."[9] Pode parecer simples rabisco, mas a evidência mostra que todas essas penadas ou pinceladas aparentemente fortuitas foram formuladas, repetidas e aperfeiçoadas com esmero. Era uma informalidade calculada.

O tratado histórico de Kandinsky já mencionado foi escrito durante o ano de 1910 (apesar de não ter sido publicado antes de janeiro de 1912) e é o primeiro ensaio de justificação de uma arte não-objetiva. Digo "ensaio" porque Kandinsky na época não parecia totalmente consciente das possíveis conseqüências de sua teoria, apesar de afirmar sua convicção de que a humanidade estava se dirigindo para uma época completamente nova na história da arte. Contudo, a originalidade e a visão profética desse tratado precisam ser totalmente avaliadas. Foi a primeira revelação de uma nova fé artística.

Para entender a teoria de arte de Kandinsky é essencial entender primeiro sua concepção da obra de arte. Num artigo publicado em *Der Sturm* (Berlim) no ano de 1913, ele propõe uma definição que, apesar de um tanto desajeitada, é clara:

> "Uma obra de arte consiste em dois elementos, o interno e o externo. O interno é a emoção na alma do artista; essa emoção tem a capacidade de evocar emoção semelhante no observador.

"Por estar ligada ao corpo, a alma é afetada por intermédio dos sentidos: aquilo que é sentido. As emoções são despertadas e agitadas pelo que é sentido. Portanto, o que é sentido é a ponte, isto é, a relação física entre o imaterial (que é a emoção do artista) e o material, que acaba sendo uma obra de arte. E novamente, o que é sentido é a ponte que vai do material (o artista e sua obra) ao imaterial (a emoção na alma do observador).

"A seqüência é: emoção (no artista) → o que é sentido → a obra de arte → o que é sentido → a emoção (no observador).

"As duas emoções serão idênticas e equivalentes se a obra de arte for bem-sucedida. Nesse aspecto, a pintura não é de modo algum diferente de uma melodia: ambas são comunicação. [...]

"O elemento interno, a emoção, deve existir; caso contrário, a obra de arte será um simulacro. O elemento interno determina a forma da obra de arte."[10]

Essa definição da "obra de arte" provavelmente se baseia numa comparação, mais ou menos inconsciente, da pintura e da escultura com a música, que fora a primeira arte de Kandinsky. O livro *Do espiritual na arte* faz muitas referências à música, inclusive aos compositores modernistas de então: Debussy e Schönberg ("quase sozinhos no abandono da beleza convencional e na aceitação de *todos* os meios de expressão").

Com base em tal definição de obra de arte Kandinsky prossegue argumentando que forma e cor em si constituem os elementos de uma linguagem adequada para expressar a emoção; que, assim como o som musical age diretamente sobre a alma, o mesmo acontece com a forma e a cor. A única necessidade é compor forma e cor numa configuração que expresse adequadamente a emoção interior e a comunique, também adequadamente, ao observador. Não é essencial conferir "aparência de materialidade à forma e à cor", ou seja, aparência de objetos naturais. A própria forma é expressão do significado interno, de grau intenso, que é apresentado nas relações harmônicas de cor. A beleza é a consecução feliz dessa correspondência entre necessidade interna e significação expressiva. Em seu resumo final Kandinsky não hesita em lançar mão da analogia musical: as grandes obras de arte plástica são composições sinfônicas em que o elemento melódico "toca uma partitura infreqüente e subordinada". O elemento essencial é o de "equilíbrio e arranjo sistemático das diversas partes".

Kandinsky termina seu tratado com uma distinção entre três diferentes fontes de inspiração:

> (1) A impressão direta da natureza externa. A isso dou o nome de *Impressão*.
>
> (2) A expressão em grande parte inconsciente e espontânea do caráter interno, da natureza não-material (ou seja, espiritual). A isso dou o nome de *Improvisação*.
>
> (3) A expressão de um sentimento interno formado lentamente, trabalhado repetidas vezes e de maneira quase pedante. A isso dou o nome de *Composição*. Nesta, a razão, a consciência e o propósito desempenham papel preponderante. Mas do cálculo nada aparece, apenas o sentimento.

Da primeira dessas fontes brotou a própria obra de Kandinsky até 1910: são suas pinturas "fauvistas".

Da segunda dessas fontes brotaram as abstrações expressionistas de 1910 a 1921.

Da terceira dessas fontes brotaram as abstrações construtivas de 1921 em diante.

As Improvisações de Kandinsky são predecessoras da arte informal atual (1945 em diante); as Composições são precursoras da arte construtivista, cujo desenvolvimento intricado tentarei traçar no próximo capítulo.

Kandinsky ficou na Rússia até 1921, absorvido com a reorganização, após a Revolução, da Academia de Belas-Artes e as escolas e museus de arte. Com o advento da reação cultural em 1921, ele partiu para Berlim, aonde chegou no fim do ano. Seis meses depois aceitou um convite de Walter Gropius para formar uma *Bauhaus* (escola de *design*) em Weimar, e suas experiências pedagógicas deram origem a um segundo tratado importante, *Ponto e linha sobre plano*, escrito em 1925 e publicado em Munique no ano seguinte. Nesse livro, a tendência apenas anunciada no fim de *Do espiritual na arte* torna-se bem clara. Como disse Carola Giedion-Welcker, "o livro já não enfatiza o evangelho de

WASSILY KANDINSKY *Acompanhamento amarelo. 1924*

um novo universo interior com o mesmo fervor quase religioso; ele expõe, freqüentemente com um rigor minucioso e científico, uma nova teoria formal dos elementos do desenho, cuja base, porém, continua sendo a mesma noção de unidade espiritual 'irracional e mística'. 'A arte moderna só pode nascer onde os signos se tornam símbolos.' O ponto e a linha estão aqui desvinculados de qualquer propósito explanatório e utilitarista e são transportados para o reino do alógico. São promovidos à categoria de essências autônomas e expressivas, como acontecera antes com as cores."[11]

As pinturas posteriores (1925-44) servem para ilustrar essa fase final de sua obra, em que sua linguagem simbólica se tornou totalmente concreta ou objetiva e ao mesmo tempo transcendental. Ou seja, já não há – e isso é deliberado – uma continuidade orgânica entre a sensibilidade e o símbolo que "a representa"; há, ao contrário, uma correspondência, uma correlação. Ao libertar o símbolo desse modo, Kandinsky criava uma forma de arte inteiramente nova, e nesse aspecto era mais revolucionário que Klee, cujos símbolos são um desenvolvimento orgânico de sua sensibilidade, flores que têm caule e raízes em sua psique. Até certo ponto a própria sensibilidade se tornou suspeita para Kandinsky; pelo menos, ele insistia na distinção existente entre a emoção do artista a ser expressa, que é pessoal, e os valores simbólicos da linha, do ponto e da cor, que são impessoais. Em pintura, ele poderia ter dito, está-se usando uma linguagem universal, tão precisa quanto a matemática, para expressar com a melhor das habilidades técnicas as sensações que precisam ser libertadas daquilo que é pessoal e impreciso. É nesse sentido que as obras de arte seriam "concretas" no futuro.

Em 1924 Kandinsky formou um grupo com Klee, Feininger e Jawlensky, que foi chamado *Die Blaue Vier* (os quatro azuis), e as exposições de suas obras foram realizadas em Dresden e Wiesbaden, mas em geral ele expunha sozinho. Não teve uma exposição importante em Paris até 1929, mas, quando a *Bauhaus* foi fechada pelo governo nazista em 1932, depois de ficar ainda alguns meses em Berlim ele foi para Paris, onde permaneceu pelo resto da vida. Ali se tornou cidadão francês e encontrou solidariedade em colegas artistas: Alberto Magnelli, Miró, Delaunay, Arp e Antoine Pevsner; e sua influência, que por tempo demasiado longo se restringira ao Leste europeu, começava a penetrar e disseminar-se. Mas uma arte tão transcendental como a de Kandinsky, tão "calculada" e objetiva, não é facilmente assimilada. Quem são os discípulos de Kandinsky? São os artistas – agora inumeráveis – que acreditam na existência de uma realidade psíquica ou espiritual que só pode ser apreendida e comunicada por meio de uma linguagem visual cujos elementos são símbolos plásticos não-figurativos.

LYONEL FEININGER *Mellingen. 1919*

Paul Klee (1879-1940), o terceiro dos grandes individualistas do modernismo, foi mais constante em seu desenvolvimento do que Kandinsky. Nascido na Suíça (Münchenbuchsee, perto de Berna), seu talento foi formado na quietude do interior. Talento que se manifestou primeiramente na música: durante toda a vida Klee foi um violinista consumado. Mas com dezenove anos de idade foi para Munique e, depois de um breve período de estudos prelimi-

LYONEL FEININGER *Coro leste da Catedral de Halle. 1931*

nares com Erwin Knirr, seguiu o exemplo de Kandinsky e entrou no curso de Franz Stuck na Academia. Só parece ter conhecido Kandinsky e Jawlensky (que também estava ali) bem mais tarde (1911). No outono de 1901 foi para a Itália, por onde viajou muito durante vários meses, sentindo-se instintivamente atraído por Leonardo da Vinci, Michelangelo, Pinturicchio (os afrescos do Vaticano) e Botticelli. Porém mais significativa talvez tenha sido sua percepção de que os afrescos de Hans von Marées no Aquário de Nápoles estavam "muito próximos do meu coração"; também ficou fascinado pelos animais marinhos dali.

Klee voltou a Berna em maio de 1902, já consciente de suas finalidades e limitações: "Devo decepcionar de início", escrevia ele naquela época. "Esperam que eu faça coisas que um colega mais inteligente faria com facilidade. Mas devo consolar-me porque minha falha está mais na minha sinceridade do que na minha falta de talento ou capacidade. Tenho a impressão de que mais cedo ou mais tarde chegarei a algo válido; só preciso começar, não com hipóteses, mas com exemplos específicos, por mais insignificantes que sejam. Para mim é extremamente necessário começar com minúcias, mas essa também é uma deficiência.

PAUL KLEE *Cabeças.* 1913

Quero ser como um recém-nascido, que não sabe absolutamente nada sobre a Europa, que ignora fatos e modas; ser quase primitivo. Então quero fazer algo muito modesto, trabalhar sozinho um motivo formal minúsculo, que meu lápis seja capaz de realizar sem técnica. [...] Pelo que posso ver, os quadros serão mais que capazes de preencher todo o meu tempo de vida [...] é menos uma questão de vontade que de destino."[12]

Todo o caráter da obra de Klee está prefigurado nessa modesta afirmação, mas é preciso perceber que ser como um recém-nascido não é uma ambição modesta: é a marca essencial do gênio. A autoconsciência de Klee não o impediu de absorver certas influências, sobretudo (segundo Grohmann) de Blake, Goya e Corot. Em 1905 fez a primeira viagem a Paris, onde mais uma vez foram os velhos mestres – Leonardo da Vinci, Rembrandt e Goya – que o impressionaram mais. Foi só na segunda visita a Paris, em 1912, que teve algum contato efetivo com a obra de pintores franceses contemporâneos como Braque e Picasso. Mas nesse ínterim duas exposições da obra de Van Gogh, que ele viu em 1908, apareceram-lhe como uma revelação; e naquele mesmo ano ou no seguinte ele ficou conhecendo a obra de James Ensor, tão próxima de suas fantasias visionárias, e fez a primeira abordagem da obra de Cézanne, que durante muitos anos viria a ser para Klee um ponto de referência em questões técnicas.

Foi em 1911 que Klee manteve os contatos mais frutíferos com seus contemporâneos. Nesse ano conheceu não só Kandinsky e Jawlensky mas também Franz Marc, Heinrich Campendonk, Gabriele Münter (que preservaria a obra de Kandinsky dessa época) e Hans Arp. Imediatamente percebeu que Kandinsky e Marc estavam trabalhando na mesma direção, e quando esses dois artistas lançaram uma publicação, *Der Blaue Reiter*, e começaram a organizar exposições com esse título, Klee uniu-se a eles e desempenhou um papel modesto em suas atividades. Foi nessa época que a influência de Delaunay, já aqui mencionada (ver página 88), começou a desempenhar papel importante no desenvolvimento de Klee. Sua tradução do ensaio de Delaunay "Sobre a luz" foi publicada no periódico *Der Sturm* em janeiro de 1913.

Nesse período Klee encontrou-se, e ao seu estilo, e nos trinta anos que se seguiram desenhou e pintou com zelo inquebrantá-

PAUL KLEE *O barco passa pelos jardins botânicos. 1921*

vel. Em fevereiro de 1911 começou a manter um catálogo de tudo o que fazia; incluindo as poucas rubricas retrospectivas que fez para os primeiros anos, contam-se quase 9.000 obras individuais, que começam com preponderância de bico-de-pena e *crayon*, mas aos poucos dão lugar a desenhos coloridos ou óleos sobre tela.

A consistência da evolução de Klee torna desnecessário segui-la detalhadamente num estudo geral da pintura moderna, mas há três acontecimentos em sua vida que talvez tenham exercido efeito decisivo sobre sua obra. O primeiro foi uma viagem à Tunísia em 1914, em companhia de Macke e de certo Dr. Jäggi, de Berna. Durou apenas dezessete dias, mas a experiência da luz e da cor, "a essência concentrada das Noites Árabes", penetraram profundamente na consciência de Klee. "A cor tomou conta de mim; nunca mais preciso ir ao seu encalço. Sei que tomou conta de mim para sempre. Esse é o significado daquele momento abençoado. A cor e eu somos um. Eu sou um pintor."

A guerra estourou naquele ano, e Macke foi uma de suas primeiras vítimas: morreu em 16 de agosto, e Klee ficou profundamente chocado. No começo de 1915 ele registrou em seu diário estas palavras significativas: "Quanto mais horrível este mundo se torna (como agora) mais a arte se torna abstrata; ao passo que um mundo de paz produz arte realística." Um ano depois, em 4 de março de 1916, morreu Franz Marc. Aquele sacrifício insensato dos dois artistas que lhe eram mais próximos em termos de sentimentos e pontos de vista perseguiu-o até o fim da vida: de sua obra nunca estão afastadas insinuações de morte.

O terceiro acontecimento tem caráter diferente. Em novembro de 1920, Walter Gropius convidou Klee para integrar a *Bauhaus*. Ele foi para Weimar em janeiro de 1921, e fez parte da sua equipe até abril de 1931 – dez anos de pintura e ensino numa atmosfera que recriava, pela única vez em nossa era, algo da atmosfera criativa das oficinas do Renascimento[13].

Essa experiência foi importante para Klee e de inestimável valor para a posteridade, não só por tê-lo compelido a associar sua obra a um esforço coletivo como também por tê-lo levado a formular para os alunos os princípios de sua arte, que são os princípios básicos de toda a arte moderna. Essa obra teórica foi publicada em três volumes, *Pädagogisches Skizzenbuch*, Munique, 1925 (trad. ingl. de Sibyl Moholy-Nagy: *Pedagogical Sketchbook*, Nova York e Londres, 1953); *Über die moderne Kunst*, Bern-Bümplitz, 1945 (trad. ingl. Paul Findlay: *On Modern Art*, Londres, 1947) e *Das bildnerische Denken*, Basiléia/Stuttgart, 1956 (trad. ingl. Ralph Manheim, Londres, 1959). Um ensaio escrito em 1918, ainda no exército (só publicado em 1920), resume seu "Credo Criativo" (*Schöpferische Konfession*). Um aforismo encontrado nesse ensaio talvez indique sua principal linha de pensamento: "A arte não traduz o visível; ela torna visível"; e Klee prossegue enfatizando a natureza subjetiva da inspiração do artista e descrevendo o modo como os elementos gráficos – ponto,

PAUL KLEE *La belle jardinière*. 1939

linha, plano e espaço – são postos em ação por uma descarga de energia que ocorre no espírito do artista. Klee, assim como os futuristas, sempre ressaltaria a natureza dinâmica da arte. "A arte pictórica brota do movimento, é movimento fixado e percebido através de movimentos." "O impulso criativo subitamente brota para a vida, como uma chama, passa pela mão e vai para a tela, onde se espalha até que, como a faísca que fecha um circuito elétrico, volte à fonte: os olhos e o espírito."

Essas generalizações, porém, tinham de ser mais precisas; era necessário usar imagens mais simples para atender aos objetivos pedagógicos. O *Pädagogisches Skizzenbuch* tem como principal preocupação analisar as formas e os movimentos elementares e dar instruções para os exercícios práticos no uso construtivo dos elementos básicos do *design*. Na conferência "Sobre a arte moderna" Klee faz a afirmação mais profunda sobre a natureza do processo artístico, e explica em particular as transformações (ou deformações) que a imagem visual sofre antes de se tornar um símbolo significante. Faz um uso eficaz do símile da árvore:

> "O artista tem-se ocupado com este mundo multiforme e em certa medida imprime-lhe suas próprias orientações, em silêncio, sozinho. Ele está tão bem orientado que pode pôr ordem no fluxo dos fenômenos e das experiências. Esse sentido de direção na natureza e na vida, essa disposição ramiforme e propagativa eu vou comparar à raiz da árvore.
>
> "A partir da raiz a seiva sobe até o artista, flui através dele, vai para seus olhos.
>
> "Ele é o tronco da árvore.
>
> "Dominado e ativado pela força da corrente, ele transmite sua visão para a obra.
>
> "Com visão total do mundo, a copa da árvore espalha-se e dissemina-se no tempo e no espaço, e o mesmo acontece com sua obra.
>
> "Ninguém esperará que uma árvore forme a copa exatamente do mesmo modo como forma a raiz. Entre o alto e o baixo não pode haver imagens especulares exatas. É óbvio que funções diferentes, operando em elementos diferentes, devem produzir divergências vitais.

PAUL KLEE *O Grande Domo.* 1927

"Mas justamente ao artista às vezes são vedados os desvios em relação à natureza que a sua arte exige. Ele chega a ser acusado de incompetência e distorção deliberada.

"No entanto, permanecendo no lugar que lhe é designado, como tronco da árvore, ele nada mais faz que recolher e passar adiante o que sobe das profundezas. Ele não serve nem comanda: transmite.

"Sua posição é humilde. E a beleza que há na copa não é sua; só passou através dele."[14]

O restante da conferência é uma sutil comparação desses dois reinos – copa e raiz, natureza e arte –, bem como uma explicação

PAUL KLEE *Cena de batalha da ópera cômica fantástica "Simbad, o Marujo". 1923*

da razão por que a criação de uma obra de arte deve ser necessariamente acompanhada por distorção da forma natural: só desse modo a natureza pode renascer, e os símbolos da arte podem ser revitalizados. São então analisados os papéis desempenhados pela linha, pela proporção e pela cor nesse processo de transformação, e Klee mostra como elas se combinam numa composição que é uma imagem da própria criação: "Gênese eterna", penetração pela consciência humana do "lugar secreto onde a força originária nutre toda a evolução".

Klee sempre demonstrou o maior respeito pela ciência da arte da pintura, e a maior parte de sua obra pedagógica trata de detalhes práticos. *Das bildnerische Denken*, conferências dadas na Bauhaus e em Weimar (volume que, com ilustrações e diagramas, chega a mais de quinhentas páginas), é a apresentação mais completa dos princípios do *design* já feita por um artista moderno: constitui os *Principia aesthetica* de uma nova era da arte, em que Klee ocupa posição comparável à de Newton no campo da física. Se Klee não tivesse feito nada além de chegar a esses princípios, ainda assim teria sido a figura mais significativa do modernismo; mas ensinou com base em suas próprias realizações criativas, e essa é uma superioridade inigualável.

Klee percebia, talvez mais claramente que qualquer artista desde Goethe, que todo esforço é vão quando forçado: que o processo formativo essencial ocorre abaixo do nível da consciência. Nesse aspecto, está de acordo com os surrealistas, mas nunca aceitaria a visão deles, de que a obra de arte pode ser projetada automaticamente a partir do inconsciente: o processo de gestação é complexo; implica observação, meditação e, finalmente, maestria técnica dos elementos pictóricos. É essa insistência, simultaneamente, nas fontes subjetivas e nos meios objetivos da arte, que faz de Klee, como dissemos, o artista mais significativo de nossa época. "Às vezes sonho", confessava ele no fim da conferência, "com uma obra de realmente grande amplitude, que abarque toda a região constituída por elemento, objeto, significado e estilo"; e acrescentava: "Temo que isso não passe de sonho, mas é bom, mesmo agora, ter às vezes essa possibilidade em mente." Pode-se dizer que algum artista da nossa época produziu uma obra de realmente grande amplitude? Talvez Picasso, em *Guernica*. Uma vez perguntaram a Picasso o que ele pensava de Klee, e ele respondeu: "Pascal-Napoleão", frase enigmática com que ele talvez pretendesse fazer uma descrição física, mas na qual de algum modo foi transmitido o sentido de amplitude e poder universal da liderança de Klee, bem como sua intensidade aforística e sua profunda humanidade. Cada desenho de Klee é uma *Pensée*: "movimento infinito, o ponto que preenche tudo, movimento em repouso, infinidade sem quantidade, indivisível e infinito."[15]

A influência de Klee não foi superficial: penetra nas fontes de inspiração e ainda está em ação, como um fermento no cerne de nossa cultura. Se essa cultura sobreviver à ameaça da guerra atômica e se for permitido que a nova era artística iniciada na primeira metade do século XX se desenvolva em criativa liberdade, então a obra de Klee, visual e pedagógica, será inevitavelmente a principal seiva e força impulsionadora de seu crescimento. Mas:

> "Nada pode ser apressado. As coisas precisam crescer, crescer para cima, e, se tiver de chegar o momento de se realizar o grande esforço, tanto melhor.
>
> "Devemos continuar procurando.
>
> "Encontramos partes, mas não o todo!
>
> "Ainda nos falta a força decisiva para isso: não há gente que nos apóie.
>
> "Mas ainda estamos procurando gente. Começamos lá na Bauhaus. Começamos lá com uma comunidade para a qual cada um de nós deu o que tinha.
>
> "Mais que isso não podemos fazer."[16]

VI. ORIGENS E DESENVOLVIMENTO DE UMA ARTE DE RELAÇÕES DETERMINADAS. CONSTRUTIVISMO

Neste capítulo e no próximo trataremos de mais duas vertentes da pintura moderna que seguiram trajetos paralelos desde que surgiram até hoje. Mais uma vez, trata-se fundamentalmente de dois tipos de sensibilidade, duas direções distintas dadas às energias criativas do artista. Um artista como Picasso, sendo "polivalente" como Shakespeare, pode até certo ponto expressar-se em qualquer dos modos, rejeitando os extremos de ambos. Mas outros artistas, não sendo tão versáteis, tão ambivalentes, tendem a desenvolver o estilo em estrita concordância com determinada personalidade. Portanto, temos dois movimentos distintos: um que tende para um ideal de claridade, formalidade e precisão, e outro para a idéia oposta: obscuridade, informalidade e imprecisão, ou – visto que um ideal não pode ser definido por termos tão negativos – digamos expressividade, vitalidade e fluxo.

Já dissemos que a análise dessas duas tendências distintas na história da arte que Wilhelm Worringer escreveu em 1908, no começo do movimento modernista, teve efeito premonitório. Deu a um pintor como Kandinsky o que se poderia chamar de incentivo aos instintos. Assim como todo artista altamente consciente da época, ele estava experimentando; e experimentava com cores e formas para expressar o que chamava de "necessidade interna". Durante esses experimentos topou com o fato óbvio de que, para expressar tal necessidade interna, não era necessário ser fi-

ALEXEI VON JAWLENSKY *Natureza-morta. 1909*

gurativo. Descobriu que "uma mancha redonda em pintura pode ser mais significativa do que uma figura humana"; que "o impacto do ângulo agudo de um triângulo sobre um círculo produz efeito não menos forte do que o dedo de Deus tocando o dedo de Adão em Michelangelo."[1] Mas essas formas expressivas não precisam ser geométricas: as formas abstratas são incessantemente "livres" e inexaurivelmente evocativas. Constituem – pensava ele então – um novo poder que capacitaria o homem a atingir uma essência e um conteúdo da natureza que ficavam abaixo da superfície e eram mais significativos que as aparências.

Ao buscar as origens dessa fase específica da pintura moderna devemos outra vez fazer a distinção entre a maturação lenta de um espírito geral, uma necessidade difusa e inarticulada e a súbita irrupção da expressão apropriada dessa necessidade na consciência de um indivíduo. A nova tendência à abstração é já observável no *Jugendstil*: na distorção das formas vegetais e mesmo humanas para finalidades decorativas, no arranjo geométrico da composição tipográfica, na angularidade das novas formas da mobília e na ênfase linear da arquitetura; tudo isso, juntamente com o interesse crescente pelas artes oriental[2], folclórica e africana, é manifestação de um descontentamento espiritual com a arte figurativa das academias. O próprio Cézanne pode ter sido influenciado inconscientemente pelo mesmo espírito predominante, e o cubismo foi sua primeira manifestação explícita.

Mas o cubismo, como insistiam seus primeiros praticantes, sempre foi uma interpretação da realidade objetiva, de dado motivo. A arte que Kandinsky estava para iniciar era, ao contrário, essencial e deliberadamente não-objetiva, e, embora possa ter havido antecipações de tal arte em data anterior, a experiência de Kandinsky era pessoal e até apocalíptica. Ele descreveu essa experiência com palavras que não deixam dúvidas sobre isso:

"Eu estava voltando, imerso em pensamentos, da minha aula de esboços, quando, ao abrir a porta do ateliê, vi-me subitamente diante de um quadro de um encanto indescritível e incandescente. Aturdido, parei e fiquei olhando fixo para ele. A pintura não tinha tema, não retratava nenhum objeto identificável e era inteiramente composta de manchas coloridas vivas. Finalmente, cheguei mais perto e só então reconheci o que realmente era: minha própria pintura, apoiada de lado sobre o cavalete. [...] Uma coisa ficou mais clara para mim: esse objetivismo, a retratação de objetos, não precisava ter lugar na minha pintura e na realidade era-lhe nocivo[3].

Essa experiência apocalíptica ocorreu em 1908, mas foi dois anos antes que Kandinsky se sentisse bastante confiante para criar *deliberadamente* uma pintura não-objetiva – uma aquarela que ainda está de posse de sua viúva[4]. Kandinsky teve imediata consciência dos perigos futuros, ao qual muita arte não-objetiva de fato sucumbiria: o perigo de transformar a pintura em mera decoração geométrica, algo semelhante a uma gravata ou um tapete."

ALEXEI VON JAWLENSKY *Cabeça. 1935*

Percebia que uma obra de arte deve sempre ser expressiva, ou seja, expressar alguma emoção profunda ou experiência espiritual. Poderiam a forma e a cor, isentas de objetivos figurativos, ser articuladas numa linguagem de discurso simbólico?

A publicação do livro de Worringer coincidira com a experiência apocalíptica de Kandinsky, e a seguir ocorreram discussões diretas com Worringer; este, na verdade, tornou-se o intelectual patrono do movimento modernista em Munique na época. O movimento em si estava fervilhando de novas idéias e influências, e em janeiro de 1909 Kandinsky sentiu que era necessário

FRANZ MARC *Grandes cavalos azuis. 1911*

formar um novo grupo. Juntamente com seus compatriotas Jawlensky e Werefkin, bem como com os alemães Alfred Kubin, Gabriele Münter, Alexander Kanoldt e Adolf Erbslöh, formou uma Associação dos Novos Artistas. Nenhum desses artistas compartilhava das tendências não-figurativas de Kandinsky, mas elas constituíam um ponto de convergência para os experimentalistas. A primeira exposição foi feita em dezembro de 1909, e uma segunda, que incluía várias obras do cubista francês Henri Le Fauconnier (1881-1946), em setembro de 1910. Nessa segunda exposição também houve algumas pinturas cubistas de Picasso e Braque. As contribuições de Kandinsky eram ainda "improvisações" baseadas em paisagens e figuras.

Em janeiro de 1911, Franz Marc (1880-1916) filiou-se à associação: nele Kandinsky encontrou um artista que conseguia entender sua orientação. Ficaram amigos íntimos e decidiram formar um novo grupo. Dois outros membros da Associação se juntaram a eles – Münter e Kubin – e resolveram dar ao grupo o nome de *Der Blaue Reiter* (O cavaleiro azul, título de um quadro de Kandinsky de 1903). A história subseqüente desse grupo é importante sobretudo pelos desenvolvimentos do expressionismo que descreveremos no próximo capítulo. Mas durante suas atividades, que incluíram a publicação de um importante manifesto e de um "almanaque" também chamado *Der Blaue Reiter*, tomaram forma, tanto na teoria quanto na prática, as metas essenciais da pintura não-objetiva.

Para entender a ampla divergência que começou então a manifestar-se entre dois tipos de abstração, é essencial voltar à teoria da arte de Kandinsky, de que fiz um resumo no capítulo anterior. A distinção que Kandinsky fazia entre três fontes de inspiração – *im*pressão *direta*, *ex*pressão *espontânea* e *ex*pressão *de formação lenta* – implicava uma emancipação progressiva da arte em relação a qualquer necessidade *externa* (tal como representar ou copiar a "natureza") e o uso de formas plásticas como sistema de simbolização cuja função fosse dar expressão externa a uma necessidade *interna*. Kandinsky insistia que tal linguagem simbólica devia ser "precisa", com o que pretendia dizer claramente articulada. Sua formação jurídica e sua sensibilidade musical o predispunham à invenção e à elaboração de um sistema exato de notação. As formas coloridas deviam ser dispostas sobre a tela com tanta clareza quanto as notas numa partitura de orquestra.

Os primeiros experimentos de Kandinsky na invenção de um modo de comunicação não-verbal e visual ainda dizem respeito a uma sensibilidade distintamente orgânica. As linhas flutuam e representam não só o movimento, mas a finalidade e o crescimento. As cores são associativas não só no sentido de expressarem emoções humanas (alegria ou tristeza etc.) mas também por significarem aspectos emotivos de nosso meio externo: o amarelo é terroso, o azul é celeste; o amarelo é impetuoso e importuno: perturba as pessoas; o azul é puro e infinito: sugere paz exterior. O todo da composição – ou orquestração – de forma e cor tem intenção expressiva: há uma necessidade interna vaga e indefinida, e o artista então procura intuitivamente um arranjo de cores que expresse esse sentimento até então não-articulado.

Kandinsky é bem claro nesse ponto: o artista começa com a percepção de suas necessidades internas e procura expressar essas necessidades em símbolos visuais. Não há definição do caráter desses símbolos (além do fato de que eles devem explorar as potencialidades expressivas da cor). Há só o conhecimento de que

PIET MONDRIAN *Árvore horizontal. 1911*

certas formas precisas causam efeitos precisos: um triângulo, por exemplo, tem "um perfume espiritual particular".

Tal é a base teórica do expressionismo em geral. Mas já era óbvio para Kandinsky, e implícito em sua teoria da arte, que o artista devia começar com a cor e a forma, não para expressar uma necessidade interior, mas para estimular uma reação emocional. Se as cores têm efeitos físicos, se podem ser combinadas para induzir uma vasta gama de sensações e emoções, se as formas também são forças que penetram em nossa consciência com efeito físico (como os sons), então por que não usar essas possibilidades de modo deliberado e determinado para produzir uma reação estética (ou mesmo espiritual) no espectador? Em outras palavras, a obra de arte é uma construção de elementos concretos de

forma e cor que se tornam expressivos no processo de síntese ou arranjo: a forma da obra de arte é em si o conteúdo, e qualquer expressividade que haja na obra de arte origina-se com a forma.

O próprio Kandinsky, na teoria, se não na prática, sempre permaneceria fiel ao que chamava de "princípio de necessidade interna". Mas em grande parte com base em sua prática, outros artistas apareceriam com aquilo que se poderia chamar de princípio de necessidade *externa*. A finalidade global desse princípio alternativo era fugir às necessidades internas de nossa existência individual e criar uma arte pura, impessoal e universal, que estivesse livre da tragédia humana.

Esses dois princípios, por corresponderem a uma teoria objetiva e a uma teoria subjetiva da arte abstrata, deram origem a dois movimentos bem separados, mas visto que os artistas são humanos e nem sempre dados à racionalização da atividade criativa, houve alguma confusão de metas e muita incoerência nas realizações. Neste breve estudo seremos inevitavelmente atraídos por extremos positivos e correremos o risco de deixar de lado artistas de grande talento que ocupam uma posição intermediária e mais ambígua.

O pintor que levaria ao extremo lógico o conceito objetivo de abstração foi Piet Mondrian (ou Mondriaan), nascido em Amersfoort, na Holanda, em 1872. Começou a pintar muito cedo e teve a formação acadêmica habitual. Passou do realismo acadêmico ao impressionismo, e deste ao fauvismo, e em 1910-11 foi atraído pelo cubismo. Viajou a Paris no fim de 1911 e ali ficou até a deflagração da guerra de 1914, absorvendo e avaliando os novos desenvolvimentos que estavam ocorrendo naqueles anos momentosos. Seu cubismo sempre foi analítico, e ele parece nunca ter flertado com o cubismo sintético de Gris. Seu estilo final de abstração pura evolui de modo gradual e constante a partir de uma busca paciente da realidade que está por trás do motivo.

Voltando à Holanda, associou-se a Theo van Doesburg (1883-1930) e Bart van der Leck (n. 1876), e em 1917 foi fundada uma revista para desenvolver e propagar seus pontos de vista sobre arte. A revista foi chamada *De Stijl*, nome que passou a ser o do movimento, embora o próprio Mondrian sempre tivesse preferido *Nieuwe Beelding* (neoplasticismo) por achar mais significativo. "Néo-plasticisme" foi o título de uma exposição teórica de seus pontos de vista que Léonce Rosenberg publicou como panfleto em 1920[5]. Mondrian sem dúvida tirou proveito de sua associação com Van Doesburg e Van der Leck, mas basta observar as pinturas que fez em Paris entre 1912 e 1914 para constatar que o idioma essencial de seu estilo fora formulado antes de conhecê-los. O que é característico de Mondrian pertencia a seu temperamento e à filosofia de vida que o acompanhava. Embora fosse muito influenciado por seus grandes contemporâneos, especialmente por Picasso e Braque na fase cubista, seu desenvolvimento foi organicamente coerente, e foi essa coerência, combinada com uma busca apaixonada do equivalente plástico de uma ver-

THEO VAN DOESBURG *Composição. 1918*

dade universal, que fez de Mondrian uma das forças dominantes do modernismo.

Mondrian não era um intelectual no sentido usual da palavra e não tinha muitos conhecimentos nem grande experiência. Mas dominava um vocabulário filosófico extraído de uma única fonte, o filósofo holandês M. H. J. Schoenmaekers. É verdade que antes de conhecer Schoenmaekers (que estava em Laren em 1916, ano em que ele conheceu Van der Leck e Van Doesburg), Mondrian já era membro da Sociedade Teosófica – à qual se filiara em Amsterdam em 1909 –, mas Schoenmaekers era um pensador original e elaborara um sistema neoplatônico a que dava o nome de "misticismo positivo" ou "matemática plástica". O nexo entre esses termos aparentemente disparatados é explicado da seguinte maneira: "Matemática plástica significa o pensamento verdadeiro e metódico a partir do ponto de vista do criador", e o misticismo positivo ensina as leis da criação. Logo: "Agora aprendemos a traduzir a realidade de nossa imaginação em construções que podem ser controladas pela razão, a fim de retomar essas mesmas construções mais tarde na realidade natural 'dada', penetrando assim a natureza por meio da visão plástica."[6]

Jaffé, cuja monografia sobre *De Stijl* é essencial para entender o movimento, deixa claro que Schoenmaekers era responsável em alto grau pela filosofia e pela terminologia de Mondrian. Mas:

"A filosofia de Schoenmackers era mais que mera fonte da terminologia de Mondrian. Era – provavelmente sem o conhecimento de Van Doesburg – um dos fatores catalisadores que ajudaram a consolidar as várias tendências numa forma distinta: 'De Stijl'. Essa suposição precisará ser provada por meio de textos extraídos das duas obras em que Schoenmaekers expõe suas doutrinas: *Het nieuwe wereldbeeld* (a nova imagem do mundo, publicada em Bussum em 1915) e *Beginselen der beeldende wiskunde* (princípios de matemática plástica; *ibid.*, 1916). Mas Mondrian não era necessariamente influenciado por esses livros em especial, embora eles sejam mencionados como parte de uma biblioteca 'De Stijl' no nº 11 de *De Stijl*, p. 72. Mondrian e Schoenmaekers moravam na época em Laren, e, segundo relatos verbais, devidos à gentileza da Sra. Milius e dos Srs. Van der Leck, Slijper e Wils, sabemos que Mondrian e Schoenmaekers se encontravam com freqüência e mantinham longas e animadas discussões."[7]

Uma comparação dos textos, feita por Jaffé, deixa perfeitamente claro que Mondrian achou uma justificação filosófica completa para a tendência abstrata de sua pintura nos escritos e na conversação desse filósofo (que, por acaso, parece ter-se expressado com clareza racional). Segundo Schoenmaekers, "queremos penetrar a natureza de tal modo que a construção interior da realidade nos seja revelada", e isso, como observa Jaffé, "é exatamente a finalidade que Mondrian via diante de si enquanto trabalhava em Paris". A natureza, diz Schoenmaekers, "por mais vivaz e caprichosa que possa ser em suas variações, fundamentalmente sempre funciona com absoluta regularidade, ou seja, com

PIET MONDRIAN *Composição com vermelho, amarelo e azul. 1921*

regularidade plástica", e Mondrian define o neoplasticismo como um meio pelo qual a versatilidade da natureza pode ser reduzida à expressão plástica das relações definidas. A arte torna-se um meio intuitivo, tão exato quanto a matemática, para representar as características fundamentais do cosmos.

Há muitos pormenores na matemática plástica de Schoenmaekers que podem ser diretamente transferidos para uma descrição das construções plásticas de Mondrian, e embora Mondrian tenha chegado a posição semelhante por caminhos independentes (apesar de tomar os mesmos marcos como referência: calvinismo, Hegel e as publicações da Sociedade Teosófica Holandesa), não há dúvida de que o contato com Schoenmaekers foi decisivo para a evolução subseqüente de Mondrian; coincidiu – citando Jaffé mais uma vez – "com os anos decisivos de sua evolução (de Mondrian); sua importância foi confirmada por muitos testemunhos contemporâneos e pode ser constatada pelos escritos de Schoenmaekers e de Mondrian"[8]. Mas ao mesmo tempo deve-se ressaltar não só que as criações plásticas de Mondrian e de outros membros do grupo *De Stijl* (como o arquiteto J. J. P. Oud [n. 1890] e o pintor George Vantongerloo [n. 1886]) tinham antecipado as idéias do filósofo, mas também que essa mesma filosofia estava "no ar" então – há muitos paralelos entre as idéias de Schoenmaekers e as de Kandinsky, por exemplo; além disso, Van Doesburg e, provavelmente, outros do grupo haviam lido *Do espiritual na arte.* O elemento distintivo do neoplasticismo era o desejo de objetividade, a tendência antiindividualista e, pode-se dizer, portanto, a tendência antiexpressionista. Esse era um extremo para o qual a alma oriental de Kandinsky nunca seria levada. Mesmo nas obras mais precisas e "calculadas" deste (ver p. 167) há ainda um elemento de sensibilidade que Mondrian teria achado sentimental demais.

Como movimento, *De Stijl* não se restringia à pintura: a arquitetura, o mobiliário, as artes decorativas e tipográficas desempenhavam papel idêntico numa atitude abarcante em relação a todos os aspectos da vida. Van Doesburg foi o intelectual fomentador do movimento; tinha um zelo missionário cuja meta era criar um novo tipo de relação entre o artista e a sociedade. Nessa tarefa coletiva a colaboração dos arquitetos era essencial. Dos que

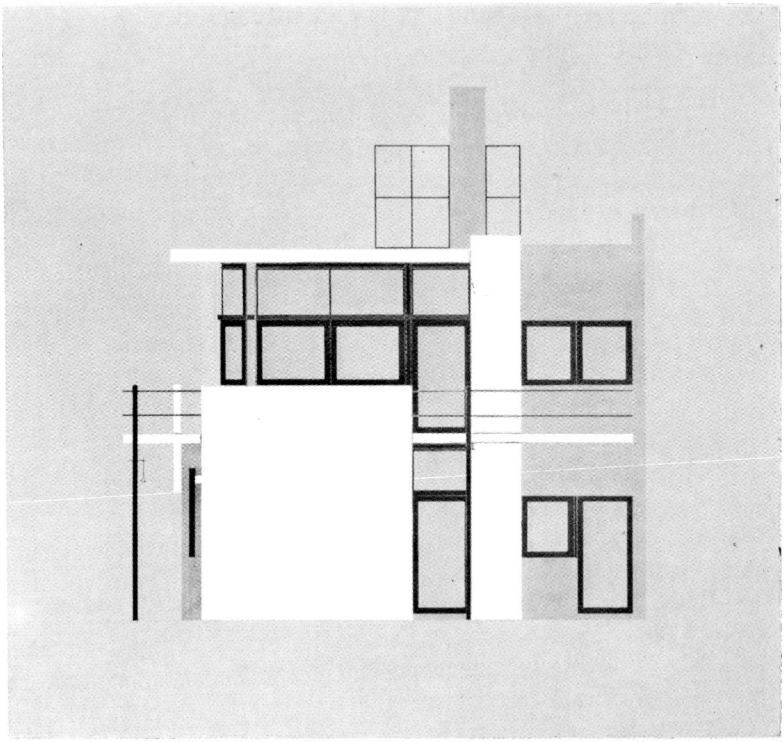

GERRIT RIETVELD *Desenho arquitetônico. 1923-24*

realmente colaboraram, o mais importante foi Oud, que se tornara arquiteto da cidade de Rotterdam em 1918 (um ano depois de filiar-se ao grupo *De Stijl*). Robert van't Hoff (n. 1887), que estudara arquitetura e visitara os Estados Unidos, uniu-se ao grupo em 1917 e trouxe consigo o conhecimento da obra de Frank Lloyd Wright. Gerrit Thomas Rietveld (n. 1888) era *designer* de mobiliário e arquiteto – uma casa que construiu em Utrecht em 1924 foi uma tentativa deliberada de aplicar os princípios *De Stijl* à arquitetura. Outros arquitetos que colaboraram com o grupo são Jan Wils (n. 1891) e Cornelis van Eesteren (n. 1897). Van Doesburg na verdade não reconhecia nenhuma distinção legítima entre arquitetura e *design* em geral, e colaborou com Oud e Wils, bem como com outros arquitetos do grupo, criando muitos "projetos" arquitetônicos. Suas reivindicações abrangentes quanto à orientação das atividades do grupo causaram inevitáveis problemas, mas não pode haver dúvida, como diz Jaffé, que Van Doesburg era *De Stijl*, "com toda a incrível energia, a força e os recursos criativos que tinha. Ele realmente 'dirigiu' o grupo *De Stijl* desde o começo, e é perfeitamente compreensível que o *De Stijl*, como movimento, como concentração de pessoas, não sobreviveu a ele."[9]

Quando saímos das teorias do grupo *De Stijl*, tão impressionantes pela força e pela coerência que ostentam, e nos voltamos para as suas realizações em pintura, temos uma sensação de aridez, com exceção da obra de Mondrian. Para começar, há uma característica inerente no antiindividualismo das metas do grupo, uma uniformidade deliberada. As formas de Van der Leck podem até ser mais dispersas; Cesar Domela Nieuwenhuis (n. 1900) pode até ser mais ousado; Friedel Vordemberge-Gildewart (nascido em Osnabrück, na Alemanha, mas convidado por Van Doesburg para filiar-se ao *De Stijl* em 1924) pode até ser mais "construtivista" no sentido que será definido adiante, neste capítulo; apesar disso, é perfeitamente escusável a dificuldade que encontramos em distinguir qualquer qualidade pessoal na obra desses artistas. Podemos apreciar as qualidades universais inerentes à tradição holandesa – clareza e austeridade –, mas elas eram expressas supremamente por Mondrian, e basta comparar as realizações deste com a obra do restante do grupo para perceber que ele possuía uma genialidade que eles não tinham. "Abomino tudo o que é temperamento, inspiração, fogo sagrado e todos os atributos do gênio que escondem a desorganização mental", confessou certa vez Van Doesburg[10]. Mondrian poderia ter dito o mesmo, mas há em sua obra e mesmo em seus escritos mais que uma chama do fogo sagrado. Sua longa busca de harmonia e intensidade, precisão e equilíbrio, em cada obra e em todas as suas realizações criativas, foi uma paixão que não pode ser negada. Mondrian era um humanista e acreditava que a nova arte construtiva, de que era predecessor, criaria entre nós "uma beleza profundamente humana e rica", mas uma beleza nova. "A arte não-figurativa põe fim à antiga cultura artística; hoje, portanto, podemos rever e julgar com mais segurança *toda a cultura artística*. Estamos agora num ponto decisivo dessa cultura; *a cultura da forma particular está chegando ao fim. Já teve início a cultura das relações determinadas.*"[11] Maneira talvez seca de expressar uma visão inspirada, mas é preciso lembrar, como disse tão bem Georg Schmidt, que "a arte de Mondrian [...] refuta as teorias de Mondrian. Seus quadros são muito mais que meramente experimentos formais: são uma realização espiritual tão grande quanto qualquer obra de arte pura. Uma pintura de Mondrian na parede de uma casa, de um aposento, projetados inteiramente segundo o espírito de Mondrian, na verdade exatamente numa casa e num aposento desses, tem uma qualidade fundamentalmente mais elevada, diferente da qualidade de qualquer objeto de uso material. É uma expressão altamente sublime de uma idéia ou atitude espiritual, a concretização do equilíbrio entre disciplina e liberdade, a concretização da oposição elementar em equilíbrio; e essas oposições são tão espirituais quanto físicas. A energia espiritual que Mondrian investia em sua arte irradia-se espiritual e sensitivamente de cada um de seus quadros para todo o sempre."[12]

* * *

Kandinsky, como já notamos, saiu de Munique com a deflagração da guerra de 1914 e, atravessando a Suíça, a Itália e os Bálcãs, chegou a Moscou no começo de 1915. Apesar de ter feito algumas viagens curtas à Suécia (1916) e à Finlândia (1917), ficou na Rússia até ser chamado para integrar o Bauhaus em 1922. Simpatizava com a causa revolucionária, e em 1918 tornou-se professor da Academia de Belas-Artes de Moscou, que fora reorganizada, e membro do Comissariado para a Educação. Em 1919 foi nomeado diretor dos Museus de Cultura Pictórica e presidiu a reorganização das galerias de arte em toda a URSS. Em 1920 foi nomeado professor da Universidade de Moscou e em 1921 fundou a Academia de Artes e Ciências, tornando-se seu vice-presidente. Mas as forças reacionárias já se haviam estabelecido, e no fim daquele ano ele deixou Moscou para nunca mais voltar à Rússia.

Durante esses seis anos que passou em Moscou nasceu um movimento artístico novo e independente, e não pode haver grandes dúvidas de que Kandinsky, que era quem tinha mais experiência e autoridade entre os artistas então presentes em Moscou, foi em algum sentido o seu gênio orientador. Mais uma vez, porém, devemos supor uma precipitação, nessa cidade tanto quanto em Paris, Munique e alhures, de obras de arte que expressavam um anseio difuso pela renovação criativa. O próprio Kandinsky já havia passado quase anualmente várias semanas na Rússia, entre 1896 e 1914, e em 1912 uma parte de seu livro *Do espiritual na arte* (a seção sobre "Linguagem da forma e da cor") fora traduzida para o russo. Essa publicação foi provavelmente o agente catalisador que faltava, mas deve-se notar que já em 1913, antes da volta de Kandinsky a Moscou, Kasimir Malevich (1878-1935) havia fundado um novo movimento a que deu o nome de suprematismo. Malevich (assim como Van Doesburg) tinha concepções claras e espírito lógico, e atingiu de maneira direta o ponto a que outros artistas (inclusive Mondrian) só chegaram por meio de cautelosa evolução. Com base sem dúvida em teorias estéticas correntes[13], asseverava que a realidade em arte era o efeito sensitivo da própria cor. Como ilustração, mostrava (já em 1913) uma figura constituída por um quadrado preto sobre uma base branca, afirmando que a sensação provocada por aquela conjunção constituía o fundamento de toda arte. "A representação de um objeto, em si (o objetivismo como meta da representação), é algo que nada tem com arte, embora o uso da representação numa obra de arte não exclua a possibilidade de ter ela altíssimo valor artístico. Para o suprematista, portanto, o meio apropriado é aquele que propicia a mais plena expressão da sensação pura e ignora o objeto habitualmente aceito. Para ele, o objeto em si não tem significado, e as idéias da mente consciente não têm valor. A sensação é o fator decisivo [...] e portanto a arte chega à representação não-objetivista: ao suprematismo."

Essas frases foram extraídas de um documento sobre o suprematismo que foi publicado pela Bauhaus em 1927[14], mas representam fielmente a posição assumida por Malevich em 1913, numa época em que Mondrian ainda estava preso ao objeto. Durante o período seguinte de um ano ou dois Malevich encontrou vários adeptos para o seu movimento, entre os quais devem ser citados Vladimir Tatlin (n. 1885) e Alexander Rodchenko (n. 1891). A evo-

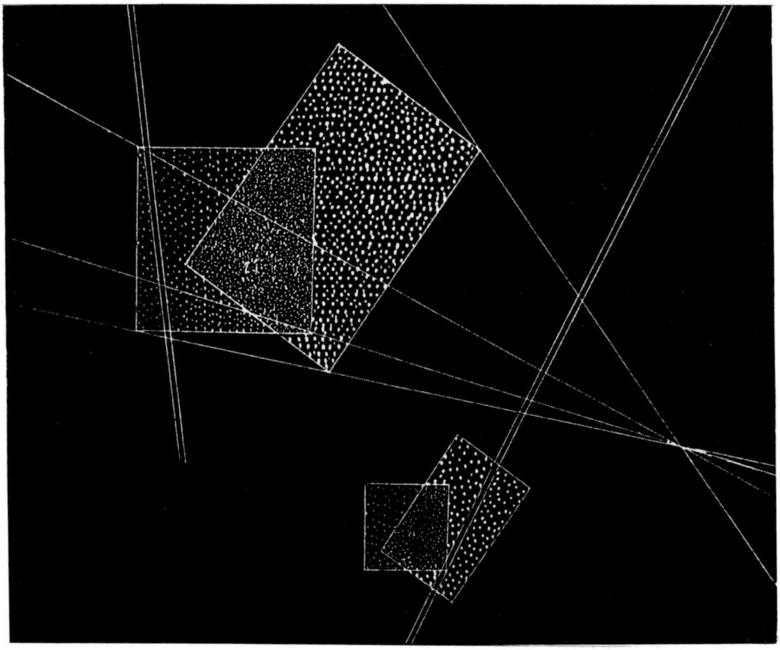

LASZLO MOHOLY-NAGY *Xilogravura*, 1924

lução ocorrida em Moscou entre 1913 e 1917 ainda está um tanto obscura: representou apenas outro aspecto da fermentação geral que ocorria na Europa. Desde o começo, porém, existiam pelo menos três pontos de vista incompatíveis: o ponto de vista purista, representado por Malevich; o construtivista ou funcional, representado por Tatlin e Rodchenko; e um mais individualista, de Kandinsky. Esses diferentes pontos de vista seriam acentuados à medida que a Revolução avançava, mas a Revolução em si trouxera de volta à terra natal certos artistas exilados que iriam desempenhar papel decisivo nessa evolução ulterior, sobretudo dois irmãos, Antoine Pevsner (1886-1962) e Naum Gabo (n. 1890: o nome Gabo foi por ele adotado em 1915 para distingui-lo do irmão).

Pevsner decidira aos quinze anos de idade tornar-se artista e passara dois anos estudando na Academia de Artes de Kiev, a que se seguira um ano na Academia de São Petersburgo. Inevitavelmente foi atraído para Paris, aonde chegou em 1911, a tempo de ver a primeira exposição cubista no Salon des Indépendants, que o deixou fortemente impressionado. Voltou à Rússia, ficou um ano e depois retornou a Paris em 1913, quando estabeleceu estreita associação não só com seu compatriota Archipenko – fazendo seus primeiros experimentos em escultura cubista –, mas também com um grupo de pintores denominado *Section d'or*, que incluía Gleizes e Metzinger, primeiros teóricos do movimento, que haviam publicado *Du cubisme* no ano anterior. Também está documentado que Pevsner viu a exposição de Boccioni, de 1913, "construções arquitetônicas"[15]; essa talvez tenha sido uma experiência decisiva.

Nesse ínterim seu irmão Naum optara pela medicina, e em 1909 foi enviado à Universidade de Munique. Ali seu interesse voltou-se primeiramente para as ciências físicas; mais tarde, estudou engenharia civil. Mas, passando a interessar-se também por artes, assistiu às aulas de Heinrich Wölfflin sobre história da arte e visitou a exposição cubista de 1910. Nesse ano, também, ficou conhecendo Kandinsky e leu seu livro recém-publicado, *Do espiritual na arte.* Em 1913 e, novamente, em 1914 visitou o irmão em Paris, conheceu Archipenko, viu as obras do grupo *Section d'or* e ficou a par das teorias de Gleizes e Metzinger. Ao voltar a Munique modelou sua primeira escultura: uma cabeça naturalística de negro.

Com o início da guerra em agosto de 1914 Gabo refugiou-se na Dinamarca, dirigindo-se a Oslo. Foi alcançado pelo irmão e lá, durante dois anos, digeriram as diversas experiências, desenvolvendo juntos a arte a que dariam o nome de construtivismo. Pode-se supor que Antoine tenha contribuído com seus conhecimentos das técnicas artísticas, e Naum, com seu trato científico de materiais e formas. No curso de física que freqüentara, Naum aprendera a fazer construções tridimensionais para ilustrar fórmulas matemáticas, e foi dessa maneira que surgiu uma fusão de percepção artística e método científico.

Portanto, ao voltarem a Moscou em 1917, os dois irmãos já foram com concepções formadas sobre o futuro da arte. Mas as obras de arte que levaram da Noruega – um *Busto*, datado de 1916, e a *Cabeça de mulher*, do mesmo ano, ambas de Gabo (a última

KASIMIR MALEVICH *Composição suprematista. 1915*

peça está agora no Museu de Arte Moderna de Nova York) –, embora influenciadas pelo cubismo e mais especialmente pelo uso de materiais no estilo de Archipenko (como o vidro e os metais), não eram de modo algum *abstratas*. Na verdade, Gabo afirma que nunca se autodenominou artista abstrato e que se opõe ao uso da palavra abstração em arte[16]. Quando, portanto, Gabo e Pevsner entraram em contato direto com o suprematismo de Malevich, evidenciou-se uma divergência que precisava ser resolvida. Gabo descreveu com expressividade as discussões que ocorriam então entre todos os artistas reunidos em Moscou, discussões em que "cada um trazia algo para o esclarecimento da obra do outro. Nossas atividades eram incessantes tanto no campo teórico quanto no dos experimentos concretos, nos ateliês das escolas e dos artistas. Ocorriam regularmente discussões abertas no auditório da escola [...] isso em meio ao turbilhão da guerra mundial e da guerra civil, à privação física mais absoluta e ao conflito político."[17]

Pevsner e Gabo acabaram por aceitar o ponto de vista não objetivo de Malevich, mas buscavam uma concepção mais dinâmica e espacial de arte: o suprematismo, com sua insistência nas formas básicas e na cor pura, era limitado demais. Mas rejeitavam com muito mais vigor os funcionalistas, ou produtivistas, ponto de vista de Tatlin e seu grupo. "O conflito ideológico entre nós", relata Gabo, "entre o grupo de Tatlin [...] e o nosso só acelerou a ruptura já aberta e obrigou-nos a fazer uma declaração pública. O grupo de Tatlin propugnava a abolição da arte como esteticismo superado, pertencente à cultura da sociedade capitalista, e conclamava os artistas que estavam fazendo construções no espaço a deixar de lado aquela 'ocupação' e a começar a fazer coisas úteis para o ser humano em seu ambiente material: a fazer cadeiras e mesas, a construir fornos, casas etc. Nós nos opúnhamos àquelas idéias materialistas e políticas sobre arte e em particular àquele tipo de niilismo revivido por eles a partir dos anos 1880."[18]

Gabo e Pevsner divulgaram então um manifesto. Foi datado de 5 de agosto de 1920, e sua declaração mais importante, como disse Gabo, era que a arte tem seu valor absoluto e independente, bem como uma função para realizar na sociedade, seja ela capi-

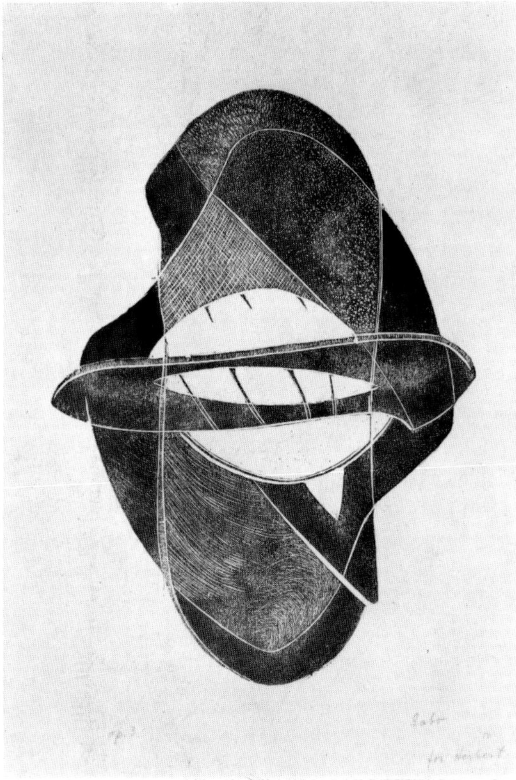

NAUM GABO *Op. 3. 1950*

talista, socialista ou comunista. "A arte sempre viverá como uma das expressões indispensáveis da experiência humana e como um meio importante de comunicação. A outra importante declaração do manifesto era que o espaço e o tempo constituem a espinha dorsal das artes construtivas."[19]

Precisamos nos demorar um pouco nessas discussões porque, embora tenham ocorrido em Moscou entre 1917 e 1922, são questões que continuam vivas, e o futuro desenvolvimento da arte ainda depende de sua resolução. Em 1922 as diferenças entre os dois grupos de Moscou eram obviamente irreconciliáveis, mas a vitória não seria de nenhuma das partes. Suprematistas, construtivistas, produtivistas: todos, igualmente, tinham sido tão-só tolerados pelo governo russo, porque naquele momento sua atenção era ocupada por problemas mais urgentes. Quando, finalmente, ele se pôs a par das questões, ficou claro que nem o próprio governo nem os soldados, os camponeses e os operários que representava estavam preocupados com quaisquer daquelas sutilezas estéticas. Queriam uma arte que pudessem entender, uma arte factual, na verdade uma arte acadêmica; e como todas as forças tinham de ser organizadas em defesa da União Soviética, queriam uma arte propagandista, uma arte a serviço da Revolução. O fato de os artistas conceberem sua arte como essencialmente revolucionária e, portanto, apropriada à nova sociedade nascente era irrelevante. Quem eram aqueles artistas? Não eram trabalhadores, no sentido de proletários, mas sim sobreviventes da decadência burguesa ocidental, provavelmente anarquistas, em todo caso uma minoria barulhenta e subversiva. A brincadeira tinha acabado, e os artistas sabiam disso. Em 1922 Gabo foi a Berlim para supervisionar uma exposição da arte russa enviada pelo governo. Nunca mais voltou a Moscou, e um ano depois Pevsner encontrou-se com ele em Berlim. Kandinsky saiu também naquele mesmo ano, a fim de juntar-se a Gropius em Weimar. Os que ficaram em Moscou, ou se tornaram *designers* industriais, como Tatlin, ou se relegaram à obscuridade e à pobreza, como Malevich. O destino da maioria deles é desconhecido.

Gabo ficou em Berlim dez anos, depois passou três anos em Paris. Em 1935 fixou-se em Londres e ficou na Inglaterra dez anos. Em 1946 saiu da Inglaterra e foi para os Estados Unidos, acabando por naturalizar-se americano. Pevsner, que tivera um encontro decisivo com Marcel Duchamp em Berlim em 1922 ou 1923, deixou a pintura e voltou-se para a escultura construtivista, e em outubro de 1923 retornou a Paris, onde ficou desde então, naturalizando-se francês em 1930.

Uma vez que é concebido como um desenvolvimento da escultura tradicional, o construtivismo pode parecer estar fora do âmbito deste volume; mas, embora tanto Gabo quanto Pevsner se autodenominem freqüentemente escultores e sejam assim vistos por crítica e público, na verdade o que tiveram em mira e atingiram foi uma forma de arte que suplantasse todas as categorias anteriores de arte. Pevsner escreveu:

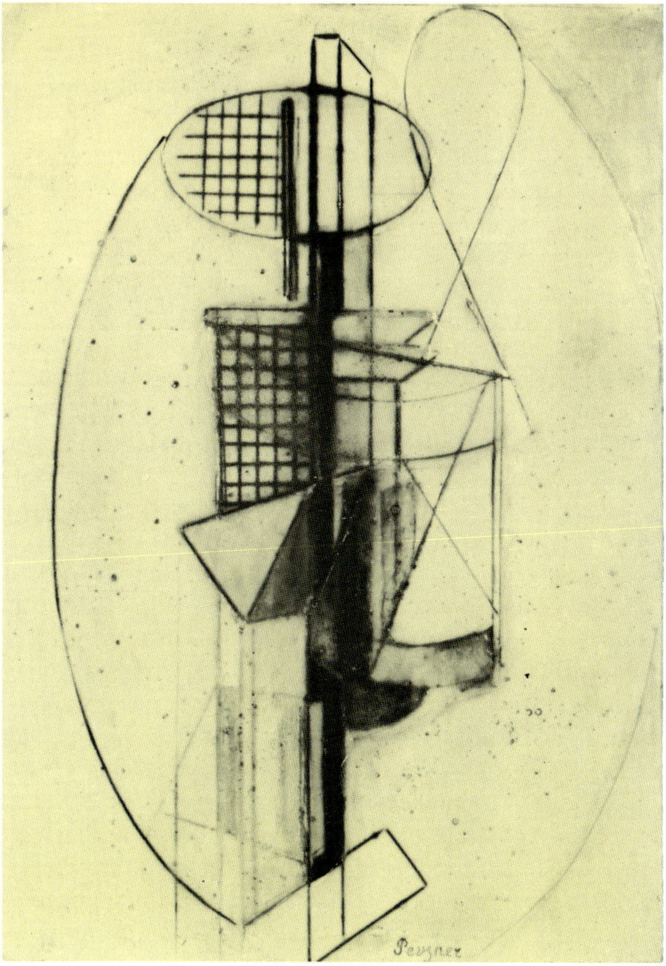

ANTOINE PEVSNER *Projeto em esmalte. 1923*

"As construções gigantescas do mundo moderno, as prodigiosas descobertas da ciência mudaram a face do mundo, enquanto os artistas anunciavam novas concepções e formas. Impõe-se uma revolução às artes e às emoções: ela descobrirá um novo mundo ainda pouco explorado. Assim chegamos, Gabo e eu, a um caminho que leva a novas buscas, cuja idéia orientadora é uma tentativa de síntese das artes plásticas: pintura, escultura e arquitetura. [...] Não é fantasista pensar que a época que sucederá a nossa será mais uma vez, na história da humanidade, um período de grandes obras coletivas; que ela assistirá à execução de construções imponentes em vastos espaços urbanos."[20]

Tal "síntese de todas as artes plásticas", em que desaparecem as categorias do Renascimento tradicional num novo complexo arquitetônico de atividades construtivas, também foi o ideal dos grandes arquitetos de nossa época, Walter Gropius (n. 1883), Mies van der Rohe (n. 1886) e Le Corbusier (Charles Edouard Jeanneret, n. 1887). A Bauhaus foi fundada por Gropius exatamente com tal ideal de síntese das artes plásticas; e esse também foi o ideal de Van Doesburg e de outros membros do *De Stijl.* A Bauhaus uniu durante dez produtivos anos artistas de todas as categorias nesse esforço comum. Na primeira proclamação feita em Weimar em 1919 argumentou-se que todas as artes devem ser unificadas em torno *da construção.* "Arquitetos, pintores e escultores devem voltar a reconhecer como entidade o caráter compósito de uma construção. Só então sua obra estará impregnada do espírito arquitetônico que perdeu como 'arte de salão'. *Arquitetos, escultores, pintores: voltemo-nos para os ofícios.* [...] Criemos uma *nova guilda de artesãos*, sem as distinções de classe que erguem uma barreira de arrogância entre artífices e artistas. Juntos, vamos conceber e criar a nova construção do futuro, que abarcará arquitetura, escultura *e* pintura em uma só unidade e que se erguerá um dia em direção aos céus partindo das mãos de um milhão de trabalhadores, como o símbolo cristalino de uma nova fé."[21]

Essa corajosa ambição foi derrotada pelas maquinações de políticos filisteus, mas a Bauhaus em si tornou-se símbolo de tudo o que é criativo e construtivo numa época de confusão econômica e política, e continua sendo esse símbolo. Durante seus catorze anos de existência não só ofereceu *status* profissional e meio de subsistência a artistas "criativos" como Klee, Feininger e Oskar Schlemmer (1888-1943), como também, por intermédio do ensino de Johannes Itten (n. 1888) e Josef Albers (n. 1888), estabeleceu pela primeira vez um curso de *design* básico que poderia servir de treinamento para a arte da máquina numa civilização industrial. Foi traçado pela primeira vez um paralelismo fundamental entre os princípios da arte abstrata e o *design* para a produção em massa.

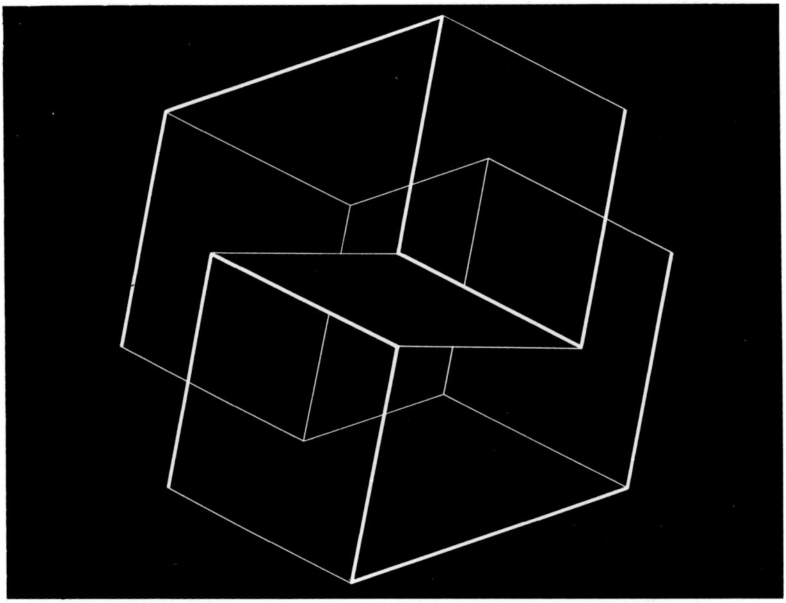

JOSEF ALBERS *Constelação estrutural. c. 1954*

Enquanto Gropius estava criando a Bauhaus em Weimar, Lasar (El) Lissitzky (1890-1941) estabelecia princípios semelhantes na Rússia, primeiramente em Vitebsk e depois em Moscou. Em 1921 foi enviado a Berlim para entrar em contato com artistas ocidentais, e durante certo tempo associou-se ativamente a Mies van der Rohe, Theo van Doesburg, Hans Richter e outros. Em 1923 Richter, em associação com Werner Graeff, Doesburg e Mies, fundou mais um grupo, conhecido como "G", ao qual aderiram Gabo, Lissitzky e vários outros artistas e arquitetos. Laszlo Moholy-Nagy (1895-1946), húngaro que foi para Berlim em 1920 já imbuído dos ideais construtivistas, juntou-se a esse grupo. Em 1923 Moholy-Nagy foi indicado para a equipe da Bauhaus, e acabou levando seus ideais para os Estados Unidos: em 1938 tornou-se diretor de uma nova Bauhaus em Chicago. Praticamente todos os líderes do movimento e muitos de seus discípulos (Gropius, Mies van der Rohe, Richter, Lyonel Feininger, Herbert Bayer, Marcel Breuer, Gyorgy Kepes) mudaram-se da Europa para os Estados Unidos.

VICTOR PASMORE *Mar interior.* 1950

Paris continuou obstinadamente apegada à "arte de salão", apesar dos esforços de Le Corbusier. A escola de cubismo da *Section d'or*, representada por Gleizes e Metzinger, havia já antes da guerra aderido a uma forma "pura" de abstração. Imediatamente depois da guerra Le Corbusier e Amédée Ozenfant publicaram um "manifesto purista", *Après le cubisme*[22]. Era um ataque às tendências decorativas do cubismo e ao culto da sensibilidade, bem como um convite a uma arte tão pura e "rigorosa" quanto a máquina. *Purismo* foi a palavra escolhida para expressar as características do espírito moderno. A obra de arte do futuro não deveria ser acidental, excepcional, impressionista, inorgânica, pitoresca etc., mas, ao contrário, geral, estática, expressiva do fator constante da natureza. Clareza, precisão, fidelidade ao "conceito": esses deveriam ser os ideais da nova arte. Em 1920 foi criado um periódico intitulado *L'esprit nouveau* para propagar esses

BEN NICHOLSON *Natureza-morta (ligeiramente esverdeada).* 1945-54

ideais, e não pode haver dúvida de que entre os anos 1920 e 1925 os puristas exerceram influência decisiva sobre o desenvolvimento da arte abstrata em toda a Europa e a América. Mas o purismo não abandona o objeto: era um ideal de estilo ou técnica, uma purificação do motivo como tal. No entanto, realmente emergiu em Paris uma escola não-figurativa de pintura, e em 1932 foi fundado por Antoine Pevsner e Gabo um grupo com muitos adeptos, que se chamava *Abstraction-Création.* Continuou por representar um ideal estritamente não-figurativo na arte abstrata, mas ainda é essencialmente um grupo de pintores e escultores e não tentou realizar a síntese das artes plásticas que foi o ideal da Bauhaus e do grupo *De Stijl.* No máximo houve alguma fusão das técnicas da pintura e da escultura, fusão que fora sugerida primeiramente por algumas das “construções” em madeira, papel e outros materiais feitas por Picasso já em 1912 – invenção esta depois explorada com bons efeitos por muitos artistas. A maioria das construções desse tipo são montagens experimentais, decorativas ou surrealistas cujo objetivo é chocar; mas basta examinar a evolução de um pintor como Ben Nicholson (n. 1894) para ver como o elemento construtivo modificou o conceito do quadro pintado. Nicholson começou como pintor decorativo de grande encanto e depois sofreu várias influências "puristas", das quais a mais direta e poderosa foi de Mondrian, embora Arp também deva ser considerado. A seguir, ele desenvolveu o "relevo" que ainda é representativo de sua obra: pode tratar-se literalmente de um relevo, ou seja, uma divisão geométrica da área do quadro, não distinguida pela cor, mas sim por diferenças de nível, em geral por meio do recorte da superfície original de uma tábua. Uma sutilíssima diferença de nível entre as várias divisões da composição basta para criar a configuração abstrata, embora isso possa às vezes ser elaborado por meio de um círculo ou de outro detalhe desenhado em *crayon*.

Tais relevos são pintura ou escultura? Essa pergunta é mais difícil de responder quando passamos para obras desse artista que não são entalhadas em relevos, mas totalmente pintadas, pois vemos então que a disposição das cores – seu equilíbrio e interrelações – foi influenciada por uma concepção arquitetônica da pintura, ou seja, as cores são dispostas como em relevo. A concepção espacial da pintura foi influenciada por uma concepção escultural do espaço.

Essa não é exatamente a síntese das artes concebida por Van Doesburg, Le Corbusier ou Gropius, mas é um passo seguro nessa direção. Victor Pasmore é outro artista inglês cujo progresso ocorreu nessa mesma direção limitada porém intensa; Pasmore, ademais, trabalhou recentemente em projetos arquitetônicos que alinham sua obra com as intenções da Bauhaus de 1919-28. O ideal de síntese das artes plásticas não morreu, mas a experiência adquirida com muito esforço e desilusão em Weimar, Dessau, Harvard, Chicago e alhures mostra que as concepções vitais do artista não podem transformar imediatamente sociedades ainda apegadas a conceitos políticos e econômicos obsoletos. O artista cria sua imagem, original e universal; esta é lançada como um cristal no fermento amorfo da vida, e só de modo lento e talvez imperceptível pode comunicar sua ordem e clareza ao caos que a cerca.

Depois da Segunda Guerra Mundial as manifestações de arte abstrata em Paris continuaram crescendo. Foi criado um salão anual que recebeu o nome de *Réalités Nouvelles*, e essa organização revelava pela primeira vez a força crescente do movimento naquela cidade, onde de 1933 em diante a presença de Kandinsky e de Alberto Magnelli (n. 1888, em Florença) havia exercido influência decisiva. Os artistas associados ao salão *Réalités Nouvelles* são numerosos demais para serem citados, mas entre eles se encontram Jean Piaubert (n. 1900), Serge Poliakoff (n. 1906, em Moscou), Victor de Vasarely (n. 1908, na Hungria), Jean Deyrolle (n. 1911), Natalia Dumitresco (n. 1915, na Romênia), Alexander Istrati (n. 1915, na Romênia) e Jean Dewasne (n. 1921). De 1949 em diante o Salon de Mai voltou-se para a abstração; entre seus expositores regulares estavam Charles Lapicque (n. 1898), Geer van Velde (n. 1898), André Lanskoy (n. 1902, em Moscou), Léon Gischia (n. 1904), Maurice Estève (n. 1904), Jean Bazaine (n. 1904), Maria Elena Vieira da Silva (n. 1908, em Lisboa), Gustave Singier (n. 1909), Raoul Ubac (n. 1911), Alfred Manessier (n. 1911) e Jean-Paul Riopelle (n. 1924, em Montreal). De modo geral, os artistas do Salon de Mai representavam vários estilos abstratos, alguns dos quais tendiam a afastar-se bastante da severidade formal das composições de Kandinsky e Magnelli; começaram a fundir-se com um tipo expressionista de abstração que tinha origens distintas e metas diferentes, devendo constituir assunto para outro capítulo.

VII. ORIGENS E DESENVOLVIMENTO DE UMA ARTE DA NECESSIDADE INTERIOR. EXPRESSIONISMO ABSTRATO

Em 1912 Wilhelm Worringer publicou, novamente em Munique, um segundo livro, *Formprobleme der Gotik*[1], que foi quase tão importante para o movimento expressionista moderno quanto sua *Abstraktion Und Einfuhlung* foi para o movimento abstrato moderno. Ele deu aos alemães aquilo que havia muito eles esperavam: uma justificação estética e histórica para um tipo de arte distinta do classicismo, independente da tradição de Paris e do Mediterrâneo. O fato de os povos nórdicos terem no passado desenvolvido um tipo distinto de arte ficava evidente desde o Renascimento, e gótico era o nome que lhe fora dado, no início desdenhosamente. Não foi difícil achar uma explicação para esse estilo distinto em fatores climáticos e econômicos, mas Worringer agora lhe conferia o caráter de inevitabilidade: o estilo era o próprio homem, o homem nórdico. Insurgindo-se contra a arte serena e alegre do homem clássico há esse outro tipo de arte, agitada e terrível, "o transcendentalismo do mundo gótico da expressão". Worringer parte do princípio de que o desejo da forma em qualquer período da história humana é sempre uma expressão adequada das relações do homem com o mundo circundante, e no Norte esse mundo circundante, com toda a sua austeridade, frialdade e escuridão, sempre tendeu a induzir sentimentos de insegurança e medo. Ele examina as origens e a evolução da arte do norte da Europa e mostra, na sua intensidade linear, que ela se torna um indi-

GEORGES ROUAULT *Au salon. 1906*

FRANZ MARC *Tigres. 1912*

cador gráfico da sensibilidade predominante. A alma gótica, em todo o seu *pathos* e sua inquietude, encontra uma saída em todas as formas de arte: não só no ornamento e na arquitetura, mas até na dicção aliterativa e nos refrãos repetitivos da poesia nórdica. A condição geral do homem nórdico, segundo seu argumento, é de ansiedade *metafísica*, e, visto que lhe são negadas a serenidade e a clareza, características distintivas da arte clássica, seu único recurso é aumentar sua inquietude e confusão até o ponto em que lhe tragam estupefação e libertação[2].

A argumentação de Worringer, como já indiquei, serviria de descrição não só aos movimentos artísticos que se desenvolveriam em Munique a partir de 1912 como também, de modo geral, ao desenvolvimento do expressionismo por toda a Europa e a América em nosso século. Não seria difícil encontrar paralelos na literatura (no estilo de prosa do *Ulisses* e *Finnegans Wake* de Joyce; nas peças de Bertold Brecht e nas formas poéticas de Ezra Pound, William Carlos Williams e Boris Pasternak); e até a arquitetura contemporânea (em Frank Lloyd Wright, Le Corbusier e Luigi Nervi) ostenta a mesma atividade linear inquieta e a mesma construção refinada[3].

GEORGES ROUAULT *O palhaço. c. 1905*

Essa teoria descritiva é suficientemente ampla para incluir alguns dos movimentos cujas origens já traçamos nos capítulos anteriores. Certamente o futurismo e o surrealismo são manifestações da mesma ansiedade metafísica, e, como essas manifestações são mundiais, não é possível caracterizá-las como nórdicas ou germânicas. Na verdade, o que se poderia chamar de teoria básica do expressionismo, formulada por Kandinsky, é uma teoria de aplicação universal: diz respeito à psicologia humana em geral, e não às características de alguma raça em particular. A obra de arte, como diz Kandinsky, é a expressão exterior de uma necessidade interior; e embora Worringer insista em dizer que essa necessidade interior é gerada apenas em determinado ambiente, basta olhar por um momento para o mundo moderno e perceberemos que as fronteiras da Idade Média já não existem. A ansiedade metafísica é hoje uma condição global da humanidade.

O que resta, para distinguir um povo do outro (ou um homem do outro), é apenas o grau de consciência dessa ansiedade. Pode-se dizer que o construtivismo é uma sublimação inconsciente desse estado de espírito: é o paralelo moderno do ornamento linear gótico e da arquitetura transcendental. A mesma tendência encontra teorização nos escritos filosóficos de Wittgenstein e nas teorias estéticas de Mondrian. Mas o expressionismo é uma revelação deliberada dessa ansiedade, tão evidente no fauvismo, no cubismo, no futurismo e no surrealismo quanto nos movimentos que tiveram origem na Escandinávia e na Alemanha e que constituem o movimento expressionista em seu significado histórico mais preciso[4].

Embora a palavra expressionismo só tenha sido usada a partir de 1911, é habitual aplicá-la retrospectivamente à obra dos artistas da *Brücke* antes dessa data, e certamente agora não podemos discutir o desenvolvimento do expressionismo sem levar em conta a obra dos artistas alemães estudados no Capítulo II. A *Brücke* desapareceu em 1913, mas nesse ínterim um novo grupo estava tomando forma em Munique. Desde 1892 a arte contemporânea fora representada na capital bávara pela *Secessão*, que incluía os impressionistas alemães, em especial Slevogt e Corinth. Quando Kandinsky foi a Munique em 1896 a *Secessão* estava precisamente entrando em sua fase *Jugendstil*. Já em 1901 Kandinsky esta-

AUGUST MACKE *Paisagem com vacas e camelo. 1914*

belecera um grupo interno, a Falange, e foi nesse período que pintou um quadro romântico ao qual deu o título *Der Blaue Reiter.* A Falange durou até 1904. Kandinsky não rompeu inteiramente com a *Brücke* (expondo com o grupo em 1907) e continuou a expor com a *Secessão.* Mas em 1909, como vimos, Kandinsky estava chegando a uma concepção de arte totalmente nova, que nada tinha em comum com a tradição vigente representada pela *Secessão* nem com o realismo agressivo do grupo *Brücke*. Tornava-se necessária a formação de um novo grupo, e ele tomou inicialmente a forma de dissidência da *Secessão.* No outono de 1909 alguns artistas afastaram-se e formaram a Nova Associação de Artistas (*Neue Künstlervereinigung*). Esses artistas dissidentes tinham pouca coisa em comum, a não ser o desejo de experimentar irrestritamente: entre eles estavam Kandinsky e Jawlensky, a amiga de Jawlensky, Marianne von Werefkin, Alfred Kubin (n. 1877), Alexander Kanoldt (1881-1947), Adolf Erbslöh (1881-1947) e Karl Hofer (1878-1955). Le Fauconnier foi convidado a participar da segunda exposição (1910), e, como já vimos, isso criou um importante vínculo entre os expressionistas alemães e os cubistas franceses. Rouault também esteve representado nessa segunda exposição, bem como Picasso e Braque. O empreendimento todo, que era prático, e não ideológico, tornou-se uma concentração em Munique de todas as novas forças da arte européia. Mas essa mesma universalidade era sua fraqueza, e, como todas as organizações desse tipo, acabou inevitavelmente criando o que se poderia chamar de "aperto do júri". No outono de 1911, Kandinsky, então em estreita associação com Marc e Macke, decidiu deixar a Associação, e a rejeição de uma de suas obras pelo júri foi o sinal. Kandinsky, em companhia de Kubin, Marc e Manter, desligou-se formalmente. Marc imediatamente tomou a iniciativa de formar uma nova sociedade que realizou uma exposição concomitante à terceira exposição da Nova Associação de Artistas. Além de Kandinsky, Marc, Macke e estrangeiros convidados, como Henri Rousseau e Robert Delaunay, o grupo incluía Albert Bloch, Heinrich Campendonk, Gabriele Manter, J. B. Niestlé e Arnold Schönberg (o compositor, que também pintava na época).

O nome do novo grupo foi extraído da pintura de Kandinsky já mencionada, *Der Blaue Reiter* (O cavaleiro azul), não por razão muito significativa[5]. Kandinsky, que já tinha quarenta e cinco anos, parece ter ficado contente por passar a direção do novo grupo a seu entusiasmado discípulo, que tinha então trinta e um. Mas Macke, que era ainda mais jovem, também exercia considerável influência no novo grupo. Só resta perguntar com o que esses dois artistas mais jovens poderiam contribuir para a nova concepção de arte que já não estivesse implícito na obra de Kandinsky na época, e que já não estivesse sendo formulado no livro que ele publicaria um ano depois.

LUDWIG MEIDNER *Profeta. c. 1918*

De um ponto de vista teórico ou estético, os mais jovens talvez nada pudessem acrescentar de novo, mas em contraste com alguns dos artistas do grupo *Brücke*, que evoluíam para um "novo realismo de sabor socialista"[6], eles eram essencialmente românticos na abordagem da arte. Podiam ter uma teoria acerca do valor simbólico das cores, ou interesse pelas artes primitiva, folclórica ou infantil, mas Kandinsky também sempre estivera interessado em tais assuntos, e sua mente universal presidiria sobre todas as atividades do grupo. Também chegavam influências dos artistas franceses: Rousseau, Delaunay e Le Fauconnier somaram seu romantismo às tendências inerentes de Marc, Macke e Campendonk. Quando, em 1912, Klee se uniu ao grupo, parecia sintetizar todos os diversos elementos representados pelos outros artistas, e seria possível dizer que Klee, e não Kandinsky, era o único Cavaleiro Azul a ficar naquela corrida. Marc e Macke morreram antes de acabarem de desenvolver-se, e Campendonk nunca passou além do ideal atraente, porém essencialmente decorativo, da arte folclórica. Há afirmações de Marc que levam a crer que ele teria acompanhado Kandinsky por toda a trajetória que levaria ao expressionismo abstrato, mas quando Marc diz, por exemplo, que procura pintar "o lado espiritual interior da natureza", a ênfase está na *natureza*; ao passo que, quando Kandinsky fala de arte como expressão de uma necessidade interna, está pensando nos aspectos espirituais do *homem*. Evidentemente, é possível argumentar que homem e natureza pertencem à mesma ordem da realidade, e que o que importa em arte não é um ou outro aspecto dessa realidade, mas sim apenas o grau em que o artista apreende qualquer aspecto da totalidade. Mas o desenvolvimento particular da pintura moderna que estou tentando traçar neste capítulo diz respeito à condição espiritual do próprio homem, e a natureza só é significativa desde que transformada para expressar essa condição humana. É esse fato (ou melhor, essa tendência) que constitui a diferença fundamental entre o grupo *Blaue Reiter* e o grupo *Brücke*.

Apesar dessa diferença fundamental, alguns artistas do grupo *Brücke* foram convidados a participar da segunda Exposição *Blaue Reiter*, realizada em Munique na primavera de 1912. Essa exposição restringiu-se a obras de cunho gráfico e a aquarelas, meios difundidos entre os artistas da *Brücke*, que foram representados por cerca de cento e trinta peças de autoria de Nolde, Pechstein, Kirchner, Heckel e Mueller. Mas essa segunda exposição já não representava um estilo coerente de qualquer tipo: além dos artistas alemães havia os cubistas franceses mais importantes, vários russos (Gontcharova, Larionov e Malevich) e um novo grupo suíço (*Der moderne Bund*), que incluía Klee e Arp. A exposição foi quase uma mostra completa de todos os estilos modernos: fauvismo, cubismo, futurismo, rayonismo, suprematismo e, evidentemente, expressionismo. Ainda mais eclético – pois também continha reproduções de vitrais bávaros, arte folclórica russa, arte medieval, desenhos e xilogravuras chinesas e japonesas, máscaras africanas, escultura e tecidos pré-colombianos, desenhos infantis etc. – foi o *Blaue Reiter Almanac* que Marc e

WILLI BAUMEISTER *Duas lanternas. 1955*

Kandinsky produziram naquela mesma primavera de 1912. Num prefácio à segunda edição do *Almanac* Marc declarava: "Percorremos a arte do passado e do presente com uma espécie de varinha hidroscópica. Mostramos apenas a arte que permanece intocada pelas injunções da convenção. Nosso amor desvelado estendeu-se a todas as expressões artísticas que nasceram sozinhas, vivem por seus próprios méritos e não andam com as muletas do costume. Sempre que vimos uma fissura na crosta da convenção, chamamos a atenção para ela, porque sempre tivemos esperança numa força subterrânea que algum dia virá à tona."[7]

"Uma força subterrânea, que um dia virá à tona": *Blaue Reiter* foi a primeira tentativa coerente de mostrar que o que importa em arte – o que confere vitalidade e efeito à arte – não é nenhum princípio de composição ou nenhum ideal de perfeição, mas uma expressão direta da sensação, em que a forma corresponde ao sentimento, é tão espontânea quanto um gesto, porém tão resistente quanto uma rocha. "Criar formas significa viver. Não são mais criativas as crianças, que constroem diretamente a partir dos segredos de suas emoções, do que os imitadores da forma grega? Não são os artistas selvagens que têm sua própria forma, tão forte quanto a forma do relâmpago?"[8]

Semelhante teoria da expressão era suficientemente ampla para abranger todas as várias manifestações artísticas, inclusive no *Blaue Reiter Almanac*, e naqueles dois anos vitais, entre a primavera de 1912 e a deflagração da guerra, no outono de 1914, ocorreu uma revisão completa do conceito teórico de arte na Alemanha. Revisão que foi alimentada, evidentemente, pela Europa em geral, e uma exposição como o Primeiro Salão Alemão de Outono, realizada em Berlim em 1913, pretendia ser universal, "um balanço da arte criativa em todos os países"; provavelmente nenhuma outra exposição com tal âmbito seria de novo realizada na Europa até a Exposição dos Cinqüenta Anos de Arte Moderna na Exposição Universal e Internacional de Bruxelas, ocorrida em 1958, que teve quase exatamente as mesmas dimensões e a mesma abrangência. Certamente depõe a favor da presciência de Herwarth Walden o fato de que praticamente todos os artistas significativos para o futuro foram incluídos nesse salão de 1913: Chagall, Delaunay, Léger, Metzinger, Gleizes, Marcoussis, Picabia, Balla,

GEORGE GROSZ *Auto-retrato para Charlie Chaplin. 1919*

Carrà, Severini, Boccioni, Russolo, Gontcharova, Larionov, Kokoschka, Mondrian, Klee, Feininger, Marsden Hartley, Jawlensky, Kubin, Marc, Campendonk, Kandinsky, Macke, Arp, Max Ernst, Willi Baumeister e Archipenko. Até Rousseau foi incluído como um "precursor".

O impacto dessa exposição sobre os artistas mais jovens como Marc e Macke foi um tanto desnorteante, mas as influências que predominaram foram as teorias de Kandinsky e o "dinamismo cromático" de Delaunay, que deram impulso ao tipo de arte hoje chamado expressionismo abstrato. Mas os expressionistas mais

EGON SCHIELE *Mulher com duas crianças. 1917*

antigos, sobretudo Christian Rohlfs e Emil Nolde, em sua exploração dos valores emocionais e simbólicos da cor, também apontavam para a possibilidade de tornar a cor independente, a possibilidade de que ela possuísse em si os requisitos para a representação plástica da "necessidade interna", ou seja, das percepções não-verbais, das intuições inefáveis, dos sentimentos essenciais, de tudo o que constitui "a vida do espírito". No núcleo da decisão que estava sendo atingida na Alemanha sob a sombra sinistra da guerra mundial, a escolha parecia ser entre dois tipos de liberdade: uma liberdade de transformar o objeto real, o motivo, até

CONSTANT PERMEKE *Família de camponeses com gato. 1928*

que ele correspondesse aos sentimentos não expressos, ou uma liberdade de criar um novo objeto inteiramente desprovido de motivo, que também corresponderia a esses mesmos sentimentos não expressos. Transformação ou deformação do objeto real foi o caminho adotado pelo grupo *Brücke*, caminho em que persistiram, durante a guerra e além dela, Schmidt-Rottluff, Kirchner, Heckel, Pechstein, Mueller e Nolde; a essa tendência, embora não necessariamente com a adoção de todos os seus ideais, pertencem Egon Schiele, Oskar Kokoschka, Karl Hofer, Jawlensky, Kubin, Soutine, Rouault, Rohlfs, George Grosz, Max Beckmann,

OTTO DIX *Lens bombardeada. 1924*

os expressionistas belgas (James Ensor, Constant Permeke, Jan Sluyters, Gustave de Smet) e artistas de muitos outros países, em especial o México (Rufino Tamayo, n. 1899) e os Estados Unidos (John Marin, 1870-1953; Ben Shahn, n. 1898; Abraham Rattner, n. 1895; Jack Levine, n. 1915).

Como o artista que segue esse caminho tende a ater-se à figura humana como motivo e a transformar esse motivo cada vez mais em indicador de sentimentos elementares, a arte a que esse caminho levou recebeu o nome de *Neue Sachlichkeit*, Nova Objetividade[9]. Em alguns pontos – por exemplo, na obra de Diego Rivera (n. 1886), Edouard Pignon (n. 1905), José Clemente Orozco (1883-1949) e Renato Guttuso (n. 1912) – esse movimento vincula-se ao ideal político conhecido como Realismo Socialista[10].

O outro caminho, mais difícil, mais duvidoso, mais aventuroso, foi tomado por Kandinsky e, podemos ter certeza, teria sido

MAX BECKMANN *Königinnen II*. *1923*

tomado por Marc e Macke. A pintura de Marc de 1914, *Formas em luta*, agora no acervo Bayerische Staatsgemäldesammlungen, em Munique, já é tão abstrata quanto qualquer forma futura de expressionismo.

O próprio Kandinsky, como já expliquei, depois da experiência na Rússia, iria seguir caminho diferente, embora sempre próximo a Klee. Mas Klee e Kandinsky, durante sua experimentação, tinham antecipado todas as possibilidades futuras: todos os tipos de expressionismo abstrato que seriam desenvolvidos entre 1914 e hoje têm como protótipo algum aspecto da imensa obra desses dois mestres. Eles chegaram aos limites da consciência plástica, se é que foram dados limites a essa consciência em nossa época.

Vamos enveredar um momento pelo primeiro caminho, o que foi trilhado pelos artistas do grupo *Brücke* depois da Primeira

MAX BECKMANN *Caravana circense. 1940*

Guerra Mundial e por individualistas proeminentes como Nolde, Soutine e Kokoschka. Todos os artistas do grupo *Brücke* sobreviveram à guerra, e alguns deles, como Max Pechstein e Otto Mueller, participaram de uma tentativa de criar uma organização para lidar com os problemas urgentes da reconstrução. Esta recebeu o nome de *Novembergruppe*; abrigava uma frente ampla que compreendia arquitetos, músicos, diretores de cinema e dramaturgos, além de pintores e escultores. Dadaístas como Viking Eggeling e Hans Richter voltaram de Zurique para participar; arquitetos como Walter Gropius e Erich Mendelsohn faziam parte dela; compositores como Hindemith, Krenek e Berg e praticamente todos os tipos de artista, fossem expressionistas, cubistas, futuristas ou realistas, filiaram-se a ela na esperança de "planejar e realizar [...] um programa de longo alcance que seria levado a cabo com a cooperação de gente digna de confiança nos vários centros artísticos", programa que produziria "a mais estreita asso-

CHAIM SOUTINE *A louca. 1920*

ciação de arte e gente"[11]. Foi um período revolucionário, em política e em arte; fica evidente a motivação política nas declarações de objetivos e nas expressões de solidariedade dos artistas alemães desse período de pós-guerra. Uma crítica social amarga e cínica era expressa na obra dos dois artistas, George Grosz (n. 1893) e Otto Dix (n. 1891), em particular, mas outros, como Ludwig Meidner (n. 1884), não eram menos incisivos em termos de crítica social.

Um movimento assim tão amplo não poderia ser coerente, e não demorou muito para que os realistas começassem a distinguir-se dos super-realistas: não poderia haver unidade estética entre, digamos, Arp e Otto Dix, ou entre Max Ernst e Max Beckmann. Era uma questão de motivação: por um lado havia artistas determinados a usar seus poderes de expressão na luta social (mas não necessariamente política); por outro lado, havia os artistas determinados a usar esses mesmos poderes de expressão para explorar a natureza da realidade ou suas próprias almas inquietas. A primeira decisão levou à Nova Objetividade (*die Neue Sachlichkeit*), cujos representantes típicos são Dix, Grosz e Beckmann; a segunda, ao que se poderia chamar de Nova Subjetividade, mas que nunca foi suficientemente concentrada para ter um nome único, embora o surrealismo abranja a maioria de seus aspectos, especialmente se atribuirmos a esse termo um significado geral (e não o restringirmos ao movimento iniciado por Breton e Eluard). Poderíamos observar, ademais, que a Nova Objetividade permaneceu como movimento germânico, embora tivesse uma expansão significativa na América, especialmente depois que Max Beckmann foi para lá (em 1947), e tem representantes em todos os países. Mas devemos fazer a distinção entre objetividade ou "verismo", que é um ideal estético (freqüentemente de artistas com tendências socialistas ou humanistas), e as concepções ingênuas de "realismo" típicas dos comunistas e dos nacional-socialistas, que constituem um ilusionismo acadêmico sem valor artístico. A incapacidade dos políticos de apreciar a objetividade de artistas como Grosz e Dix levou todos, inevitavelmente, ao desencanto mútuo e à "perda de vigor".

O que desperta mais interesse, em retrospectiva, é a retenção obstinada, no caso de artistas como Jawlensky, Nolde, Kokoschka

OSKAR KOKOSCHKA *Auto-retrato com setenta anos. 1956*

e Soutine, de um motivo figurativo em conflito obviamente flagrante com suas intenções simbólicas. Alexei von Jawlensky estivera intimamente associado a Kandinsky desde o tempo em que haviam estudado juntos em Munique em 1905, e ninguém poderia ter sofrido sua influência de maneira tão contínua. No entanto, por mais que distorcesse o motivo, por mais que se afastasse de uma paleta natural, Jawlensky nunca aceitou a idéia de obra de arte autônoma, liberta de qualquer dependência em relação ao objeto. Algumas máscaras de Nolde e a pintura que ele fez depois de visitar os Mares do Sul em 1913-14 levam a distorção a limites quase abstratos. A cor assume função independente, como ocorre no *Boi abatido* de Rembrandt: transcende o objeto que dela surgiu a ponto de tornar-se uma substância alquímica, uma *materia prima* com mistério e poder próprios. Mas Nolde, também, nunca abandonaria o motivo.

O artista que, talvez mais do que qualquer outro, levou essa intensidade evocativa da cor ao seu limite sensitivo máximo não foi um expressionista alemão, mas sim um russo, Chaim Soutine, que, nascido em Smilovitch no ano de 1894, foi para Paris em 1911. Conhecia o compatriota Chagall, mas seu amigo mais íntimo era Modigliani: após a morte deste em 1920, viveu vida de recluso. Morreu em Paris em 1943, depois de uma operação malsucedida. De temperamento depressivo e até suicida, a cor tornou-se para ele o que fora para Van Gogh: extensão física de um nervosismo exacerbado. A carcaça de um boi, a carne de uma ave depenada, mesmo o traje vermelho de um menino de coro, qualquer objeto é transformado num diafragma translúcido através do qual parece circular o seu próprio sangue[12].

Georges Rouault é outro artista para quem a cor tem seu próprio poder evocativo, deliberadamente simbólico como o fora nos vitrais da Idade Média. Mas Rouault, assim como Pechstein, Kirchner, Heckel e Schmidt-Rottluff, continuou a usar a pintura para a comunicação de uma mensagem, no caso religiosa, e não social ou política. A motivação, podemos dizer, é coletiva, dirigida para uma concepção social da função da arte. Os palhaços, as prostitutas, os juízes e o Cristo de Rouault são figuras de quermesse barulhenta, de um parque de diversões percorrido pela morte e pela desolação, mas também no caso dele as cores, entre linhas pretas, brilham com uma significância essencialmente simbólica.

O artista que em sua pintura personificou um humanismo visionário e simbólico de modo mais completo e persistente do que qualquer outro de nossa época é Oskar Kokoschka, nascido em Pöchlarn sobre o Danúbio em 1886. Kokoschka recebeu educação formal na Escola de Artes e Ofícios de Viena a partir de 1904, mas ele mesmo descreveu a influência – literária e plástica – que nutriu sua sensibilidade nascente:

"Os expressionistas do século XVIII me impressionavam: o *Wozzeck* de Buchner, a *Penthesdea* de Heinrich von Kleist, as peças moralistas de Ferdinand Raimund, as obras satíricas de Nestroy. Para narrar as experiências literárias de um homem nascido no fim do século XIX na Áustria, seria preciso expor a finalidade da luta moral e social que acabava de ter início. [...] Era a herança barroca que eu assumia, ainda de modo inconsciente. E

OSKAR KOKOSCHKA *Dents du Midi. 1909*

enquanto ela se oferecia diante de meus olhos deslumbrados de menino cantor do coro das catedrais austríacas, eu via os murais de Gran, de Kremser Schmidt e do extremista sincero entre todos, Maulpertsch. Eu amava de modo especial a obra deste último, devido à fascinação de sua disposição supercubista do espaço e do volume. Suas emoções despertavam em mim algo de uma compreensão consciente dos problemas da arte da pintura. Tomando consciência pela primeira vez da quase-fealdade da realidade se comparada com a cor mágica dos ilusionistas, nascida na imaginação ilimitada do mestre, logo me dei conta da indocilidade do artista barroco austríaco em relação às convenções classicistas italianas de harmonia e fui conquistado por ela. Era meu destino compartilhar também da falta de atrativo que elas exerciam sobre meus contemporâneos, que repugnavam a 'visão' em arte, em todos os cantos da Europa."[13]

Há duas afirmações significativas nessa confissão: primeiro, uma rejeição deliberada das "convenções italianas classicistas de harmonia", que implica uma afirmação do "transcendentalismo do mundo gótico da expressão"; depois, a insistência no lugar da "visão" em arte. O que Kokoschka queria dizer com essas palavras foi esclarecido desde o início em sua obra (que incluía peças dramáticas como *Sphinx und Strohmann* e *Hoffnung der Frauen*, além de pintura, ilustrações de livros, *posters*, escultura e painéis decorativos). Numa série de retratos pintados entre 1908 e 1914 ele foi um analista impiedoso da personalidade humana; em paisagens do mesmo período recriou, mas com novo vigor impressionista, o panteísmo romântico de Caspar David Friedrich e Turner; e finalmente, numa pintura como *A tempestade* (*Die Windsbraut*, 1914, agora no Kunstmuseum, Basiléia), criou uma das grandes obras simbólicas que resumem uma era. É um retrato do artista e da mulher amada, à deriva num barco; "a mulher está descansando tranqüilamente no ombro do homem, enquanto ele se mantém alerta, com a expressão de alguém que está atento, mas é impotente. Os dois parecem estar sendo transportados enquanto os anjos e os santos das pinturas barrocas vão sendo levados pelos céus por alguma força irresistível. No mundo da pintura moderna essa representação da paixão, ao mesmo tempo concreta e simbólica, era nova: não há outra pintura que tente uma representação tão direta do destino humano". Cito aqui parte da excelente descrição desse quadro feita por Edith Hoffmann[14], sobre o qual ela também observa que "a imaginação e a realidade combinam-se tão intimamente nessa obra que qualquer tentativa de fazer uma interpretação exata malogrará inevitavelmente. Mas isso decerto demonstra que o artista, no momento de maior turbulência de sua vida pessoal, havia atingido a força artística que o capacitava a exorcizar o caos de suas próprias emoções transferindo-as para um plano geral, mais abstrato".

O que talvez seja significativo para o futuro é mais uma vez a fusão das cores (cinzentos e azuis simbólicos, com manchas de vermelho e amarelo) numa massa turbilhonante mas coerente; e, à medida que a obra de Kokoschka se desenvolve, esse processo de amálgama se intensifica até que a vida das cores passe a ser a única razão de ser da pintura. Isso talvez seja exemplificado de maneira mais óbvia em suas *natures mortes*, sobretudo as de mariscos e tartarugas, mas a *Mulher de azul*, de 1919 (p. 242), agora na Galeria Estatal de Württemberg, Stuttgart, atende mais a esse objetivo. O modelo foi uma boneca em tamanho natural que

OSKAR KOKOSCHKA. *Esboço*

Kokoschka mandara fazer no fim da guerra, numa época em que pretendia "ir para as montanhas, onde quero esconder-me, esquecer a realidade repugnante e trabalhar. E como não consigo suportar gente de carne e osso, mas freqüentemente entro em desespero quando fico sozinho, peço-lhe de novo (escrevia ele à mulher que estava fazendo a boneca) que use toda a sua imaginação, toda a sua sensibilidade na companheira fantasmagórica que está preparando para mim, e que sopre nela tanta vida que no fim, depois de terminar o corpo, não haja ponto dele que não irradie sentimento, no qual a senhora não se tenha empenhado por meio dos mais complexos artifícios para sobrepujar a matéria morta: só então todos os delicados e íntimos dons da natureza, que se exibem no corpo feminino, poderão ser-me rememorados em algum momento de desespero por algum hieróglifo simbólico ou algum sinal com que a senhora tenha secretamente dotado aquele pedaço de pano"[15].

OSKAR KOKOSCHKA
Mulher de azul. 1919

OK

Kokoschka dedicou-se com grande zelo à pintura desse objeto inanimado; diz-se que fez cerca de 160 esboços preliminares entre abril e junho de 1919[16]. O que quero demonstrar é que em seu desgosto da humanidade, resultado direto de suas experiências de guerra, ele decidiu criar uma figura ideal, desprovida de paixões e sentimentos humanos, com quem viveria numa solidão sobrenatural; mas quando passou a pintar essa boneca sem vida, a pagar seu tributo à sua imobilidade espectral, o resultado foi uma projeção cromática com uma intensidade tão vital que seria possível dizer que, embora o tema seja inanimado, a pintura tem vida. Há uma composição coerente: uma figura reclinada com o gesto sem vida de uma boneca; há o céu azul e a folhagem verde; mas estes não são representados como objetos da natureza: a natureza está na harmonia das cores, a vida está nos traços deixados pelo movimento do pincel do pintor, e uma vez mais a autonomia da obra de arte é reivindicada. O próprio Kokoschka disse: "Para o homem criativo o problema é, primeiro, identificar e definir o que obscurece o intelecto humano; depois, libertar a mente"[17]. É verdade que aqui ele está falando em contexto político, mas toda a arte de Kokoschka é criada num contexto político; a pintura moderna só é explicável nesse contexto político. Kokoschka descreveu a consciência como "um mar encrespado por visões", e o que flutua nesse mar está fora de nosso controle. Se a imagem que toma forma de repente é de uma personagem material ou imaterial, figurativa ou não, esta também está fora de nosso controle. Quem fala é a psique, e tudo o que o artista pode fazer é dar testemunho da visão que há dentro de si. Mas a própria visão é alimentada por imagens provenientes de toda a experiência humana, como uma lamparina, e a chama salta diante dos olhos do artista enquanto o óleo a alimenta. "Portanto, em tudo a imaginação é simplesmente aquilo que é natural. É natureza, visão, vida."[18]

Espero não estar extraindo das pinturas e dos escritos de Kokoschka uma justificação para a evolução ocorrida após a Segunda Guerra Mundial, evolução pela qual ele não foi responsável e que poderia não aprovar. No entanto, se afirmarmos o que Kokoschka chama de autonomia da visão, ou interpretação da consciência e da imaginação, teremos voltado à lei da necessidade interna de Kandinsky. A arte é simplesmente a realização da correspondência entre essa necessidade interna, essa visão clamante, e certos gestos, movimentos, composições das cores, tudo unificado como estrutura de duas ou três dimensões em que o verbo se faz carne e habita entre nós.

A real transição do expressionismo figurativo de pintores como Kokoschka, Soutine e Nolde para o expressionismo abstrato, que foi o estilo característico do período iniciado depois da Segunda Guerra Mundial, não possui a continuidade cronológica preconizada pela história bem organizada; contudo, os elementos estão ali – nas primeiras improvisações de Kandinsky, na transformação visionária da realidade realizada por Kokoschka, na película distendida de tinta de Soutine, nas incrustações cromáticas brilhantes de Rouault e Nolde –, como abordagem gradual de um modo de comunicação baseado inteiramente em formações autônomas de traçado e cor: símbolos tão automáticos e expressivos quanto uma assinatura.

A crença de que a *fatura* ou caligrafia do artista é uma pista essencial para se chegar à sua identidade e qualidade constituiu a

OSKAR KOKOSCHKA
Assassino, esperança das mulheres. 1910

WOLS *Composição. 1950*

MARK TOBEY *Tropicalismo. 1948*

base da crítica metódica das artes desde seus primórdios, nos anos 1870 (Morelli e Cavalcaselle). Fenellosa e outros expoentes da arte oriental mais tarde chamaram a atenção para o elevado valor estético atribuído à caligrafia na China e no Japão. A apreciação atual de artistas como Sesshu (c. 1420-1506), com sua técnica da "tinta arremessada", sem dúvida decorreu da descoberta de técnicas semelhantes pelos artistas modernistas; mas a influência total exercida pela arte oriental foi tamanha que ensejou a apreciação das qualidades abstratas em obras de arte em geral.

A prioridade da descoberta da "composição pura" por Kandinsky não está em questão, mas o fato é que Kandinsky abordou o problema como um todo de maneira muito cautelosa. Percebeu que "a emancipação da dependência em relação à natureza é apenas o começo":

"Se até agora (1910-12) a cor e a forma foram usadas como agentes internos, isso foi feito principalmente de modo subconsciente. A subordinação da composição à forma geométrica não é idéia nova (cf. a arte dos persas). A construção sobre alicerce puramente espiritual é uma coisa lenta, e, a princípio, aparentemente cega e não-metódica. O artista deve treinar não só o olho mas também a alma, para que ela possa pesar as cores em sua própria balança e assim se torne determinante na criação artística. Se começarmos de imediato a quebrar as amarras que nos ligam à natureza e a dedicar-nos puramente à combinação da cor pura e da forma independente, produziremos obras que são mera decoração geométrica, algo semelhante a uma gravata ou um tapete. A beleza da forma e da cor não é objetivo suficiente em si, apesar das asserções dos estetas puros ou mesmo dos naturalistas obcecados pela idéia de 'beleza'. É porque nossa pintura ainda está num estágio elementar que é tão pequena a nossa capacidade de ser impressionados pela composição cromática e formal inteiramente autônoma. As vibrações nervosas estão ali (como as que sentimos quando diante da arte aplicada), mas não vão além dos nervos porque as vibrações correspondentes do espírito, por elas provocadas, são fracas."[19]

Se nos cinqüenta anos seguintes essas palavras de Kandinsky tivessem sido lembradas, teria havido muito menos confusão teórica e prática. Hoje em dia somos um pouco mais tímidos no uso

YOUICHI INOUE *Desenho. 1956*

da palavra "alma" ou de expressões como "vibrações do espírito", mas não é difícil substituí-las pela terminologia da psicologia que se desenvolveu a partir de 1912 para percebermos que a idéia defendida por Kandinsky é bastante óbvia. Não é suficiente numa arte de composição pura apelar para a sensação: a obra de arte deve evocar uma resposta em nível mais profundo, o nível que agora chamamos de inconsciente; e as "vibrações do espírito" que então ocorrem são pessoais – uma vez que provocam algum tipo de integração mental – ou talvez suprapessoais – uma vez que assumem os padrões arquetípicos nos quais a humanidade projeta uma explicação do seu destino.

Implícita nessas premonições de Kandinsky está uma distinção que separaria seus primeiros experimentos com composição pura de suas abstrações ulteriores, e estas, do expressionismo abs-

JEAN PAUL RIOPELLE *Encontro. 1956*

PIERRE SOULAGES *Pintura. 1954*

trato que nos ocupa agora. Se compararmos as *Composições* de 1910-14 com a obra realizada por Kandinsky depois de voltar da Rússia em 1922, será possível perceber de início que ele havia sucumbido à "mera decoração geométrica" de cuja superficialidade tivera tanta consciência em 1910. Kandinsky sempre esteve consciente da base matemática da forma estética. "*A expressão abstrata final de toda arte é o número*", ressaltou ele em seu livro, e por essa razão, senão por outra, ele não poderia ter acabado por se render a qualquer forma de automatismo. A obra de arte deve ter uma "construção oculta"; não uma construção geométrica óbvia, mas uma construção com efeitos "calculados". Terminou seu tratado de 1912, como já mencionei, com a afirmação de que nos estávamos aproximando de "um tempo de composição *racional* e *consciente*, em que o pintor ficará orgulhoso de declarar que sua obra é *construcional*". A importância das palavras que grifei é inquestionável, e nada na obra futura de Kandinsky as contradiria.

Ainda não surgiu teórico comparável da escola oposta de abstração, embora possam ser encontradas justificações psicológicas para ela[20], e as teorias surrealistas do "automatismo" talvez tenham sido uma inspiração para o movimento. Mas aqui a distinção que se deve fazer é entre a projeção espontânea da imagística inconsciente (ou melhor, pré-consciente) e o reconhecimento, nos efeitos casuais ou nos gestos espontâneos, das formas que têm uma significação incalculada e indeterminada. Um grafologista achará significante a caligrafia de alguém e em geral dará preferência a examiná-la invertida para não ser distraído da contemplação da forma pelo seu significado literal. O expressionismo abstrato, como movimento em arte, é nada mais que extensão e elaboração desse expressionismo caligráfico, razão por que tem íntima relação com a *arte* oriental da caligrafia.

Influência direta da caligrafia oriental se vê na obra de Henri Michaux, que viajou para o Extremo Oriente em 1933[21] e a partir daí se tornou uma espécie de mestre esotérico da pintura caligráfica na Europa, e na obra de Mark Tobey (n. 1890), artista americano que visitou o Extremo Oriente em 1934, quando fez um estudo especial da caligrafia chinesa. Outro artista americano, associado a Tobey, que às vezes trabalha em estilo caligráfico (embora nunca com intenção abstrata), é Morris Graves (n. 1910). Ele também visitou o Extremo Oriente (Japão) em 1930.

HENRI MICHAUX *Desenho*

O estilo caligráfico desses artistas da Costa do Pacífico penetrou na Europa e reforçou o "orientalismo" de Michaux: a influência de Tobey em Paris foi profunda. No entanto, cabe notar que mesmo agora Tobey não é, a rigor, um expressionista abstrato: sua arte não brota espontaneamente da "necessidade interna". Ele em geral é inspirado por um motivo externo, por um efeito atmosférico da natureza ou das cidades, e embora no fim a superfície do quadro (geralmente, como em Klee, em escala miniatural) possa ter um efeito completamente não-objetivo, na origem tal arte ainda é de natureza analítica, e não expressiva de necessidade interna. Tobey disse: "Nosso solo hoje não é tanto o solo nacional ou regional, entendidos como esta terra apenas. [...] Nosso tempo é universal, e as significações de um tal tempo apontam todas para a necessidade de universalização da mente e da consciência do homem. É da percepção disso que depende nosso futuro, a não ser que queiramos mergulhar numa era de escuridão universal."[22] É um ponto de vista metafísico, mas Tobey não

ALFRED MANESSIER *Noite. 1956*

implica, como Kandinsky, que o mundo interno tem sua própria harmonia interna, sua própria necessidade, seus próprios processos de formação. Tobey fala de "universalização", enquanto o expressionismo de todos os tipos – e especialmente em seu extremo abstrato – implica um processo de individuação.

Tobey não atingiu um estágio de desenvolvimento que pudesse ser chamado de "abstrato" (mesmo nesse sentido universal) antes de 1940. Enquanto isso, em Paris, dois artistas, Jean Fautrier (n. 1897) e Wols (Alfred Otto Wolfgang Schulze, 1913-51), tinham desenvolvido, a partir de fontes bem diferentes, um tipo completamente abstrato de expressionismo. Fautrier começou experimentando com abstrações informais no começo dos anos 1920. Ambos os artistas também costumam trabalhar em escala miniatural, mas suas fontes de inspiração são muito distintas. Wols, que nasceu na Alemanha mas morou na França de 1932 até morrer, é um exemplo

JEAN BAZAINE *Maré baixa. 1955*

de artista que retorna ao que foi chamado de formas "multievocativas", ou seja, ao tipo de forma que descobrimos no microscópio, na estrutura celular dos organismos vivos, na estrutura atômica da matéria e nos cânceres[23]. Ele mesmo escreveu um poema:

"À Cassis les pierres, les poissons
les rochers vue à la loupe
le sel de la mer e le ciel
m'ont fait oublier l'importance humaine
m'ont invité à tourner le dos
au chaos de nos agissements
m'ont montré l'éternité
dans les petits vagues du port
qui se répètent
sans se répéter. [...]"

"Em Cassis as pedras, os peixes
as rochas vistas na lupa
o sal do mar e o céu
fizeram-me esquecer a importância humana
convidaram-me a dar as costas
para o caos de nossas ações
mostraram-me a eternidade
nas pequenas ondas do porto
que se repetem sem se repetir. [...]"

É o mesmo ponto de vista microscópico de Blake:

"To see a World in a Grain of Sand
And Heaven in a Wild Flower. [...]"*

* "Ver um Mundo num Grão de Areia/E o Céu numa Flor Silvestre." [N. da T.]

JACKSON POLLOCK *Retrato e um sonho. 1953*

"Il faut savoir que tout rime"*, escreveu Wols nesse mesmo poema, e sua pintura é uma demonstração dessa verdade; a significação das formas que o artista cria deriva do fato de que elas são formas que ecoam através do cosmos: a estrutura dos metais, das fibras, dos tecidos orgânicos, a configuração da difração eletrônica, as modulações de freqüência, as configurações da detonação etc. O significativo nessas formas é que elas não são necessariamente precisas ou regulares: "Quantidade e medida já não constituem a preocupação central da matemática e da ciência [...] a estrutura emerge como chave do nosso conhecimento e controle de nosso mundo: estrutura, mais que medida quantitativa e mais que relação entre causa e efeito"[24], e é essa indeterminação ou irregularidade que se reflete nas formas criadas por artistas como Wols e Fautrier.

* "Cumpre saber que tudo rima." [N. da T.]

O estilo de Fautrier leva gradualmente para a pintura gestual, ou *action painting*, expressão cunhada pelo crítico americano Harold Rosenberg. Com relação a isso, a chegada aos Estados Unidos de certos artistas franceses refugiados em 1941 parece ter sido um acontecimento importante. O próprio Breton estava lá, mas não foi a Breton nem mesmo a Yves Tanguy ou a Max Ernst, também *em cena*, que coube o papel de agente catalisador, mas ao amigo rebelde de ambos, André Masson. O próprio Masson definiu sua posição em relação ao surrealismo em seus *Entretiens avec Georges Charbonnier*[25], mas desde o começo aquele espírito nietzschiano resistira à concepção "metódica" que Breton tinha do automatismo e praticara uma escrita (ou pintura) automática de tipo hipnótico em que não havia nenhum elemento de cálculo. Já nos anos 1920 a obra de Masson se distinguia pela intensidade linear nervosa, nunca geométrica, mas orgânica, assemelhando-se, em algumas pinturas, às últimas obras de Franz Marc e às composições de Kandinsky da mesma época. Em 1940 ele desenvolvera toda uma mitologia do inconsciente, e esse foi o estilo que transportou para os Estados Unidos. Nessas obras toda a tela é um paroxismo linear, uma descarga elétrica de cores vibrantes.

Quando Masson chegou aos Estados Unidos encontrou-se em terreno propício. Marcel Duchamp estava lá desde 1915. Amédée Ozenfant fora para os Estados Unidos em 1938; Yves Tanguy, em 1939, e naquele mesmo ano Matta Echaurren, que nascera no Chile em 1911, foi para Nova York via Paris, levando consigo uma forma dinâmica de surrealismo que, em sua intensidade linear, antecipava algumas das características da *action painting*. Matta provavelmente fora influenciado por Miró, e o mesmo acontecera com Arshile Gorky, que foi para os Estados Unidos em 1920, mas não desenvolveu seu estilo característico antes do início da década de 1940. A influência de Miró é evidente sobretudo nos "móbiles" de Alexander Calder (n. 1898). Contudo, o artista americano com quem associamos, em retrospectiva, todo o conceito de *action painting*, Jackson Pollock (1912-56), foi diretamente inspirado por Masson (a influência começa antes da chegada deste aos Estados Unidos, em torno de 1938, e ainda está muito evidente em suas obras posteriores, como *Sleeping Effort* de 1953).

JACKSON POLLOCK *Guerra*. 1947

A influência de Picasso e Miró também é evidente, mas não parece ser tão importante do ponto de vista estilístico. As origens de Pollock podem ser delineadas com razoável precisão: formam-se na fase rebelde do surrealismo, mais bem representada por Masson. É possível que devam algo ao "dinamismo" mais remoto dos futuristas, mas tal influência pode ter sido transmitida de modo mais direto por intermédio de Masson e Miró.

A transição de Pollock para uma concepção mais pessoal de pintura foi bem descrita por Sam Hunter. Depois de reconhecer

ARSHILE GORKY *Agonia. 1947*

que Pollock devia seu "novo sentido radical de liberdade" aos métodos não premeditados e automáticos dos surrealistas, artistas como Ernst, Masson e Matta, que se tinham "esquivado dos formalismos mais rígidos da arte moderna [...] erigindo o apelo ao acaso e ao acidente em princípio primeiro da criação", Hunter observa que:

"Certas pinturas como *A loba* e *Pasiphaë*, de 1943, e *Totem I*, de 1944, mostram a aplicação personalíssima que Pollock deu ao instrumental surrealista. Conservou fragmentos da imagística anatômica de Picasso e as memórias distorcidas do bestiário surrealista[26], tudo num esquema de arabescos contínuos e circulantes que parecem operar automaticamente e lembrar-nos Miró ou Masson. No entanto, todas as formas de Pollock têm uma uniformidade de ênfase expressiva que decompõe suas identidades separadas e lhes subtrai muito de sua força simbólica; funcionam finalmente como puros signos plásticos. Embora Pollock e alguns

GIUSEPPE SANTOMASO *Vermelhos e amarelos do tempo da colheita.* 1957

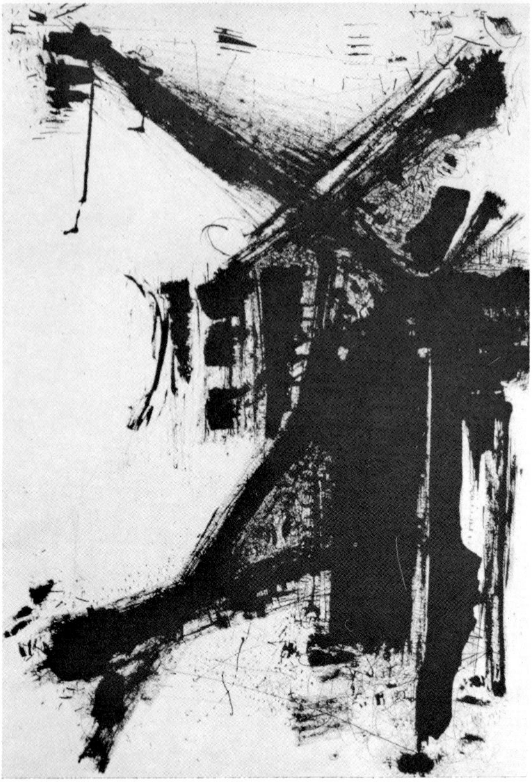

JOHN LEVEE *Desenho. 1955*

de seus contemporâneos americanos tenham sido atraídos pelo surrealismo, porque as exasperações deste e o clima de crise pareciam combinar com seus próprios sentimentos violentamente rebeldes, eles não foram conduzidos precipuamente para uma arte de fantasia ou visão quimérica, mas para uma arte de sensações pictóricas concretas imediatas. Revelaram-se materialistas sensitivos ainda quando se apropriaram dos sonhos bizarros do surrealismo em sua cruzada contra o materialismo e contra as pressões em favor do conformismo da cultura popular superficial"[27].

A chave da originalidade de Pollock encontra-se na expressão "sensações pictóricas concretas". Sensações desse tipo são, evidentemente, essenciais para qualquer obra plástica de arte, mas o objetivo de Pollock era tentar isolar essas sensações concretas, ou seja, livrá-las das imagens da memória que inevitavelmente as inserissem em qualquer modo de expressão, sobretudo em qualquer tentativa de projetar imagens oriundas do inconsciente.

FRANZ KLINE *Acento grave.* 1955

Respondendo a um questionário em 1944, Pollock disse que ficara impressionado com certos pintores europeus (cita Picasso e Miró) porque eles concebiam como fonte da arte o inconsciente. Para os surrealistas, o inconsciente fora uma fonte das metáforas simbólicas, ou seja, das imagens pictóricas que podem ser identificadas e reconhecidas, e que diferem das imagens perceptivas normais apenas em sua associação irracional. A associação de um guarda-chuva com uma máquina de costura poderia ter um significado explicável – interpretável ou analisável. Tal explicação não é função do pintor: sua única obrigação é projetar as imagens significantes. Mas tais imagens, na terminologia psicanalítica, provêm de uma camada relativamente superficial do inconsciente, daquilo que Freud chamou de pré-consciente. Existe outro tipo de imagem, que não é uma imagem pictórica associada, mas sim uma imagem referente a sensações, uma imagem com forma indeterminada e cores imprecisas, que talvez provenha de uma cama-

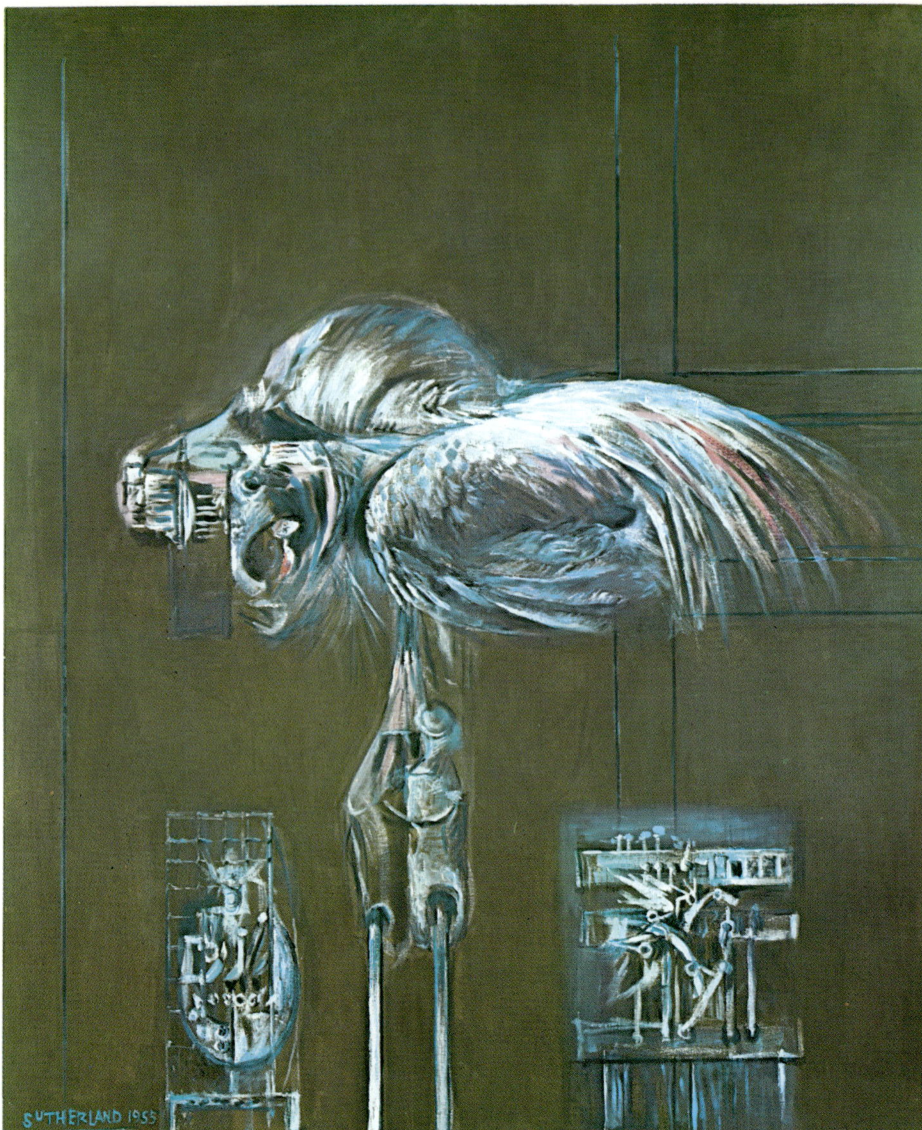

GRAHAM SUTHERLAND *La petite Afrique.* 1955

NICOLAS DE STAËL *Le Fort d'Antibes. 1955*

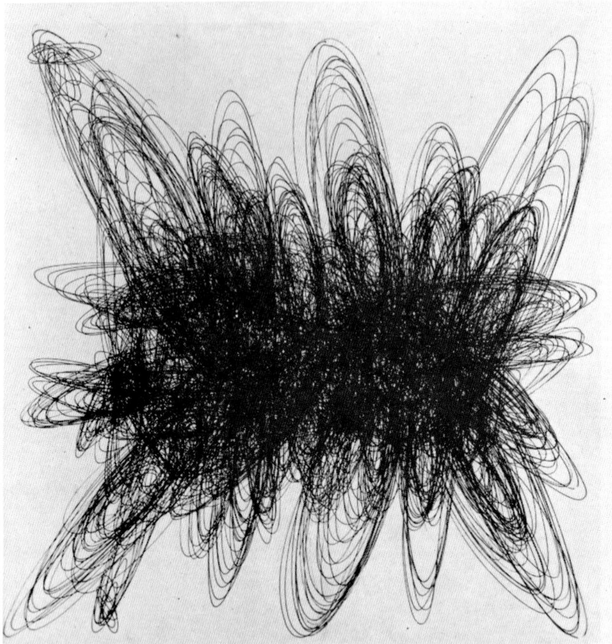

ROBERTO CRIPPA *L'Altro*. *1951*

da mais profunda do inconsciente, sem associações perceptivas imediatas com origem no mundo externo.

Antes de nos apressarmos a identificar tais imagens com o tipo de imagem que encontramos nas pinturas de Pollock, devemos parar um momento e examinar sua prática real. Seu "método" transformou-se em lenda: a tela solta no chão, o uso de paus, trolhas, facas e gotejamento de tinta, o uso eventual de areia ou vidro quebrado, todas essas artimanhas costumam ser interpretadas como meio para se chegar ao automatismo. Mas o objetivo de Pollock, como ele diz, é entrar em sua pintura, fazer parte dela andando-lhe em torno e trabalhando a partir de todas as direções, como os pintores índios de areia do Oeste americano. "Quando estou *na* minha pintura, não tenho consciência do que estou fazendo. É só depois de uma espécie de um período de 'familiarização' que vejo o que andei fazendo. Não tenho medo de fazer mu-

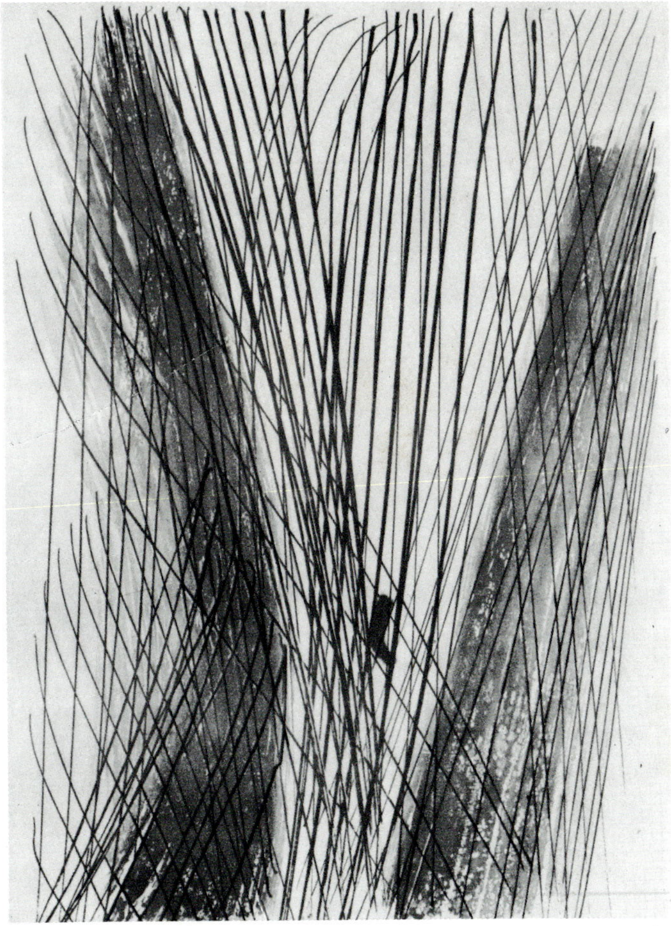

HANS HARTUNG *Composição I*

danças, de *destruir a imagem* [grifos meus, H. R.] etc., porque a pintura tem vida própria. Tento deixá-la surgir. É só quando perco contato com a pintura que o resultado é a confusão. Caso contrário, há pura harmonia, uma troca fácil, e a pintura sai boa."[28]

"A pintura sai boa": segundo que padrões? Pollock provavelmente não se fez pergunta tão aborrecida, mas ela é vital para a história da arte. Expressões como "sensações pictóricas concre-

JACKSON POLLOCK *Número cinco. 1951*

SERGE POLIAKOFF *Composição. 1949*

tas" e "a pintura tem vida própria" levam a crer que a *vitalidade* é o critério; mas Pollock também fala de "pura harmonia", de "troca fácil", expressões que lembram a "arte do equilíbrio" de Matisse, seu "calmante mental", seu "bom sofá para descansar"; em outras palavras, um critério de prazer ou *beleza.* Mas do simbolismo há não indício; ao contrário, um desejo de destruir a imagem e suas associações simbólicas.

Não devemos forçar em Pollock uma unidade de objetivo que sua pintura não justifica. Durante os vinte anos de seu desenvolvimento, ele fez muitas experiências e nunca abandonou por completo a meta expressionista. A pintura ilustrada nas pp. 256-7, *Retrato e um sonho*, de 1953, exemplifica de maneira óbvia a contínua dicotomia entre o desejo de dar expressão imediata a um sentimento e o desejo de criar uma harmonia pura, e esse é um conflito inerente em todo o desenvolvimento da arte moderna. Por um lado, uma imagem coerente, uma configuração mais ou menos precisa, com seu envoltório espacial; por outro

ANTONIO TAPIES *Pintura em amarelo. 1954*

CORNEILLE *Desenho em cor. 1955*

lado, apenas as trilhas deixadas pelos gestos do pintor, a dinâmica interna da área pintada. "De 1946 a 1951", observa Hunter no artigo já citado, "ele pintava obras inteiramente não-objetivas [não é bem verdade, como mostra nossa ilustração]. A pintura era agora concebida como uma criação intrínseca, uma obra que deveria sustentar-se por milagre, como um castelo de cartas, 'sustentar-se pela força interna de seu estilo', conforme expressão de Flaubert. Toda a emoção, por mais extravagante, traduzia-se em sensação pictórica convincente."

Pollock morreu num acidente de automóvel em 1956. Desde sua morte tornou-se uma figura simbólica, representativa de todo um movimento que conferiu à pintura norte-americana um *status* internacional de que nunca gozara antes. Mas esse movimento pode não se restringir aos Estados Unidos nem ter-se originado ali: como já dissemos várias vezes neste volume, é impossível fixar fronteiras nacionais para a pintura moderna. O próprio Pollock dizia: "a idéia de pintura norte-americana isolada, tão popular neste país durante os anos 1930, parece-me absurda tanto quanto a idéia de uma matemática ou de uma física puramente norte-americana [...] os problemas básicos da pintura contemporânea são independentes de qualquer país"[29].

Os próprios pintores norte-americanos às vezes ficam morando muito tempo na Europa, e certamente os pintores europeus sentem uma comunhão de interesses e mesmo uma continuidade de tradição com seus contemporâneos americanos. Um pintor

SAM FRANCIS *Verão n.º 1. 1957*

ERNST WILHELM NAY *Alpha.* 1957

ALAN DAVIE *Fish God Variation nº 2. 1953*

como Hans Hofmann, que foi um foco em torno do qual o movimento contemporâneo do leste dos Estados Unidos se desenvolveu, nasceu na Alemanha (em 1880) e já tinha 51 anos e estava imbuído da tradição expressionista (ou fauvista) quando foi para os Estados Unidos.

Dos mais destacados pintores norte-americanos, Willem de Kooning nasceu na Holanda (n. 1904: nos Estados Unidos desde 1926); Arshile Gorky (1904-48), na Armênia turca; Mark Rothko, na Rússia (1903-70); Jack Tworkov, na Polônia (1900). Não é possível fazer qualquer distinção significativa entre esses pintores e os que, como Adolf Gottlieb (n. 1903), Clyfford Still (n. 1904), Franz Kline (n. 1911), Philip Guston (n. 1912) e Robert Motherwell (n. 1915), poderiam afirmar ser norte-americanos.

Se voltarmos a atenção para a Europa veremos semelhante distribuição internacional: Jean Bazaine, Alfred Manessier (n. 1911),

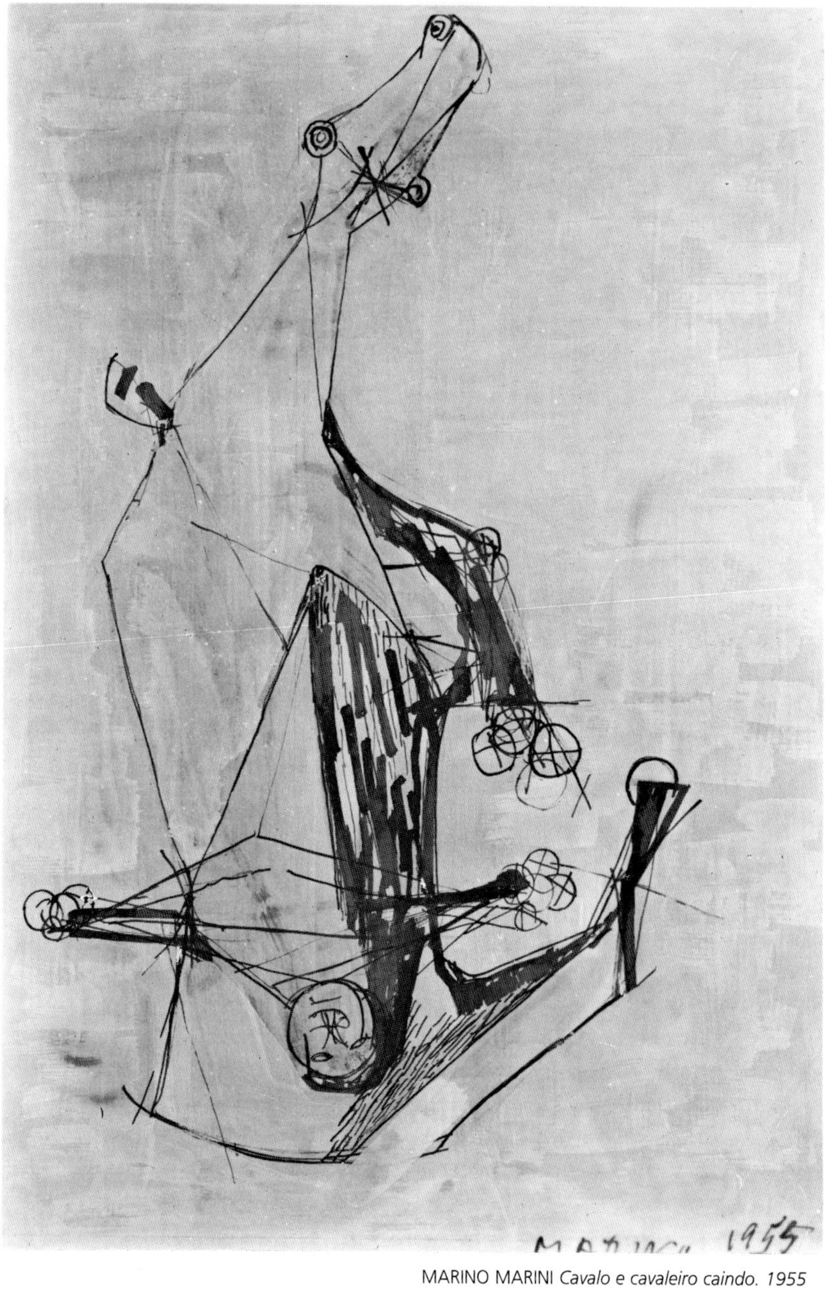

MARINO MARINI *Cavalo e cavaleiro caindo. 1955*

BEN SHAHN *Ave.* 1950

Pierre Soulages (n. 1919) e Georges Mathieu (n. 1922), todos nascidos na França; Jean Paul Riopelle, no Canadá; Asger Jorn (n. 1914) e K. R. H. Sonderborg (n. 1923), na Dinamarca; Bram van Velde (n. 1895), Geer van Velde (n. 1898) e Karel Appel (n. 1921), na Holanda; Hans Hartung (n. 1904), Emil Schumacher (n. 1912) e Josef Fassbender (n. 1903), na Alemanha; Corneille (Cornélis van Beverloo, n. 1922), na Bélgica; Alan Davie (n. 1920), na Escócia.

Há artistas que transformam o real em imagens plásticas: Giuseppe Santomaso (n. 1907), Antonio Corpora (n. 1909), Afro (Afro Basaldella; n. 1912), Emilio Vedova (n. 1919), Graham Sutherland (n. 1903), William Scott (n. 1913); e há artistas que transformam o material plástico em objeto real – escultores em sua maioria, mas também pintores, como Jean Dubuffet (n. 1901) e Alberto Burri (n. 1915), bem como os espanhóis Antonio Tapies (n. 1923) e Modesto Cuixart (n. 1924). As imagens plásticas de Dubuffet sugerem o prazer espontâneo com que uma criança manipula a tinta, ou o uso dos traços naturais dos desenhos das cavernas pré-históricas ou dos grafitos (desenhos das ruas) contemporâneos. Muito distintas dessas transformações, mas ainda dependentes de uma manipulação sensitiva da tinta, são as composições abstratas de Nicolas de Staël (1914-55), em que o motivo continua luminosamente presente. As abstrações informais

RUFINO TAMAYO *O cantor. 1950*

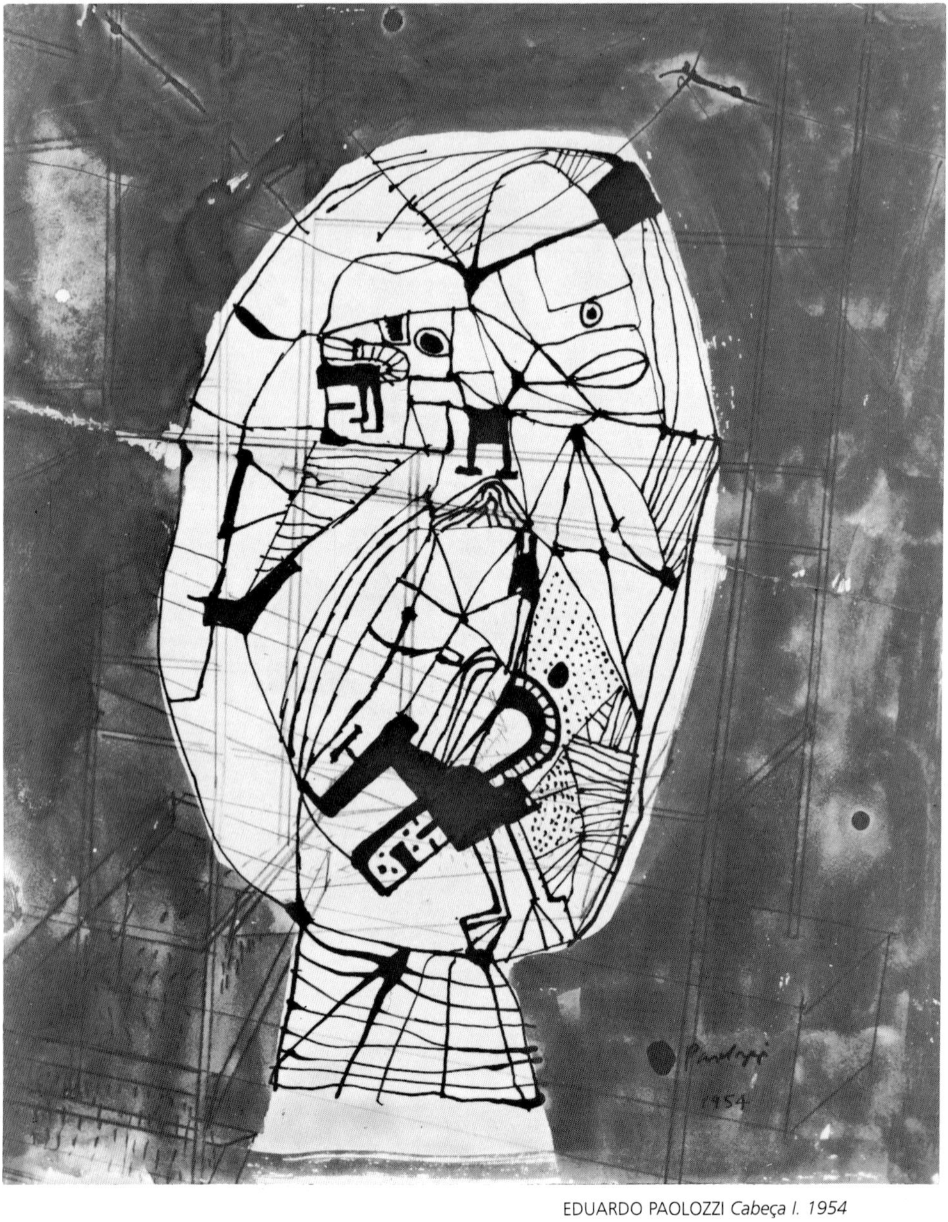

EDUARDO PAOLOZZI *Cabeça I. 1954*

STANLEY HAYTER *Água-forte. 1946*

de Sam Francis (n. 1923) parecem condensar o próprio espaço numa substância luminosa.

A tentativa de classificação de toda essa agitação tão próxima seria tarefa do crítico, e não do historiador, mas pode-se conjeturar que para o historiador futuro as semelhanças serão mais evidentes que as atuais diferenças. Há uma permuta incessante entre o real e o supra-real, entre a imagem e o conceito, e uma escala infinita de formas a dissolver-se no informal. Mas informal não deve ser confundido com informe. Só a vacuidade é informe. A distinção é entre as formas que têm significação – e só essa significação pode ser vital, mágica ou harmônica – e as formas que não são significantes. Mas ainda se pode perguntar: significante para quem?

Essa pergunta implica todo o problema da comunicação, que talvez seja o problema final enfrentado pelo artista modernista. A arte moderna é muitas vezes condenada por ser subjetiva, indi-

ASGER JORN *Carta a meu filho. 1956-57*

vidualista, solipsista. O próprio expressionismo (e no todo esse movimento é freqüentemente descrito de maneira pouco rigorosa como abstratamente expressionista) pode ser condenado como atividade que nada tem em comum com a arte, no sentido próprio desta palavra. A arte sempre foi um processo de reificação, um fazer coisas com existência independente e "mundana". "Essa mundanidade inerente do artista", observa Hannah Arendt, "não muda caso uma 'arte não-objetiva' substitua a representação das coisas; confundir essa não-objetividade com subjetividade, em que o artista se sinta exortado a 'expressar-se', a expressar seus sentimentos subjetivos, é a marca dos charlatães, não dos artistas. O artista, seja ele pintor, escultor, poeta ou músico, produz objetos mundanos, e a reificação dele nada tem em comum com a prática extremamente questionável e, de qualquer modo, totalmente inartística do expressionismo. A arte expressionista, mas não a arte abstrata, é uma contradição em termos"[30].

É um julgamento severo, mas, vindo de filósofa tão distinta, devemos dar-lhe a devida consideração. Como já vimos, o objetivo de um pintor como Jackson Pollock não é primordialmente expressionista: "a pintura tem vida própria"; existe, portanto, como uma coisa, independente dos sentimentos subjetivos do artista. Nós,

WILLEM DE KOONING *Mulher II. 1952*

WILLIAM SCOTT *Desenho. 1959*

espectadores, reagimos à sua "pura harmonia" com sentimentos apropriados, mas a pintura não "expressa" esses sentimentos, apenas os provoca, e nesse sentido é um objeto no mundo, tão impessoal quanto uma maçã ou uma montanha.

Essa é a prova pela qual devemos fazer passar a arte informal, como todos os tipos de arte. É uma prova que excluiria muitos artistas contemporâneos. A noção de padrão absoluto, ao qual todos os artistas deveriam conformar-se, perdeu-se ou foi deliberadamente posta a perder; e com ela se vai o sentido *competitivo* da habilidade profissional, privação esta que é um dos aspectos mais duvidosos de toda essa evolução. O padrão do artista passa a ser seu próprio sentido de libertação, e quaisquer valores estéticos que possam existir na obra de arte, sejam eles de beleza ou vitalidade, serão meramente incidentais, ou acidentais. Mas há sempre uma possibilidade de que o acidental seja também o arquetípico, de que o gesto espontâneo seja guiado por instintos arcaicos.

VICTOR VASARELY *100 F. 1957*

GEER VAN VELDE *Les outils naturels. 1946*

ALBERTO BURRI *Sacco 4. 1954*

PATRICK HERON
Manganês em violeta-escuro. 1967

JEAN DUBUFFET
Vache la Belle Allègre. 1954

VIII. DEPOIS DO EXPRESSIONISMO ABSTRATO

O estudo que Sir Herbert Read faz sobre a pintura moderna termina com um quadro sombrio dos valores perdidos e da autocomplacência. Escrevia numa época em que o impulso criativo do expressionismo abstrato nos Estados Unidos e o estilo informal, que lhe é paralelo, na Europa, haviam degenerado em gesto vazio. Uma geração depois esse momento pode ser visto como um divisor de águas. Estavam em desenvolvimento novos estilos e atitudes, e muitos dos artistas mais jovens que surgiram durante os anos 1960 voltaram sua atenção para a crítica da linguagem e para o conteúdo da pintura. Para alguns isso significou sair da atividade pictórica pura e simplesmente aventurar-se numa nova gama de meios que pareciam representar uma alternativa: *performances*, cinema, vídeo e uma documentação sem fim. Outros acharam que a pintura podia ser questionada e redesenvolvida a partir de dentro.

Ao mesmo tempo, estava ocorrendo uma mudança drástica no sentido visual da humanidade, com a abertura de novas dimensões não só para o artista como também para seu público. Durante a década de 1960 o mundo viu a Terra "nascer" da Lua. A supertecnologia encontrou expressão visual nas transmissões de cores ao vivo e numa grande proliferação de imagens fotográficas. Em termos de arte, os efeitos disseminavam-se amplamente. Eram sentidos de modo direto na fascinação pela tecnologia que passa pela arte cinética e vai até o uso do vídeo. Menos imediata,

EDUARDO PAOLOZZI
Evadne in Green Dimension. 1972

porém mais significativa, foi a mudança de longo prazo na percepção que o homem tem de sua relação com o mundo, do tempo e do espaço. Em termos gerais, essa foi a experiência para a qual os artistas precisavam encontrar novas formas de expressão.

Os pintores, em particular, certamente foram afetados por outra poderosa gama de influências externas que os levaram ainda mais longe das tendências intimistas da geração anterior. A arte da propaganda agressiva explodiu em cartazes, nas telas dos televisores e nas publicações. Os pintores apoderaram-se do instrumental e da imagística da arte comercial e o utilizaram para seus próprios fins. Até os artistas mais perfeitamente abstratos – os pintores "de campo de cor" – foram afetados pela escalada e pelo *glamour* dos anúncios e da tela VistaVision.

MARK ROTHKO *Duas aberturas no preto sobre vinho. 1958*

Ao mesmo tempo, o mercado da arte e a arte produzida em série firmaram-se mais claramente como parte do mundo do consumo. O potencial da arte moderna como investimento comercial e diplomacia cultural passou a ser cada vez mais explorado. Com isso, fizeram-se reputações da noite para o dia e catálogos cada vez mais polpudos, com a escalada das edições sobre arte e das atividades institucionais que competiam em âmbito internacional. Para muitos dos artistas que não queriam ser absorvidos por esse sistema inflado, Marcel Duchamp tornou-se um santo padroeiro. Sua tática de antiarte de cinqüenta anos antes representava uma seta a apontar caminhos para burlar o sistema, pelo menos durante algum tempo. Proliferaram estudos sobre a situação do objeto artístico e do papel do próprio artista. Muitos adentram os anos 1970 como parte do próprio tecido artístico.

Sobre esse pano de fundo, a pintura continuava, apesar das freqüentes declarações de seu óbito. A principal diferença era que,

MORRIS LOUIS *Idade de ouro. 1959*

assim como a escultura, já não ocupava posição tão dominante no espectro da arte. E na pintura ficaram evidentes três principais tendências.

Havia, em primeiro lugar, uma preocupação com o verdadeiro material e com a linguagem da arte em si: a pintura pela pintura. Nisso se inclui grande parte da arte norte-americana dos últimos anos: os pintores que, após Pollock, estavam preocupados com escala e valores cromáticos, de Mark Rothko (1903-73), Barnett Newman (1905-70) e Morris Louis (1912-62) a Kenneth Noland (n. 1924) e Frank Stella (n. 1936).

Em segundo lugar, havia a corrente que procurava manipular o figurativismo numa exploração que também parecia preencher o vazio entre vida e arte. Aqui, também, grande parte do ímpeto era norte-americano e muitas vezes implicava a incorporação de material de origem gráfica ou fotográfica na pintura. Suas figuras mais importantes foram Jasper Johns (n. 1930), Robert Rauschenberg (n. 1925) e Andy Warhol (n. 1930).

A terceira corrente é a que tenta transcender seu material: a pintura como idéia. Esta é mais caracteristicamente européia, e seus expoentes no começo dos anos 1960 foram Yves Klein (1928-62) e Piero Manzoni (1933-63).

Essas tendências evoluem paralelamente e às vezes se entrelaçam.

Se a técnica do *dripping* (gotejamento de tinta líquida sobre a tela) de Pollock e a ênfase na cor haviam dominado a arte da década de 1950, foi a simplicidade ousada e frontal de dois pintores um pouco mais velhos que condicionou em grande parte a pintura da década de 1960. Para Mark Rothko e Barnett Newman a pintura era essencialmente um veículo das preocupações e dos valores espirituais, expressão de fé – como na verdade fora para Pollock. Em outros termos, eram artistas românticos que visavam a cumular os sentidos com obras de uma lhaneza sublime. "A pintura", dizia Rothko, "deve ser como o milagre." Nos anos 1960, ele e Morris Louis, que morreu em 1962, passaram a ser vistos de modo geral como os sumos sacerdotes da "pintura de campo de cor", criadores da obra que efetivamente desafiou a arquitetura em termos de estabilidade grandiosa e pousada. As pinturas de Rothko, em particular, pareciam oásis de calma e ordem, onde barras e retângulos, inseridos cromaticamente na tela, pairavam num espaço subentendido ou jaziam incrustados em bases vermelho-escuras, em íntima combinação. Nas mais belas pinturas panorâmicas de Newman todo o campo visual é ocupado por uma única cor, geralmente reforçada por faixas estreitas nas margens. Seu objetivo era um acabamento denso e apurado; para ele, a pintura era "um processo consolidador e uma afirmação de liberdade [...] uma negação de princípios dogmáticos".

Em alguns aspectos Morris Louis combinou as qualidades de Rothko e Newman. Trabalhava melhor em grande escala e de maneira ostensivamente informal, deitando listras diagonais de uma extremidade a outra do quadro e deixando o centro aberto e nu, ou então lavando a tela com enormes véus de aguada suavizada, que obliteravam o colorido anterior, mais vivo.

Por algum tempo Stella, Noland, Jules Olitski (n. 1922), Larry Poons (n. 1937) e, na Inglaterra, John Hoyland (n. 1934) e John Walker (n. 1939) estenderam mais a tradição do expressionismo

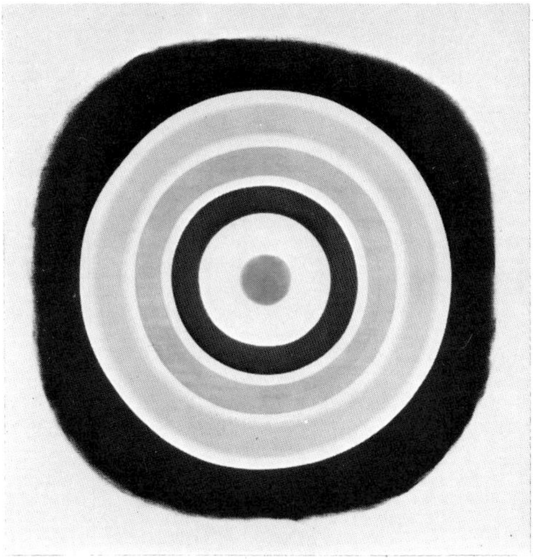

KENNETH NOLAND
Cantabile. 1962

abstrato, desenvolvendo a idéia da pintura absolutamente direta, sem carga emotiva ou conotações místicas. Esse estilo, que teve vida curta, devido à uniformidade do acabamento e à invisibilidade das marcas de pincelada, ficou conhecido como abstração pós-pictórica ou *hard edge*.

O clima foi expansivo em toda a década de 1960. À medida que se acelerava a roda-viva de modos e motivos, numa proliferação de alvos, listras, asnas e telas recortadas (*shaped canvases*), a tinta era borrifada, aplicada com rolo e por tingimento, e as telas maiores passaram a ser aceitas como norma. Olitski, Newman e Ellsworth Kelly (n. 1923) voltaram-se para a escultura em várias ocasiões, e durante certo tempo alguns escultores, em especial Anthony Caro, pintaram suas peças, criando uma forma cromática e uma intensidade híbrida que logo cansaram, porém.

Outras tentativas para acentuar o impacto da pintura, que se desenvolveram rapidamente, tiveram origem na exploração das sensações ópticas. Receberam o rótulo de "Op art". Vasarely (n. 1908), por exemplo, trabalhara nesses termos perceptivos durante muitos anos, e o Groupe de Recherche d'Art Visuel da França, do qual participavam Julio Le Parc (n. 1928) e François Morellet (n. 1926), juntamente com artistas italianos como Gianni Colombo (n. 1937) e Alberto Biasi (n. 1937), dos Grupos T e N, lançaram-se numa investigação sistemática das possibilidades nesse campo. A artista inglesa Bridget Riley (n. 1931) trabalhava mais

BARNETT NEWMAN
Quem tem medo do vermelho, do amarelo e do azul III. 1966-67

instintivamente, movendo-se do negro absoluto e do ofuscamento do branco para modulações cromáticas mais sutis.

Finalmente, os modos de sobreposição da *Op art* e da abstração pós-pictórica logo originaram ou provocaram contra-reações. Os pintores que haviam causado impressão inicial mais forte – Noland, Stella e Riley em especial – passaram a desenvolver variantes refinadas e em muitos casos edulcoradas de suas obras pioneiras. As imagens tenderam a ficar menos definidas, voltaram os detalhes criadores de "clima", bem como a pintura matérica. Stella traduziu suas telas recortadas primeiramente em relevos estofados, depois em equivalentes de madeira. A pintura em tais termos entrou em sua inevitável fase maneirista, tornando-se facilmente uma questão de gosto, uma questão de mera realização técnica, um meio de deslumbrar e iludir os olhos. Na melhor das hipóteses, porém, sobretudo quando a escala era tão grande que o espectador podia submergir nela, essa linha de pintura causava um impacto sensorial imediato.

Em oposição ao pródigo uso de material, desenvolveu-se outra tendência, um modo de pintar segundo um conjunto de procedimentos sistemáticos que se afastava da pintura adocicada em

favor de uma atividade mais cerebral. A idéia era levar a pintura até seus limites extremos, reduzindo-a ao absolutamente essencial. Não era um objetivo novo, e mais uma vez suas raízes devem ser buscadas em Duchamp e em sua máxima: "Reduzir, reduzir, reduzir."

Sintomático desse processo de redução foi o aparecimento regular de pinturas monocromáticas: cada geração moderna (a começar com Malevich) produziu sua própria marca de pinturas brancas. Embora as motivações difiram, há nisso muitas vezes um elemento de purgação purista dos excessos de outros pintores. Algumas vezes houve momentos de conciliação em que se usava o branco, mas o valor do material não era negado. Em 1951, por exemplo, Robert Rauschenberg, o mais sensorial dos pintores, produziu suas *Pinturas brancas.* Eram superfícies que funcionavam como telas sobre as quais podiam ser projetadas sombras: simples telas de fundo, em outras palavras. Ao mesmo tempo, Ad Reinhardt (1913-67), valendo-se do monocromatismo, levou a cerebralidade a limites extremos. Dirigia-se sistematicamente para o tipo de pintura que veio a chamar de suas *Ultimate Black Paintings.* Seus últimos anos foram passados na criação delas;

essas obras eram acompanhadas por frases, teorias escritas e epigramas que deveriam influenciar a geração seguinte.

Há uma corrente que continua pela década de 1970 e reaparece na chamada pintura pós-conceptual, à qual voltaremos. Mas é preciso ter em mente que essa tendência em direção ao minimalismo – cor mínima e imagem mínima – ocorria nos Estados Unidos e na Europa ao mesmo tempo, assim como ocorrera com a "pintura de campo de cor" e o figurativismo da *Pop art*. Nos Estados Unidos a fuga sistemática às interações cromáticas e as extravagâncias em termos de escala e procedimentos encontrariam expressão caracteristicamente direta na obra de Robert Ryman (n. 1930) e Sol LeWitt (n. 1928). Na Europa houve um processo paralelo de redução.

Embora os resultados visuais fossem superficialmente semelhantes, a atitude de Yves Klein (1928-62) e dos novos realistas (ver página 301) na França, de Francesco Lo Savio (1935-63) e Piero Manzoni (1933-63) na Itália, e de Peter Roehr (1944-68), Gotthard Graubner (n. 1930) e do Grupo Zero na Alemanha, tinham um cunho mais filosófico do que os dos seus pares americanos.

Para esses artistas americanos a preocupação era sobretudo com a superfície da tela e com a natureza do pigmento aplicado. Sua abordagem podia ser caracterizada como materialista, como um estudo dos fatos de uma superfície bidimensional. A linguagem da pintura, em outras palavras, podia ser reduzida até concentrar-se simplesmente nas relações entre cores e formas. Para um pintor como Frank Stella a obra de arte não precisa de mais justificações: ela simplesmente existe. "Está aí e pronto", tornou-se seu lema, e do espectador esperava-se que respondesse fisicamente, percebendo a pintura apenas com base na evidência visual do que estava ali, sem procurar qualquer outro tipo de significado.

Para os artistas europeus da mesma geração, muitos dos quais morreram tragicamente jovens, o significado continuava sendo muito importante, e a intenção era muitas vezes bem idealista. A superfície pintada ainda era em grande parte transmissora de mensagens, num grau que teria embaraçado um colega americano. Na Europa dos anos 1960 o processo de redução tinha mais em comum com o suprematismo de Malevich do que com a fac-

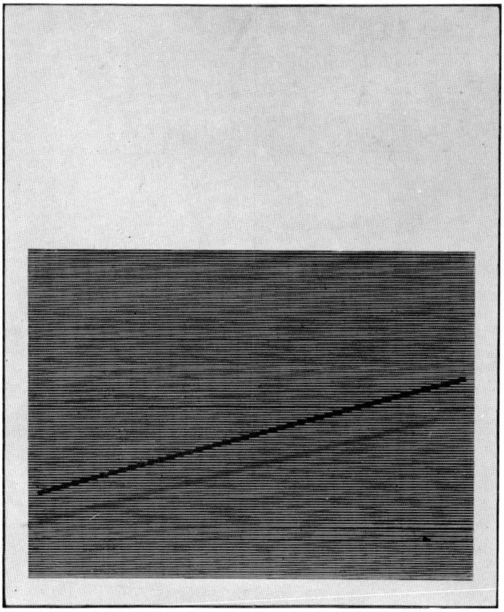

JESÚS RAFAEL SOTO
Movimento horizontal. 1963

tualidade do minimalismo americano. A superfície tinha de ser simplificada para se retirarem distrações desnecessárias à preocupação central. Em alguns casos a sensação de espaço era tão importante quanto havia sido para Malevich. Enquanto Malevich tinha um sentido intuitivo e filosófico do espaço infinito, os jovens pintores dessa geração tinham as provas suplementares dos experimentos tecnológicos no espaço. De alguma maneira suas tentativas de produzir um equivalente pictórico das sensações de infinidade e intemporalidade eram apenas uma reação à sociedade moderna tanto quanto o fora a representação da tecnologia urbana realizada pelos artistas *pop*. Mas opunham-se absolutamente tanto ao tipo de imitação da realidade externa quanto ao materialismo e ao factualismo de, digamos, Stella. Um elemento da alquimia sobrevivia na arte européia, e com ele um tipo especial de sentimento pela relação do homem com o material, as formas e as cores, e pelos significados destas. Portanto, a arte na Europa procurava uma extensão de sentido, e não uma linguagem ainda mais especializada da forma. Mas ambas essas tendências dos anos 1960, a materialista e a filosófica, influenciariam igualmente a geração seguinte.

Houve dois artistas americanos cuja obra provocou grande agitação e escândalo no fim da década de 1950: Jasper Johns e Robert

FRANK STELLA *Nova Madri. 1961*

Rauschenberg. Embora a pintura de ambos fosse mais tarde confundida com a *Pop art*, em retrospectiva pode-se ver que ela combina todas as principais tendências daqueles anos, e é por isso que a influência deles se mostrou tão penetrante. Talvez o que mais distinguisse os dois era que ambos pareciam ignorar ou desprezar as fronteiras tradicionais entre pintura e escultura. Johns atingiu o objetivo da "redução" apresentando imagens que eram verdadeiros lugares-comuns: alvos, mapas, bandeira dos Estados Unidos. Imagens que não pretendiam ser nem naturezas-mortas nem abstrações; nem tinham nada a ver com o arranjo cubista de ambas.

AD REINHARDT *Pintura negra. 1973*

Cada pintura era um registro de assimilação, digestão, ajuste. Cada uma se tornou um objeto, camuflado, embalsamado e cultuado. Schwitters, Duchamp e Pollock eram sintetizados: pois Johns era ao mesmo tempo neodadaísta, neo-realista (ver p. 308) e expressionista abstrato de segunda geração. Cada uma de suas primeiras pinturas servia de protótipo, e ele talvez se tenha tornado o artista mais influente da década. Por um lado, trabalhava num dos extremos do campo redutor sistemático e, por outro, foi um dos primeiros a antecipar uma injeção de figuração cheia de frescor e cotidianidade nos confins das belas-artes.

Mesmo antes de Johns, Robert Rauschenberg havia estudado as possibilidades da pintura redutiva, com telas principalmente brancas ou pretas. Disso passou a um jogo rico e complexo de imagens e cor que transformou suas principais obras do começo da década de 1960 em elaboradas colagens da vida. Enquanto Johns tendia a apresentar um único objeto frontal, Rauschenberg construía um elenco exuberante que combinava pinceladas gestuais e imagens em serigrafia (*silkscreen*). Essa ambigüidade estendeu-se de maneira lógica às pinturas "combinadas", em que ele também transgrediu a tradicional definição bidimensional de pintura e passou a combinar áreas planas com objetos tridimensionais provocativos: um bode empalhado, uma galinha ou uma cama desarrumada.

Em 1963 emergira o fenômeno que foi prontamente englobado e rotulado com o nome *Pop art*. Concentrava-se em Londres e Nova York e reunia os artistas que durante alguns anos haviam sido fascinados pela idéia de reprocessar a imagística popular. No começo parecia haver um elemento de premeditado escândalo na obra deles, com o objetivo de subverter os valores prevalecentes nas belas-artes e de apresentar-se como alternativa radical. No entanto, a adoção por Andy Warhol (n. c. 1928) das latas de sopa Campbell como matéria de natureza-morta e a adaptação feita por Roy Lichtenstein (n. 1923) das técnicas e situações das histórias em quadrinhos não provinham tanto do desejo de chocar quanto de uma necessidade premente de explorar o potencial formal da efêmera produção gráfica comercial. James Rosenquist (n. 1933) explorou a imagística e as técnicas da pintura de cartazes, atuando efetivamente como pintor figurativo da "pintura de campo de cor". Utilizou sua formação de pintor de letreiros em grande parte da mesma maneira como Warhol aplicou sua experiência de artista gráfico comercial. Tom Wesselmann (n. 1930) especializou-se numa maneira Matisse-kitchenette, refletindo por sua vez a formação que teve de cartunista e indo muitas vezes além da bidimensionalidade da pintura para incorporar elementos do mobiliário doméstico, desde cortinas de chuveiro até assentos de vasos sanitários.

Andy Warhol apareceu como o mais deliberadamente enigmático dos artistas *pop*. Usava fotografias de Elvis Presley, Marilyn Monroe, de uma cadeira elétrica, de flores, de notas de dois dóla-

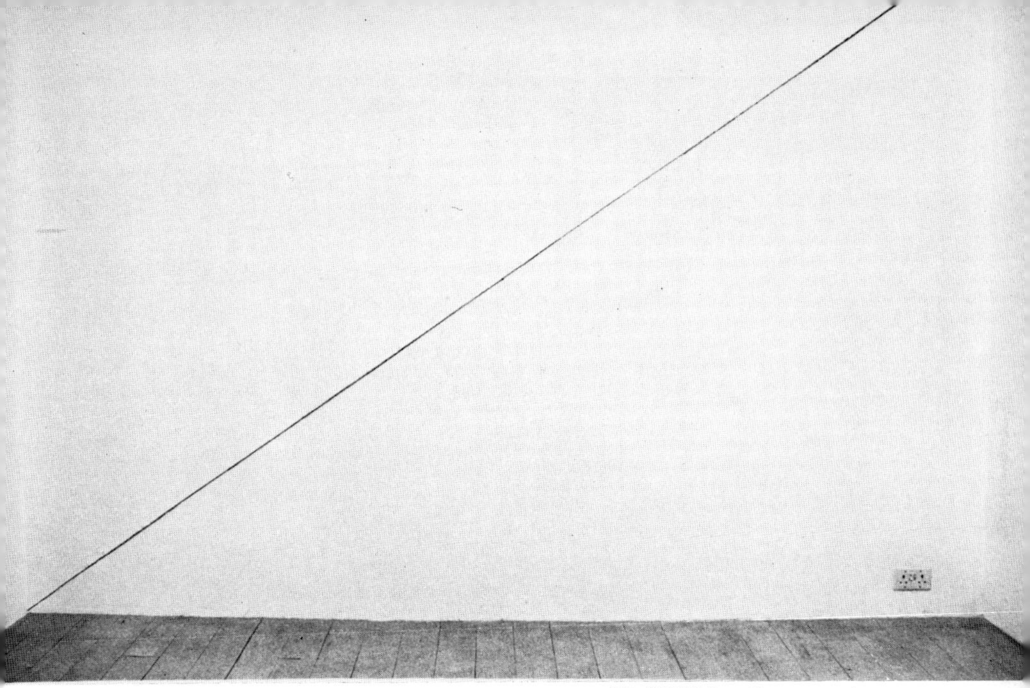

SOL LEWITT *Desenho em parede*

res, de Jackie Kennedy, de tumultos raciais, da *Mona Lisa* e de Mao Tsé-Tung, transformando-os em ícones contemporâneos. "Toda pintura é fato, e isso basta", dizia ele; "a pintura está carregada de sua pura presença." Para ressaltar sua desvinculação de qualquer conteúdo emotivo nessas imagens, ele as serigrafava na tela em séries, o que implicava que elas poderiam ser repetidas *ad infinitum.*

O *pop* inglês pode ter carecido do *glamour*, da teatralidade e do *marketing* da variedade americana, mas consta que começou antes. Sua origem pode ser buscada na década de 1940 e na paixão do escultor escocês Eduardo Paolozzi (n. 1924) pela imagística popularesca dos gibis e da ficção científica. Do mesmo modo, em 1957, Richard Hamilton (n. 1922) arrolou as qualidades da imagística *mass-media* existente (à qual deu o nome de *pop*) da seguinte maneira:

Popular (destinado às massas)
Transitório (solução de curto prazo)
Descartável (facilmente esquecido)
Barato

JASPER JOHNS *Flag above White with Collage*. 1955

ROBERT RAUSCHENBERG *Leito. 1955*

Produzido em massa
Jovem (destinado à juventude)
Espirituoso
Sexy
Cheio de truques
Glamuroso
Altos negócios

Hamilton preocupava-se sobretudo com a natureza do estilo e do *glamour*, bem como com os processos de criação e processamento da imagística do consumidor. Com aguda consciência dos precedentes históricos em arte e assumindo o papel de um Duchamp, deu ao movimento *pop* uma visão intelectual propositalmente ausente da obra da maioria dos outros artistas.

De modo geral, a imagística do *pop* na Europa tendia a ser mais ambígua, como a praticada por Oyvind Fahlström (n. 1928) na Suécia, Martial Raysse (n. 1936) na França e Peter Phillips (n. 1939) na Inglaterra. As obras de Peter Blake (n. 1932) tinham uma veia implícita de nostalgia, tanto no tratamento afetuoso dos grandes pugilistas do passado quanto nas inscrições que as acompanham. Não é de surpreender que depois ele viesse a ilustrar *Do outro lado do espelho* de Lewis Carroll. David Hockney (n. 1937) foi o artista inglês que mais se evidenciou, e em sua fase inicial, mais irreverente, tratou a imagística popular de uma maneira chistosa e grafitesca em que se mesclavam *calembours* visuais em torno das fraquezas e dos maneirismos da pintura. Seu estilo também se prestou à ilustração de livros, sobretudo dos contos de Grimm, e, mais tarde, a uma forma amena de retratística. Richard Smith (n. 1931) foi insólito entre os pintores britânicos dessa geração por ter sido um dos primeiros a optar por trabalhar em Nova York no início da década de 1960. Sua pintura refletiu essa mudança, deixando as telas recortadas da linguagem *pop* em favor da "pintura de campo de cor" em grande escala.

Em algum momento a maioria dos artistas *pop* americanos passou além da pintura e entrou no campo da *performance* como estratégia para tornar sua arte mais imediata. Rauschenberg incorporara em sua pintura elementos da vida real, representados pela inclusão de um bode empalhado ou pela apresentação de um

RICHARD HAMILTON *O que tornará os lares tão diferentes, tão atraentes, hoje em dia?* 1956

leito. Jim Dine (n. 1935) e Jasper Johns pregavam às telas suas ferramentas de ofício. Agora a ponte lançada ganhava mais uma etapa. As influências vinham de fora, de modo mais significativo a partir da amizade de Rauschenberg com o compositor John Cage e de sua crença na eficácia da "desfocagem" da mente do espectador, para torná-lo mais consciente de si mesmo e do mundo ao seu redor. Os *happenings*, eventos organizados por artistas, tornaram-se tão consagrados que uma década depois um de seus principais expoentes, Allan Kaprow, foi indicado para uma cátedra acadêmica em *happenings*, na Califórnia.

Na época, tais *performances* pareciam ser um modo de acrescentar à arte outra dimensão da realidade e talvez até mesmo impri-

TOM WESSELMANN *Grande nu americano n.º 44*. 1963

mir-lhe outra direção. Pintores como Jim Dine montaram quadros vivos elaborados: seu *Car Crash* era um corte estilizado da vida que mostrava restos de limusines estraçalhadas e de vítimas de acidentes. Claes Oldenburg (n. 1929), mestre da escultura *soft*, montou *Store Days*: uma extensão elaborada de suas paródias esculturais de bens de consumo. Ali se entremesclavam eventos teatrais e verdadeiras transações comerciais. Depois de um período de intensa atividade em formas teatrais e envolvimento dos espectadores, os pintores e escultores foram voltando gradualmente a seus respectivos campos.

O caso de Warhol era um tanto diferente, pois ele na realidade estendeu a pintura ao campo da cinematografia. Deixou de isolar em métodos serigráficos exemplos cotidianos de artistas e, pas-

ANDY WARHOL *Marilyn.* 1962

sando a apontar sua filmadora para assuntos também cotidianos – um homem adormecido, o Empire State Building, encontros fortuitos entre seus amigos –, deixava-a filmando horas a fio. Depois de demonstrar o transcorrer do tempo em sua extensão, literalmente, passou a repassar a história do cinema ao seu próprio modo. À medida que esses projetos se tornavam mais elaborados, ele ia delegando mais responsabilidades. Seu papel passou a ser cada vez mais o de um empresário neutro que cuidava de sua *Factory*: fábrica, como ele chamava.

Na Europa também, no fim dos anos 1950, os pintores começaram a sentir a necessidade de expandir as formas de atividade. Lá a ênfase continuava sendo mais filosófica do que nos Estados Unidos, e o objetivo era mais de despertar a sensibilidade do espectador para o tempo, o espaço e o material do que de envolvê-lo física ou violentamente. Havia menos ostentação e mais pensamento especulativo. Em parte, a razão disso está na revivescência do humanismo na tradição européia; um pouco desse humanismo era mais diretamente uma reação à ênfase no instinto e na fisicalidade do estilo "informal" da pintura: a versão européia do expressionismo abstrato praticada por Dubuffet, Wols e Tapies. A principal diferença era que, enquanto o expressionismo abstrato tinha, de muitos modos, prenunciado a chegada de uma arte verdadeiramente "americana", o informal marcava os últimos suspiros da Escola de Paris. O compromisso com a pintura como atividade auto-suficiente estava acabado.

Uma figura-chave na Itália era Lucio Fontana (1899-1968). Foi ele um dos primeiros artistas a ver a arte como um modo de expressar as correntes e as energias da ciência moderna por meio da descoberta de um equivalente filosófico em arte, e não da tradução da tecnologia. Suas telas talhadas, ou *Conceitos espaciais*, do começo da década de 1950 tinham a intenção de isolar a energia do gesto no momento da penetração. Não se trata de destruição, a não ser em termos de transpor as duas dimensões do quadro e entrar num espaço maior além dele; era isso o que ele queria dizer com o termo "Espacialismo". O objeto em si não era tão importante: "é a idéia que conta", dizia ele. Manifestos escritos e a formação do "Grupo Nuclear" foram partes essenciais de sua atividade. A idéia de realizar pesquisas e publicações em grupo seria a marca característica da arte européia dos anos 1960.

PETER BLAKE *Doktor K. Tortur. 1965*

Yves Klein e Piero Manzoni pertenciam à geração mais jovem de artistas que viriam a ser conhecidos pela designação não muito rigorosa de Novos Realistas. Desnecessário dizer que a arte deles nada tinha a ver com o realismo no sentido figurativo. Significava no máximo uma realidade além das aparências e do material. Os progressos de Klein na França e de Manzoni na Itália podem ser postos em paralelo, embora Klein fosse um *showman* mais exibicionista e de algum modo um artista mais tradicional.

Klein buscava uma revolução da sensibilidade do homem por intermédio da arte. Sua tática mais conhecida foi a invenção de uma cor-padrão totalmente sua: o International Klein Blue (IKB; Azul Internacional Klein), por meio da qual essa revolução deveria disseminar-se. A motivação para a sua marca de pinturas monocromáticas era a seguinte: o azul é revolucionário, o ouro é místico e alquímico. A idéia de que a arte pode ser feita com qualquer material é recorrente no século XX; Klein ampliava essa idéia pondo a tônica na atividade de *feitura* de uma obra de arte, de tal modo que a obra em si ficasse como vestígio da energia que foi posta nela. As obras de Klein tinham um valor comercial diferente segundo a intensidade de sentimentos que, segundo ele afirmava, fizera parte de sua feitura. Ou então a obra podia ser feita pela ação da chuva ou do fogo sobre a tela. As mais divulgadas dessas extensões do pincel do artista foram as *Antropometrias*, telas que traziam as marcas de corpos femininos lambuzados de tinta, produzidas segundo as instruções de Klein. Para Klein, a atividade do artista estendia-se a qualquer coisa que pudesse expressar sua convicção de que o homem pode superar suas limitações físicas, seja pela habilidade no judô, seja pela tentativa de voar.

A atitude de Manzoni era essencialmente diferente: em vez de procurar deificar o artista, ele acreditava que todos e até mesmo o próprio mundo podem ser vistos como uma obra de arte. Há dois lados para essa atividade: primeiramente, a ênfase constante na "obra"; é o lado de sua arte que se pode considerar ligado à linha redutiva em pintura. Ele produzia superfícies brancas ou *Acromas*, com materiais que se tornaram progressivamente mais humildes: tela imersa em gesso, lençóis, blocos ou bolas de algodão, miolo de pão, cascas de ovo e grãos de poliestireno. Manzoni queria libertar a superfície de todas as conotações e simbolismos: "um branco que não é uma paisagem polar, não é um material em evolução nem um material bonito, não é uma sensação nem um símbolo ou algo mais: apenas uma superfície branca que é simplesmente uma superfície branca e nada mais".

O outro lado da atividade de Manzoni influenciaria a geração seguinte de artistas preocupados com as estratégias da arte na tradição de Duchamp. Manzoni atacava as hierarquias e pretensões da arte elevando os seres humanos à posição de obras de arte. Assim como cada um é um artista, tudo o que o artista produz é arte. Por isso, a respiração, o sangue e os excrementos do artista poderiam ser acondicionados e vendidos. Mostrava-se que mapas, versos metrificados e calendários impõem limitações inteiramente

DAVID HOCKNEY *Tchibum. c. 1967*

artificiais que podem ser alteradas à vontade. A principal arma de Manzoni era o humor. Sua seriedade consistia em dizer que o homem é essencialmente livre mas que precisa ter consciência disso.

Klein e Manzoni morreram jovens. A ironia e os objetivos que fixaram foram mantidos e ampliados por outros, especialmente por intermédio das atividades anárquicas do movimento Fluxus na Europa e nos Estados Unidos, movimento que atuou no início da década de 1960. De certa forma tratava-se também de uma extensão do *happening* americano e representava um verdadeiro cadinho de nacionalidades e orientações. Entre os artistas americanos, asiáticos e europeus do Fluxus estavam o fundador, George Maciunas, Nam June Paik, Emmet Williams, Dick Higgins, Al Hansen, Charlotte Moorman, Takenhisa Kosugi, Wolf Vostell, La Monte Young e, durante algum tempo, John Cage, Yoko Ono e Joseph Beuys. Durante seu auge, de 1963 a 1965, um festival Fluxus reuniu músicos, dançarinos, pintores, poetas e escultores. O Fluxus, assim como o dadaísmo antes dele, tinha por objetivo libertar o indivíduo de toda inibição física, mental e política. As metas artísticas de Klein e Manzoni eram ampliadas e ganhavam dimensão política, sobretudo na Alemanha. Era ainda mais internacional e muito mais móvel que o dadaísmo. Assim como este, era insurgente e antiautoritário; negava que se pudessem criar barreiras artificiais entre os vários campos das artes e chegava a dizer que não deve haver distinção entre arte e vida. Dessa vez, esse refrão recorrente na arte do século XX era formulado por intermédio do desejo de John Cage de considerar a vida cotidiana como teatro. A ênfase, em outras palavras, era posta na criatividade humana latente. Era atacada a noção de áreas especializadas e reduzidas de criatividade. Esse movimento representava outra ameaça à idéia de que o artista é um tipo de ser diferente e ao confinamento da criatividade aos campos estreitos da pintura e da escultura.

Aconteceram duas coisas depois dos anos de auge do Fluxus. As metas artísticas continuaram e, com elas, continuou a crença na arte como força política, unificadora ou libertadora. De um modo coerente, essa linha vinha enfatizando, desde Duchamp, mais a atividade da arte do que o seu produto final, o objeto de arte. É esse fator que impossibilita fazer um balanço da arte contemporânea em termos de pintura ou escultura apenas, porque, de um modo geral, os artistas que optam pela pintura apenas como atividade especializada representam o grupo que rejeitou deliberadamente a estratégia e a política. Continuam com uma linguagem hermética que foi atacada por muitos de seus colegas. E cada vez mais o resultado é um tipo defensivo de formalismo que resiste ao questionamento de seu papel e sua função falando propositalmente uma linguagem que só pode remeter a si mesma.

Como parece natural, houve uma reação à intencional ruptura e ilogicidade que caracterizaram os anos do Fluxus. Por ser de

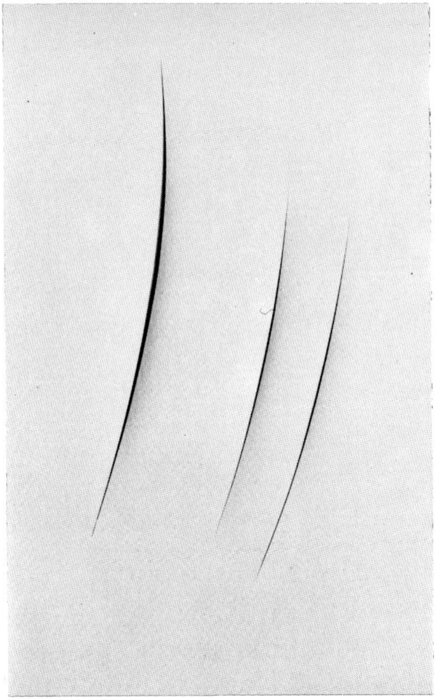

PIERO MANZONI *Acromo. 1961*

LUCIO FONTANA *Conceito espacial. 1960*

trato mais fácil, a obra produzida por essa reação foi efusivamente bem-vinda e incentivada por muitas instituições e críticos. Em pintura, especialmente, assistiu-se no fim dos anos 1960 a uma volta à ordem. Em alguns casos esse fenômeno significou uma tentativa de transformar a pintura numa análise pretensamente ideológica de sua própria linguagem e estrutura. Isso aconteceu sobretudo na França e mostrou a influência da teoria lingüística marxista, segundo a qual as mudanças na estrutura da linguagem produzem mudanças no padrão de pensamento e, portanto, na sociedade. Entre seus protagonistas estavam o grupo Supports/Surfaces. Mas, de modo mais geral, principalmente nos Estados Unidos, essa reação prenunciava um novo tipo de formalismo e um divórcio dos problemas do mundo externo à arte. No caso da arte minimalista, por exemplo, significava que o objeto de arte pode ser discutido apenas em termos de si mesmo. Isso era mais óbvio em três dimensões, como nos cubos lisos de um escultor como Donald Judd, mas a pintura também teve história e equivalentes próprios.

YVES KLEIN *Grande antropofagia – Homenagem a Tennessee Williams.* 1960

Ad Reinhardt reduzira a pintura ao *Negro extremo* (*Ultimate Black Painting*), quadrado perfeito de 1,50 m de lado: "uma pintura que é simplesmente uma pintura negra e nada mais". Assim, de certo modo a pintura era uma definição de pintura, ou de sua redução extrema. Mas a geração seguinte descobriu um meio de levar isso ainda mais longe, o que marca o começo da arte conceptual. Joseph Kosuth (n. 1945) aproveitou a deixa dada por Reinhardt e apresentou sua definição de pintura em dicionário, com 1,20 m de lado, em lugar da superfície negra.

Foram várias as orientações surgidas em torno desse processo de definição, e durante certo tempo todas elas foram classificadas conjuntamente como arte conceptual, designação que logo se tornou equivalente a texto hermeticamente complicado ou mensagens enigmáticas do artista para seu público embevecido. O termo "conceptual" indicaria que a relação existente tradicionalmente na obra de arte entre idéia e expressão fora alterada de algum modo a fim de enfatizar a idéia, e não o resultado final. Nesses termos, representa um estágio à frente de, digamos, Yves

Klein, para o qual a atividade, etapa *entre* idéia e produto final, era a parte importante do processo de feitura da arte.

Por conseguinte, a arte mais estritamente conceptual era a textual: a apresentação da teoria segundo a linha da definição de Kosuth. Aí a obra de arte ou pintura era aparentemente eclipsada em favor da discussão da arte em termos teóricos. Surpreendentemente, muitos de seus mais obstinados expoentes surgiram na Inglaterra, que, em termos de arte, costumava ser mais conhecida pela rejeição à teoria em favor do instinto. A pesquisa intelectual em arte é realizada pelo grupo Arte e Linguagem, concentrado em torno de Coventry, por Victor Burgin (n. 1941) e por John Stezaker (n. 1945); nos Estados Unidos, por Lawrence Weiner (n. 1940) e Robert Barry (n. 1936). Sua apresentação pode ser feita ao modo das revistas publicadas pela Arte e Linguagem, segundo um estilo de publicação acadêmica, ou no sistema de microfilme e fichários. Outros, como Stezaker, usam objetos como modelos didáticos, enquanto Burgin justapõe fotografias e textos para demonstrar os modos como os significados são transmitidos pelas diferentes formas, e Weiner publica frases enigmáticas com significados diversos. Com a arte conceptual foi lançada uma quantidade enorme de opúsculos, fitas gravadas e outros tipos de documentação, tudo com o intuito básico de estudar as várias maneiras de abordar a arte.

Mas surgiu um desagradável paradoxo. Muitos artistas dessa geração estavam sinceramente preocupados em transcender a função limitada da arte na sociedade moderna e, ao mesmo tempo, o formalismo ensimesmado dos minimalistas que os precederam. Para um artista como Victor Burgin parecia ridículo no contexto da vida moderna que, por exemplo, uma personalidade artística que se dizia de primeiro plano, como Robert Morris, passasse toda uma conferência discutindo a diferença entre aço laminado e aço plano. Muitos deles recorriam a outros campos de estudo a fim de ampliar a área da arte, de fazer dela algo mais que a discussão das relações entre cor e forma. Alguns procuraram, com abundantes citações e notas de rodapé, incorporar pesquisas de lingüística, filosofia e sociologia em seus textos. O resultado é uma espécie de período de noviciado em que o artista, preocupado com seu papel marginal na sociedade moderna, procura ampliá-lo, mas para isso recorre a outra linguagem especializada, baseando-se muitas vezes no código e no tipo de abstração dessa linguagem, a tal ponto que esta também tem pouco a ver com a realidade e é acessível apenas a uma pequena elite de iniciados. Se é que essa tendência tem futuro, deverá ser na descoberta de uma forma comunicável, do mesmo modo como o artista sempre teve de resolver o problema da relação entre a idéia e sua expressão.

O termo "conceptual" também foi aplicado a outras tendências correlatas ou justapostas. A documentação desempenha papel importante aí. A atividade do artista é registrada fotograficamente, e esse registro é apresentado como obra de arte. Era geral a suposição de que a arte conceptual marcava a eliminação do objeto de arte como tal, mas tratava-se de alarme falso: continuam existindo artistas e galerias como resultado da própria documentação, das notas preparatórias e dos vídeos tão abundantes no conceptualismo. Suas atividades correlatas prolongam-se na *Land art*, expansão lógica da grande escala do minimalismo nos Estados Unidos que consiste na escultura da própria paisagem, praticada durante alguns anos por Robert Morris (n. 1931), Robert Smithson (1938-73) e Dennis Oppenheim (n. 1938). Na Inglaterra, encontra-se um paralelo poético na obra romântica de Richard Long (n. 1945) e Hamish Fulton (n. 1946). Nesse caso a atividade artística é centrada na natureza. De certo modo, isso pode ser visto como uma forma contemporânea da pintura de paisagem, e sua motivação com certeza está na tradição romântica. A atividade de Long e Fulton consiste em andar, observar e fotografar a natureza, em traçar paralelos entre um tipo de forma natural e outra, ou entre as manifestações de diferentes eras ou tradições culturais primitivas. O produto final é apresentado como o equivalente fotográfico de uma pintura: intitulado, emoldurado e apreçado como tal, é também colecionado do mesmo modo.

A documentação fotográfica de fato substituiu a pintura como forma de apresentação de muitos artistas. Do mesmo modo, são realizadas *performances* que têm o intuito de lançar uma ponte entre pintura e dança ou entre pintura e música, atividades cujas origens podem ser vistas no grupo Fluxus. Mas há um tipo diferente de documentação fotográfica que não serve para registro de alguma atividade, mas é apresentada como pura obra de arte. Nessa vertente houve projetos para documentar todos os seres vivos da Terra (Douglas Huebler, n. 1924), indicar as diferenças

JAN DIBBETS *Montanha holandesa.* 1971

fisionômicas entre as raças do mundo (Claudio Costa), demonstrar as semelhanças e dessemelhanças de inúmeras minas (Bernd e Hilla Becher, ambos n. 1931), registrar as 863 municipalidades dos Países Baixos (Wim Gijzen, n. 1941) e descobrir os nomes dos proprietários de cortiços verticais de Nova York (Hans Haacke, n. 1936). Alguns desses projetos são obviamente cômicos; outros são tremendamente sérios e alguns procuram, mais uma vez, alargar as fronteiras da arte, ampliar sua gama de possíveis temas e apresentá-la numa forma modesta, barata e transportável. Aí, porém, surge mais um imprevisto na arte conceptual. Essa teria sido uma maneira ideal de difundir a idéia do múltiplo, uma maneira idealisticamente barata de reproduzir o objeto de arte em edições limitadas ou *ad infinitum* e de deixar de dar ênfase ao seu valor como objeto único para passar a vê-lo como um meio barato e reproduzível de transmitir idéias. Mas, embora abundem reproduções, muitas fotografias são vendidas por grandes somas como obras de arte únicas e tradicionais. A arte como investimento continua invicta, independentemente das mudanças de estilo.

BARRY FLANAGAN *Tela pendente.* 1973

E no começo dos anos 1970 ocorreu mais uma mudança de estilo. Foi um retorno à pintura, em parte como reação ao excesso de documentação e em parte como continuação da abordagem minimalista e do processo de definição iniciado por Ad Reinhardt. Essa tendência foi rotulada com pouco rigor como pós-conceptual; mais uma vez, representa um retorno à ordem e a um campo de atividade propositalmente pequeno. Tem expoentes em todos os países do Ocidente e caracteriza-se pela abordagem eminentemente monocromática da geração anterior. Cada um de seus expoentes desenvolveu uma forma ou uma idiossincrasia facilmente reconhecível: uma tela triangular, freqüentemente azul, no caso de Palermo (n. 1943), na Alemanha; a exploração do branco com pinceladas brancas sobre um formato quadrado no caso de Robert Ryman, nos Estados Unidos; ligeiras variantes assimétricas do quadrado e do círculo sobre superfície monocroma por Robert Mangold (n. 1923), também americano; listras delicadamente matizadas sobre material não estirado pelo italiano Giorgio Griffa (n. 1936). Muitas vezes, a pintura em si é pouco mais que uma idéia; sua execução está divorciada da noção de inspiração. Pode ser uma tarefa ou algo que possa ser repetido infindavelmente.

Para o observador não iniciado há pouco para distinguir uma pintura monocroma de outra, e não há como distinguir o que poderia representar um conceito de arte daquilo que não passa de decoração de paredes. A repetição do mesmo formato listrado, apenas com variação de cor, foi elevada a conceito, por exemplo, pelo francês Daniel Buren (n. 1938). A apresentação durante pelo menos oito anos do que é essencialmente a mesma obra de arte faz parte de sua atividade; a outra parte é a análise das instituições que exibem tal obra: parte-se do pressuposto de que é o contexto que condiciona o *status* da arte, como da maioria das coisas da atual sociedade, e não a qualidade da obra de arte em si.

Uma tentativa bem diferente de resolver o problema de "que fazer com a pintura" foi uma corrente que encontrou seguidores no fim da década de 1960. Era o hiper-realismo ou fotorrealismo, como o praticado por Chuck Close (n. 1940), Richard Estes (n. 1936) e Malcolm Morley (n. 1931), que inicialmente parecia ser simplesmente uma reação à abstração e à intelectualização em pintura. As imagens eram escolhidas da maneira mais arbitrária:

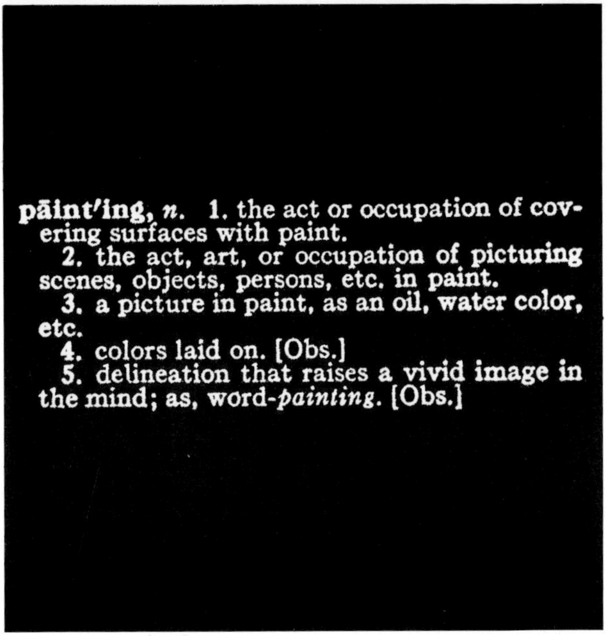

JOSEPH KOSUTH *Arte como idéia. 1966*

carros, motocicletas, fachadas de lojas e nus. As imagens de origem precisavam ser modificadas até certo ponto, mas o objetivo era essencialmente apresentar uma aparência colorida perfeita, pois os hiper-realistas dependiam exclusivamente das fotografias, enquanto seus predecessores *pop* tinham ido buscar suas imagens principalmente nos produtos gráficos comerciais. Uma vez que o quadro estivesse em andamento, o objetivo de um hiper-realista era basicamente o mesmo de qualquer outro pintor: preencher a sua superfície com uma presença "real" convincente. Assim como o *pop*, uma vez assimilada e rotulada, essa vertente tornou-se um sucesso comercial fenomenal.

Se fizermos uma retrospectiva dos últimos quinze anos perceberemos uma polaridade; a arte em seus dois extremos vai traçando um caminho tortuoso entre mudanças forçosas de estilo e inovações imediatas. Num extremo está a arte que aceita um papel essencialmente passivo e pinta o mundo como ele é. No outro está a idéia de arte como estratégia, que continua de um modo até certo ponto inevitável o processo iniciado por Duchamp, mas que corre sempre o risco de refluir. Disso emerge um estranho paradoxo. A segunda tendência, a da estratégia, pareceria à pri-

DANIEL BUREN *Foto/Souvenir, Londres.* 1972

meira vista mudar a natureza da arte, mas, num segundo momento, pode-se ver que, mesmo sem querer, ela constitui um estágio inevitável do desenvolvimento da história da arte.

Do lado mais passivo, percebe-se a função tradicional da pintura como reflexo dos tempos em que ela era pintada: imagens memoráveis como o *Leito* de Rauschenberg, um novo desenvolvimento oportuno da inversão dadaísta dos valores vigentes; *Flag above White*, de Johns, artesanato aplicado a uma imagem carinhosamente impassiva; a *Marilyn* de Warhol, com seu sorriso "à prova de beijo" e seu ar fluorescente; as superfícies azuis de-outro-mundo, criadas por Klein; as maciezas de Oldenburg a desmoronarem sobre si mesmas, sugerindo a velocidade do tempo e da decadência; as visões transbordantes, indistintas, de Rothko.

Mas as fronteiras da pintura já não são claramente definíveis, e ela já não é o único meio de obter essas memoráveis imagens visuais. No campo da arte, muitas dessas imagens provieram de registros fotográficos de atividades que estão além da tela. Algumas têm origem na intervenção do artista na paisagem, seja ela inovadora ou romântica: o *Molhe espiral* de Robert Smithson, construído no Great Salt Lake; a *Cortina sobre o vale* de Christo

CHRISTO *Cortina sobre o vale.* 1970-72

JOSEPH BEUYS *Como explicar pintura a uma lebre morta. 1965*

(n. 1935), obra de engenharia civil aplicada como arte para esticar uma enorme cortina cor de laranja de um lado a outro de um cânion; ou a *Montanha holandesa* de Jan Dibbets (n. 1921), jovial aceitação do potencial comercial de se transformar terreno plano em terreno montanhoso através da manipulação fotográfica.

Por outro lado, nesses modos de extensão artística das formas, a técnica da "estratégia" também produziu imagens que são quase símbolos: Joseph Beuys (n. 1921), com a cabeça envolta em mel, demonstrando "como explicar pintura a uma lebre morta", numa afirmação de que até uma lebre morta consegue transpor o hiato entre teoria e instinto com mais sucesso do que um ser humano alienado; ou a fila de cavalos de Jannis Kounellis (n. 1936) numa galeria de Roma, em que a vida e o vigor dos cavalos ressaltam a inércia da galeria e o que ela representava.

Por trás de todas essas tentativas de expandir o campo da arte estão os sintomas de descontentamento com seu papel tradicional, e isso é algo que, sem dúvida, não pode ser mudado simplesmente por meio de estratégias. A pintura tornou-se uma linguagem e um interesse extremamente restrito, uma atividade especializada numa sociedade rigidamente dividida em campos especializados, resultado do pensamento positivista e materialista.

Aceitar tal divisão é apoiar a idéia de que apenas certos seres eleitos são criativos. Manzoni reconheceu essa armadilha quando pôs o próprio mundo num pedestal em 1961. A arte tinha de ser tudo. As mudanças dos meios e as trocas de estilo ou estratégia em si nada significam. A arte brota do impulso criativo do homem. Manzoni também ressaltava que o homem não é apenas um ser materialista, como a sociedade consumista moderna levaria a crer. O homem e sua criatividade têm um lado que é do espírito e da inspiração. "Ninguém decola só correndo e pulando", disse ele uma vez. "É preciso ter asas."

Mas essa afirmação é um ato de fé, e não um plano de ação. Se as mudanças de estilo levam a becos sem saída e se as estraté-

RITA DONAGH *Quatro semanas em maio (Kent State). 1972*

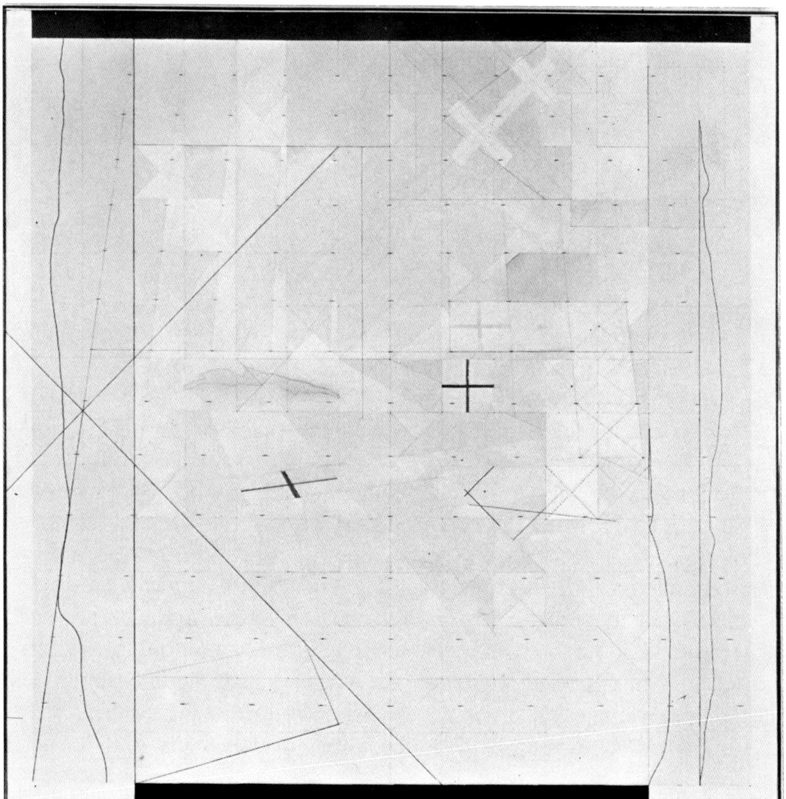

ROBERT RYMAN *Sem título. 1971*

gias refluem, isso significa que todo o modelo tradicionalmente aceito como arte precisa ser repensado. O velho modelo é o que se tornou inevitável graças ao acontecimento que fundou a moderna sociedade ocidental como a conhecemos hoje, segmentada em campos separados de atividade: a Revolução Francesa.

A ordem burguesa criou o sistema acadêmico que divorciaria os campos da vida, separando a análise científica da especulação filosófica, a tecnologia da ciência, e a ciência da arte. O resultado é a moderna alienação do homem, sua incapacidade de relacionar espírito e matéria ou de compreender a totalidade de seu mundo. Nesse mundo dividido, a arte ainda permanece como atividade sem fronteiras predeterminadas. Quando essa síntese aberta é aceita de modo negativo, leva aos becos sem saída e à trivialidade que caracterizaram grande parte da arte recente. Tomada como desafio, poderia forjar um conceito novo e mais amplo de arte como atividade interdisciplinar, a unir campos de conhecimento e a interligar as polaridades do homem: intuição e intelecto; caos e ordem.

PINACOTECA DA PINTURA MODERNA

A relação que segue não é exaustiva; nem poderia ser, num volume deste porte. Seu intuito é servir de apêndice ao texto e às ilustrações já aqui apresentadas. As reproduções estão em ordem cronológica.

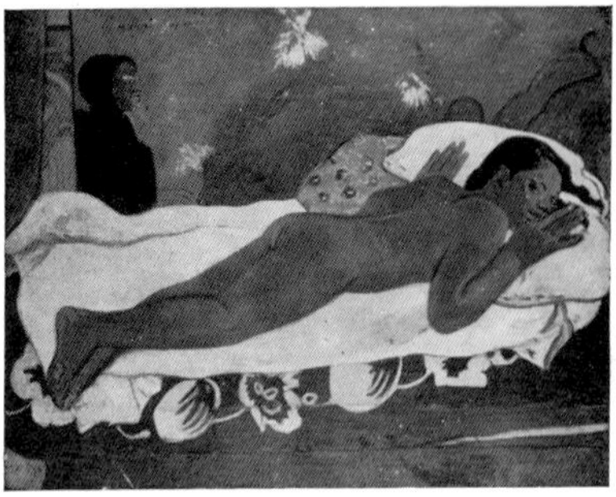

1 Paul Gauguin
Manao Tupapau – O espírito da morte espreita. 1892

2 Raoul Dufy *Ste-Adresse. 1906*

3 Albert Marquet *The Pont Neuf. 1906*

4 André Derain *Natureza-morta. c. 1907*

5 Georges Rouault *Tia Sallies. 1907*

6 Henri Matisse *Nu azul. 1907*

7 Paula Modersohn-Becker
Auto-retrato. 1907

8 Kees van Dongen
Mulher com chapéu. 1892

9 Wassily Kandinsky
Paisagem com torre. 1908

10 Pablo Picasso
Nu em floresta. 1908

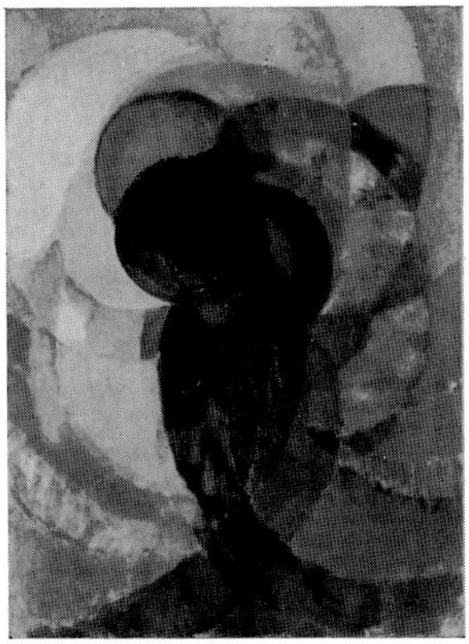

11 František Kupka
Primeiro passo. 1909

12 Oskar Kokoschka
Retrato de Madame Franzos. 1909

13 Maurice de Vlaminck
Natureza-morta com cerâmica branca. 1909

14 Erich Heckel *Fasanenschlösschen. 1910*

15 Robert Delaunay
La Tour Eiffel. 1910

16 Georges Braque
O violinista. 1911

17 Albert Gleizes *A cozinha. 1911*

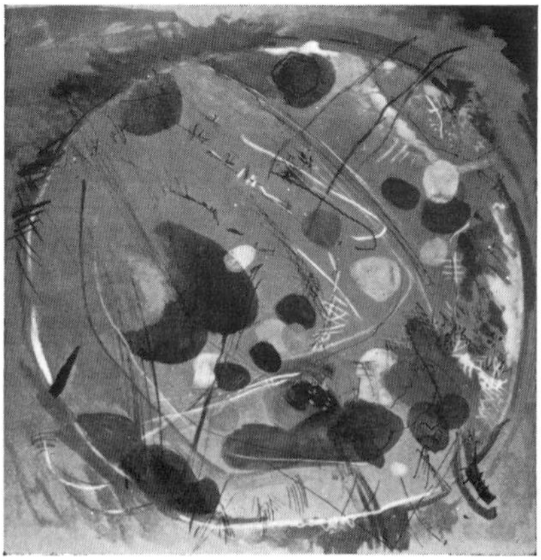

18 Wassily Kandinsky *Circunscrito. 1911*

19 André Lhote *Nu: flautista. 1911*

20 Max Pechstein *Sob as árvores. 1911*

21 Luigi Russolo *Casas e luz. 1912*

22 Michael Łarionov *Composição rayonista. 1911*

23 Roger de la Fresnaye *Emblems. c. 1912*

24 Henri Le Fauconnier
O caçador. 1912

25 Giacomo Balla
Automóvel e barulho. 1912

26 Alexei von Jawlensky
Menina espanhola. 1912

27 Nathalie Gontcharova
A lavanderia. 1912

28 August Macke
Vitrina. 1912

29 Kasimir Malevich
Mulher com baldes de água. 1912

30 Piet Mondrian
Natureza-morta com panela de gengibre II. 1912

31 Piet Mondrian *Árvores em flor. 1912*

32 Piet Mondrian
Natureza-morta com panela de gengibre I. 1912

33 Morgan Russell
Sincronia n.º 2 para luz.1912

34 Jean Metzinger
Dançarina no café. 1912

35 Karl Schmidt-Rottluff
Mulher com braceletes. 1912

36 Jacques Villon *Menina. 1912*

37 Gino Severini
Expansão esférica de luz. 1913

38 Umberto Boccioni
Dinamismo de ciclista. 1913

39 Antoine Pevsner
Formas abstratas. 1923

40 Alfred Reth
Canto do estúdio. 1913

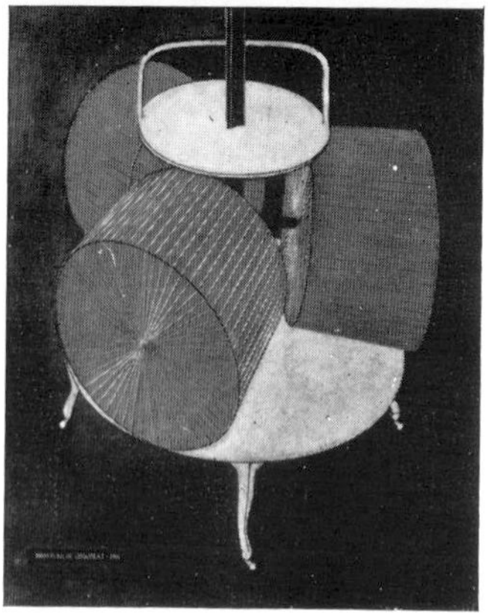

41 Marcel Duchamp
Moedor de chocolate n.º 2. 1914

42 Enrico Prampolini
Linhas de força no espaço. 1914

43 Franz Marc
Formas em luta. 1914

44 Paul Klee *Domos vermelhos e brancos. 1914*

45 Paul Klee *Homenagem a Picasso. 1914*

46 Piet Mondrian *O mar. 1914*

47 Sonia Delaunay-Terk *Feira portuguesa. 1915*

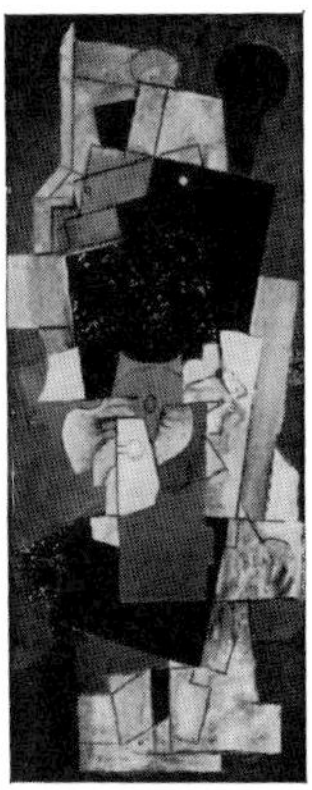

48 Pablo Picasso
Mulher com guitarra. 1915

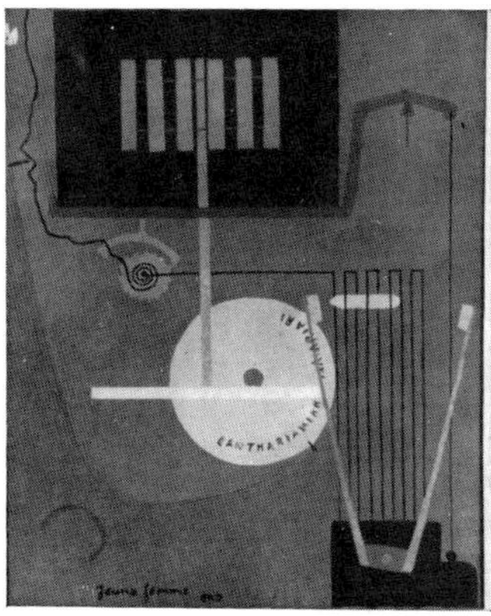

49 Georges Ribemont-Dessaignes
Jovem mulher. c. 1915

50 Giorgio de Chirico
Regret. 1916

51 Carlo Carrà
Composição com T.A. 1916

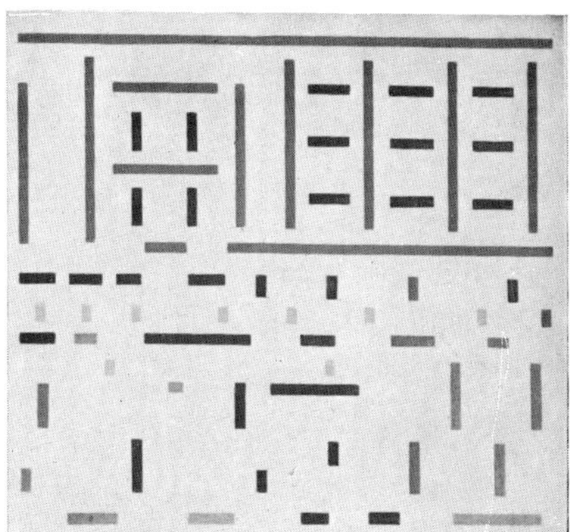

52 Bart van der Leck
Composição geométrica. 1917

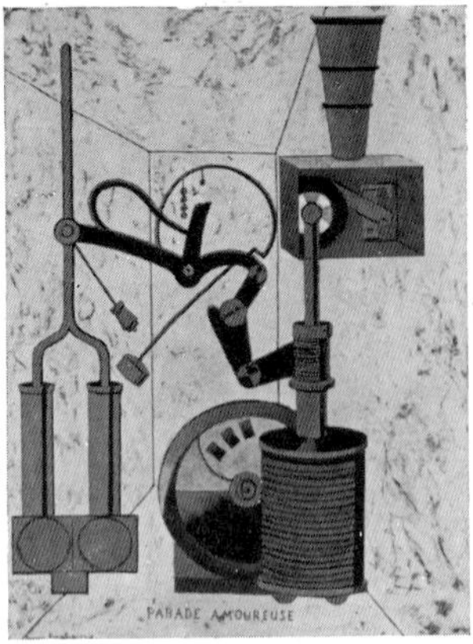

53 Francis Picabia
Parade amoureuse. 1917

54 Max Weber
Os dois músicos. 1917

55 George Grosz
Metrópole. 1917

56 Jan Sluyters
Os camponeses de Staphorst. 1917

57 Stanton Macdonald Wright
Sincronia. 1917

58 Alexander Rodchenko
Composição. 1918.

59 Giorgio Morandi
Natureza-morta metafísica. 1918

60 Henri Hayden
Natureza-morta com violão, garrafa e fruta. 1919

61 Juan Gris
Arlequim com guitarra. 1919

62 Amedeo Modigliani
Retrato de estudante

63 Georges Valmier
Figure. 1919

64 Paul Klee *Villa R. 1919*

65 Amédée Ozenfant *Natureza-morta. 1920*

66 Otto Mueller
Auto-retrato com nu. 1920

67 Louis Marcoussis
O freqüentador. 1920

68 Heinrich Campendonk
Ouvindo. 1920

69 Joan Miró
Luva e jornal. 1921

70 El Lissitzky
Composição. 1921

71 Constant Permeke *O noivo. 1923*

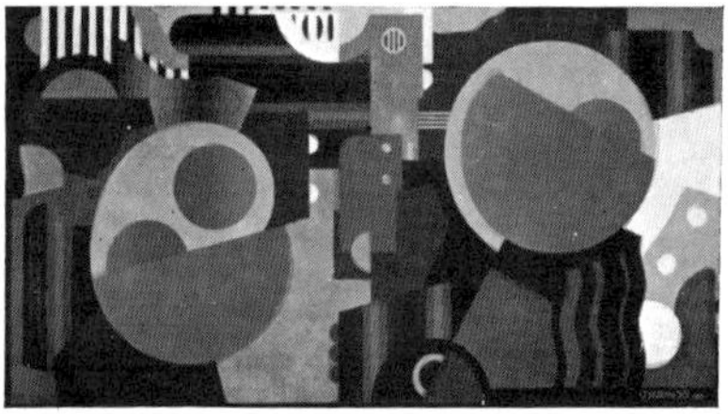

72 Victor Servranckx *Opus 47. 1923*

73 Pablo Picasso
Bandolim e violão. 1924

74 Kurt Schwitters
Merz 1003 – Rabo de pavão. 1924

75 Laszlo Moholy-Nagy *A II. 1924*

76 Otto Dix *Frau Lange. 1925*

77 Willi Baumeister
Homem e máquinas. 1925

78 Lyonel Feininger *Village. 1927*

79 Max Ernst *A noiva dos ventos. 1927*

80 Piet Mondrian
Composição num quadrado. 1929

81 Pablo Picasso
Monumento: cabeça de mulher. 1929

82 René Magritte *A Anunciação. 1929*

83 Paul Klee *Calma ousadia. 1930*

84 Wassily Kandinsky
Estrutura angular. 1930

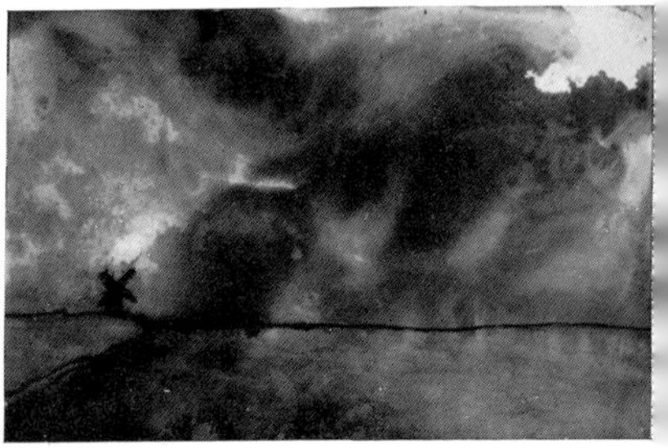

85 Emil Nolde *Paisagem. 1931*

86 Joaquín Torres García
Composição simétrica. 1931

87 Oskar Schlemmer
Escadaria da Bauhaus. 1932

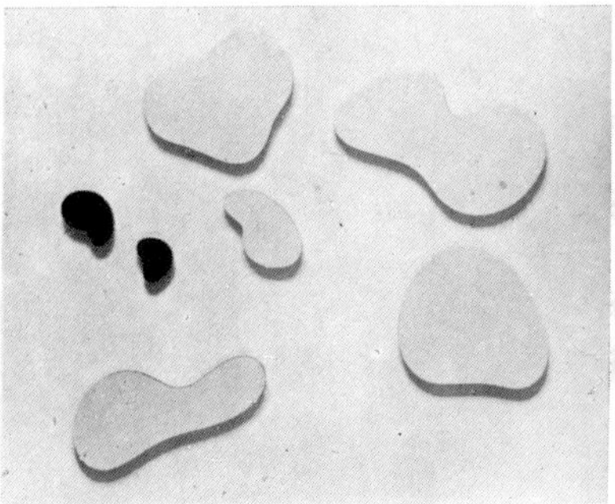

88 Hans Arp *Constelação. 1932*

89 Wyndham Lewis *Atores romanos. 1934*

90 Max Beckmann *Homem com peixe. c. 1934*

91 Jean Helion *Pintura. 1935*

92 Arthur Dove *Nascimento da lua cheia. 1937*

93 Edward Wadsworth
Perspectiva da ociosidade. 1936

94 Jack Levine
Festim da razão pura. 1937

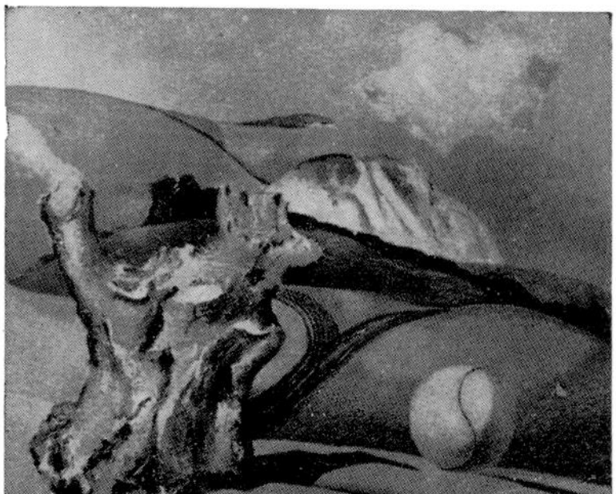

95 Paul Nash *Event on the Downs. 1937*

96 Yves Tanguy
Sol sobre almofada. 1937

97 Otto Freundlich
Unidade de vida e morte. 1936-38

98 Chaim Soutine
Boi esfolado

99 Mario Sironi *Pintura mural. 1938*

100 Paul Klee *Frutos sobre azul. 1938*

101 Graham Sutherland
Paisagem com estuário

102 Kurt Seligmann *Fantasmas do sabá. 1939*

103 Balcomb Greene *A antiga forma. 1940*

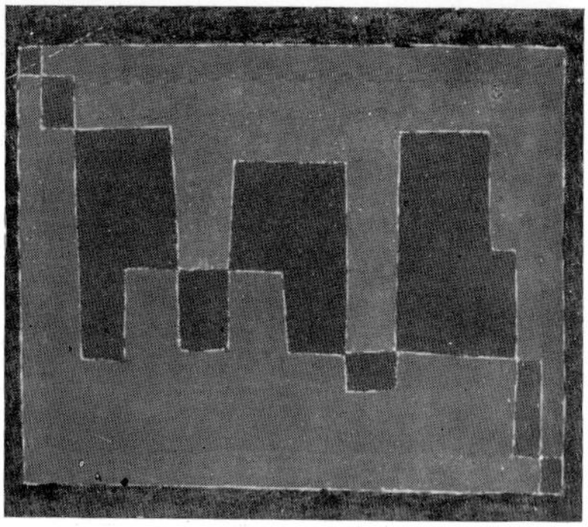

105 Josef Albers *Estudo para Pintura Mirage A de 1940*

104 Pablo Picasso
Nu penteando-se. 1940

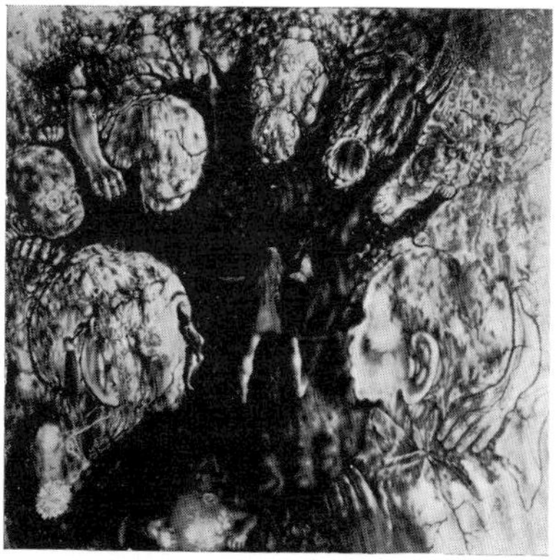

107 Pavel Tchelitchew *Esconde-esconde. 1940-42*

106 Paul Klee *Morte e fogo. 1940*

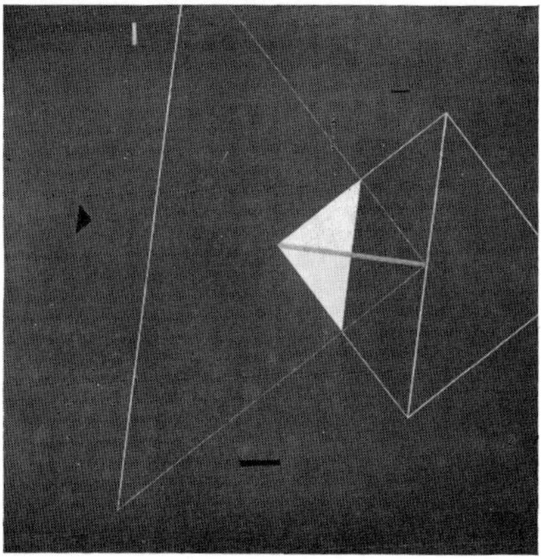

108 Fritz Vordemberge-Gildewart
Composição nº 126. 1941

109 Rufino Tamayo *Animais. 1941*

110 Ivon Hitchens *Outono úmido. 1941*

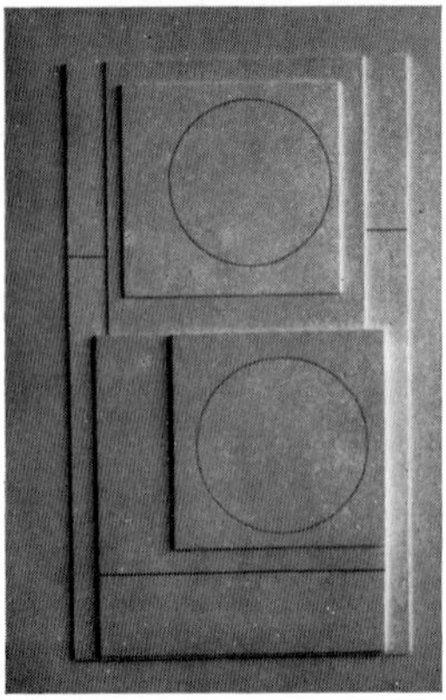

111 Ben Nicholson
Relevo branco. 1942

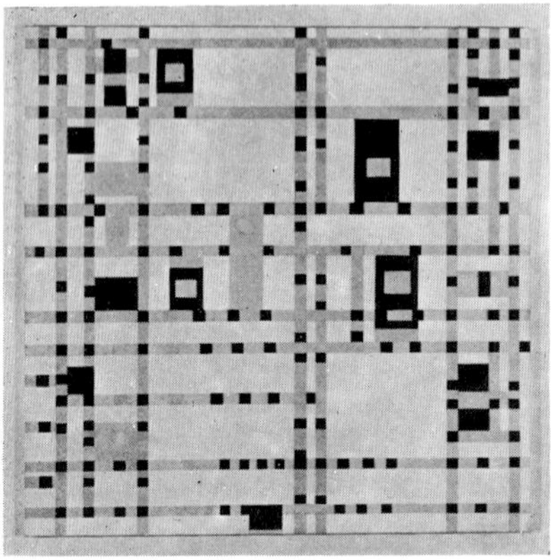

112 Piet Mondrian
Broadway Boogie Woogie. 1942-43

114 Wilfredo Lam *A selva. 1943*

113 Jackson Pollock *A loba. 1943*

115 Robert Motherwell
Pancho Villa, vivo e morto. 1943

116 Matta *Vertigem de Eros. 1944*

117 André Masson
Cemitério Sioux. 1944

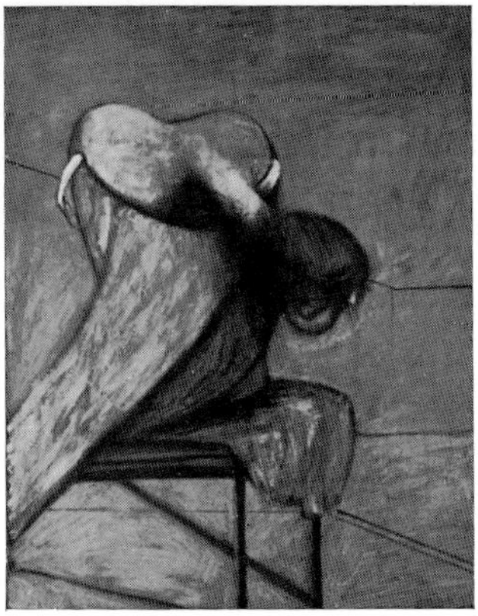

118 Francis Bacon *Estudo. 1944*

119 Wolfgang Paalen
Fumage. 1944-45

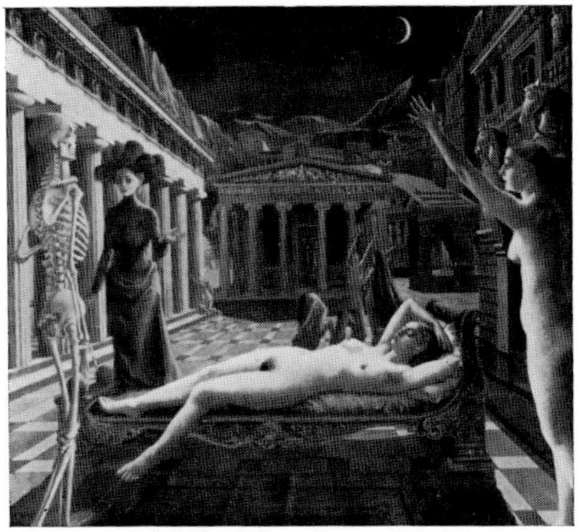

120 Paul Delvaux *Vênus adormecida. 1944*

121 Robert MacBryde
Mulher emotiva da Cornualha

122 Robert Colquhoun
Mulher sentada com gato. 1946

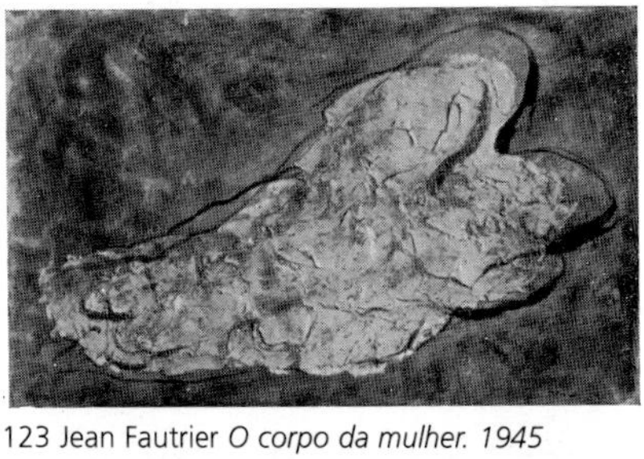

123 Jean Fautrier *O corpo da mulher. 1945*

124 Pablo Picasso *Nu deitado. 1946*

125 John Tunnard *Projeto. 1946*

126 Massimo Campigli *Jogo de bolas. 1940*

127 Arshile Gorky *Os esponsais II. 1947*

128 Fritz Glarner *Relational Painting. 1947-48*

129 Theodoros Stamos
World Tablet. 1948

130 Jimmy Ernst
A Time for Fear. 1949

131 Alberto Giacometti
Homem sentado. 1949

133 Georg Meistermann *O novo Adão. 1950*

132 Bradley Walker Tomlin
Número 20. 1949

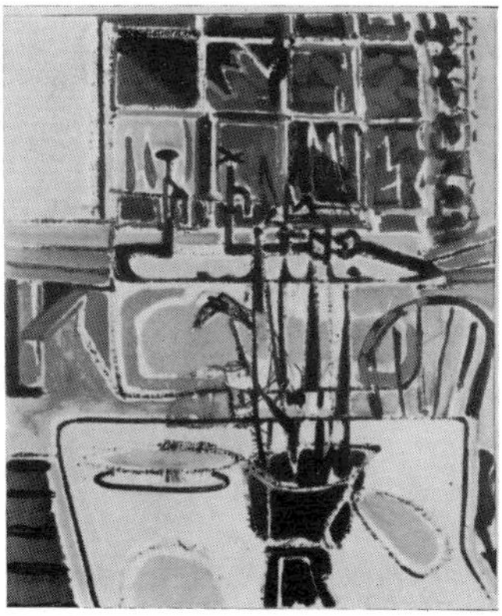

134 Patrick Heron
Cozinha à noite. 1950

135 Alberto Magnelli
Composição n.º 6. 1950

136 Morris Graves *Primavera. 1950*

137 Renato Guttuso
Pescador dormindo. 1950

138 Fernand Léger
Natureza-morta com faca. 1950

139 Clyfford Still *Pintura. 1951*

140 Bram van Velde
Composição. 1951

141 Atanasio Soldati
Composição. 1952

142 Lucian Freud
Cabeça de galo. 1952

143 Nicolas de Staël *Les Martigues. 1952*

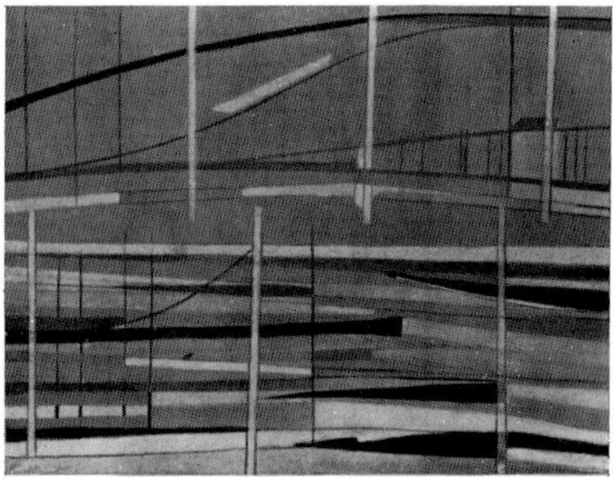

144 Alexander Camaro *Ferrovia cênica. 1952*

145 Gianni Dova *Pintura. 1952*

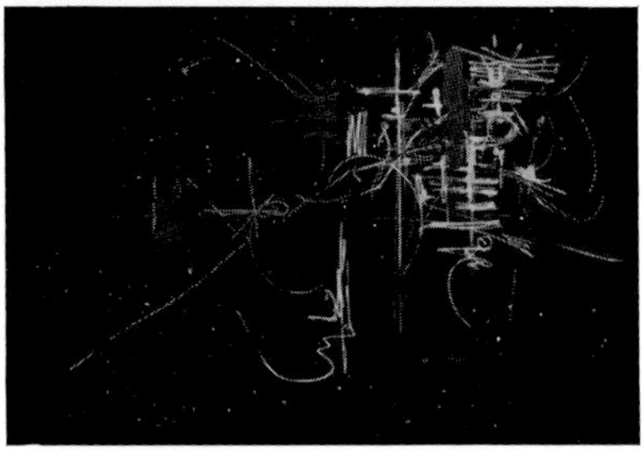

146 Georges Mathieu *Pintura. 1952*

147 Vieira da Silva *Pintura. 1953*

148 Roger Hilton *Junho. 1953*

149 Alberto Burri *Sacco 3, Roma. 1953*

150 Richard Diebenkorn
Berkeley n.º 2. 1953

151 Ceri Richards
Vórtice azul nas cores primárias. 1952

152 Ad Reinhardt
Pintura abstrata n.º 7A. 1953

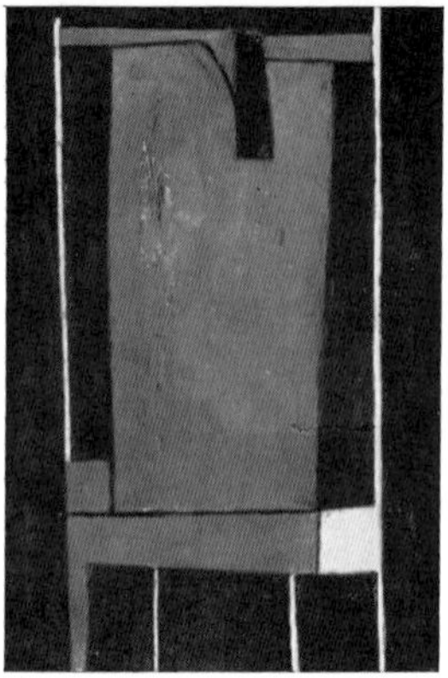

153 William Scott
Composição. 1953

154 Giuseppe Santomaso
Casamento em Veneza. 1953

155 Afro *Ballet. 1953*

156 Karel Appel
Duas cabeças. 1953

157 Peter Lanyon
Farm Backs. 1953

158 Keith Vaughan
Pequena reunião de figuras. 1953

159 Carl Morris *Pintura marrom. 1954*

160 Le Corbusier
Touro V. 1953-54

161 Mark Tobey *Canais. 1954*

162 Kenzo Okada *Solstício. 1954*

163 K. R. H. Sonderborg
6.XI.54. 19:05-20:30h

164 Leonardo Cremonini
Três mulheres ao Sol. 1954

165 Jack Tworkov
Pink Mississippi. 1954

166 Adrian Heath
Composição.
Formas curvas. 1945-55

167 Serge Poliakoff
Composição. 1954

168 Peter Kinley
Pintura azul
e marrom. 1955

169 Victor Brauner
Cabeça desdobrada. 1955

170 Richard Mortensen
Avignon. 1955

171 Auguste Herbin *Ninho. 1955*

172 Terry Frost *Amarelo, vermelho e preto. 1955*

173 Jasper Johns
Alvo com quatro rostos. 1955

174 Stuart Davis *Clichê. 1955*

175 Ben Shahn
Retrato desfigurado. 1955

176 Willem de Kooning
Composição. 1955

177 Hans Hofmann *Exuberância. 1955*

178 Alan Davie *Pintura. 1955*

179 Pablo Picasso *Mulheres de Argel. 1955*

180 Merlyn Evans
Figura em pé. 1955

181 Renato Birolli *Máquina agrícola. 1955*

182 Tancredi *Pintura. 1955*

183 Zao Wou-ki
Catedral e seus arredores. 1955

184 Jean Paul Riopelle *Rastro púrpura*

185 Pierre Alechinsky
Dragon Anemone. 1956

186 Alva *Trio. 1956*

187 Gaston Bertrand *Itália. 1956*

188 Louis le Brocquy
Presença masculina. 1956

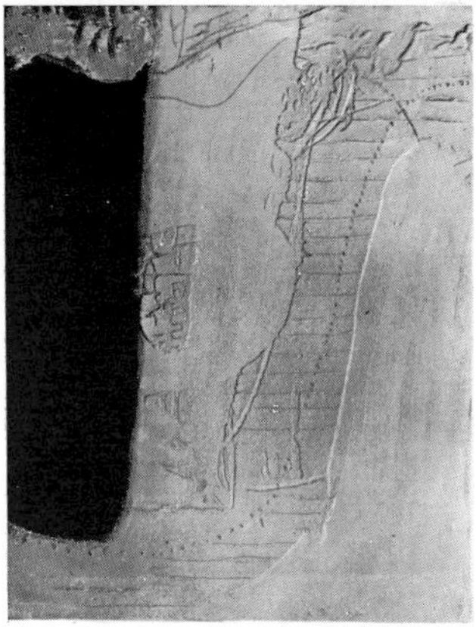

189 Antoni Tapies *Pintura. 1956*

190 Jean Dubuffet *Georges Dubuffet no jardim. 1956*

191 Maurice Estève *Tacet. 1956*

192 Victor Pasmore *Construção em relevo. 1956-57*

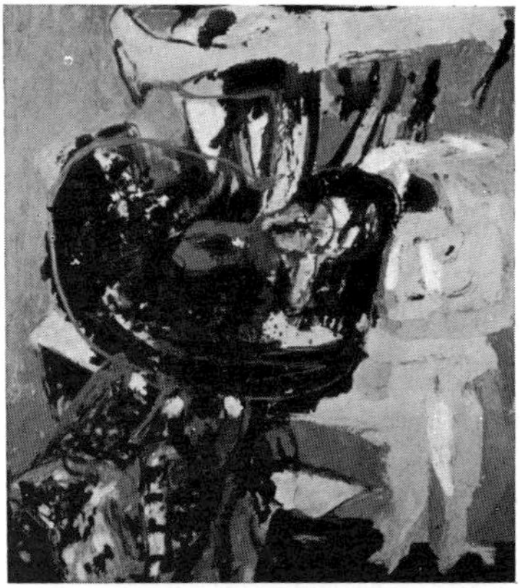

193 Asger Jorn *O defensor. 1957*

194 Sidney Nolan *Glenrowan. 1956-57*

195 Roland Berthon *Homem com pau. 1957*

196 Grace Hartigan *The Creeks: Interior. 1957*

197 Bryan Wynter *Fonte. 1957*

198 Paul Borduas *Silêncio magnético. 1957*

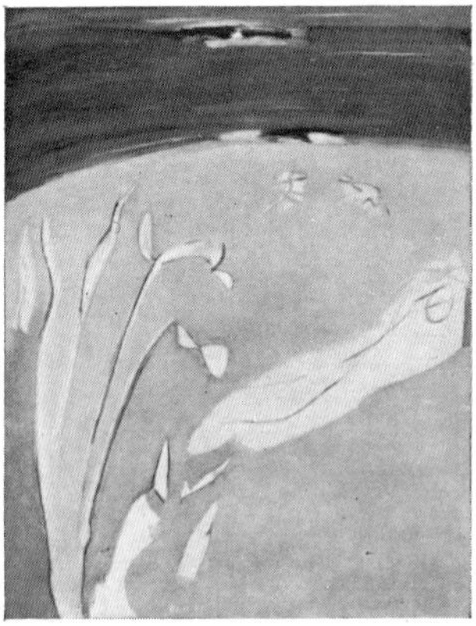

199 Francisco Borès *Praia. 1957*

200 Léon Zack
Géèrbé. 1957

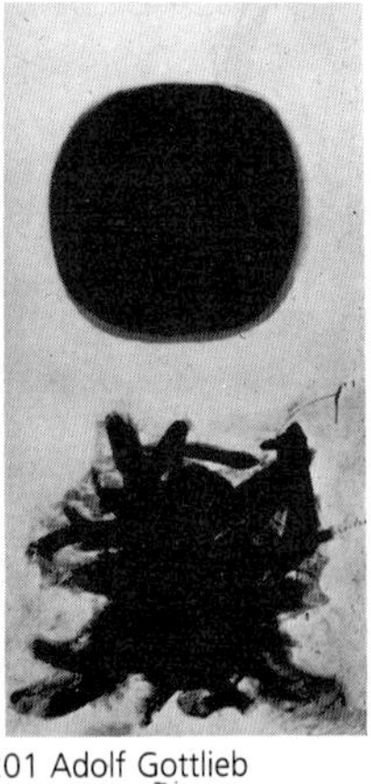

201 Adolf Gottlieb
Blast II. 1957

202 Philip Guston *O espelho. 1957*

203 Emilio Vedova
Carta aberta. 1957

204 Juan Vila Casas *Pintura. 1957*

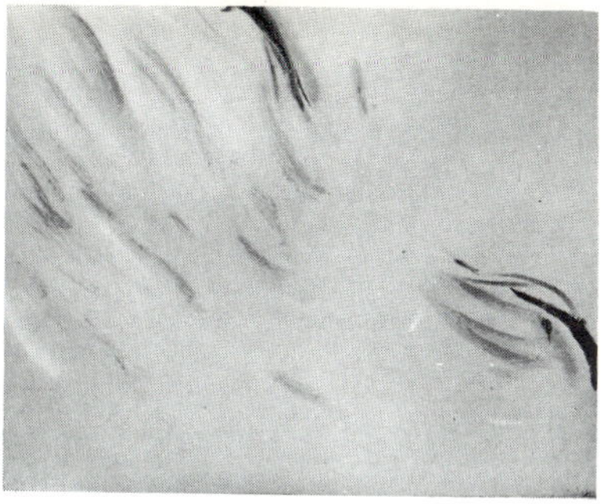
205 Claude Bellegarde *Êxtase branco. 1957*

206 Joan Mitchell
Para o capitão do porto. 1957

207 Paul Jenkins *To Queequeg. 1957*

208 Jean Bazaine *Água. 1957*

209 Enrico Donati
Mãe e filho nº 2. 1957

210 Gérard Schneider
Composição. 1957

211 Marc Chagall
O cavaleiro circense. 1957

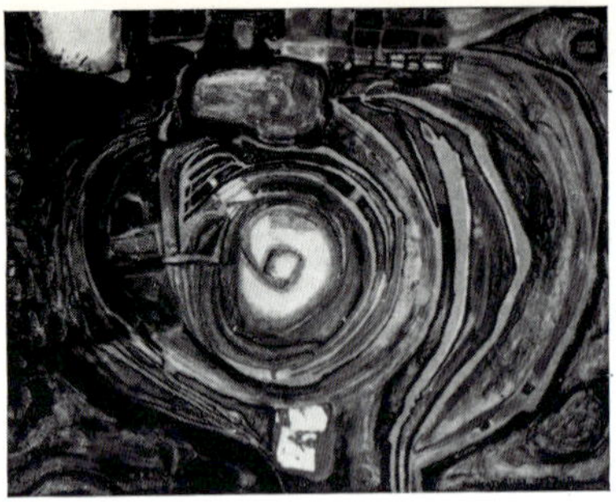

212 Fritz Hundertwasser
Cette fleur aura raison des hommes. 1957

213 Giuseppe Capogrossi *Superfície. 1957*

214 Marlow Moss *Composição. 1957*

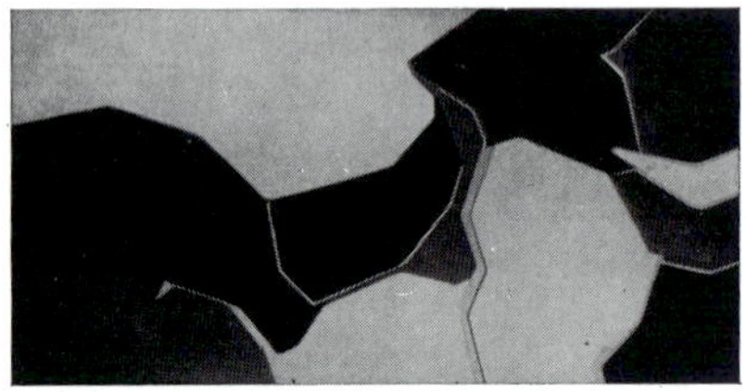

215 Pablo Palazuelo *Rima IV. 1958*

216 E. Tabara *El Machufichu. 1958*

217 Roberto Crippa *Assured Consistency. 1958*

218 Corneille *Cidade espanhola. 1958*

220 Edouard Pignon *Tronco de oliveira. 1958*

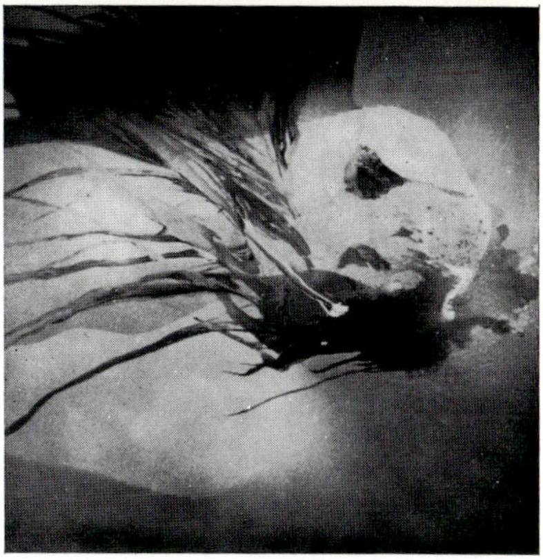

219 Wojciech Dlugosz *Pra-Entelechy. 1958*

221 Man Ray *Através do Luxemburgo. 1958*

222 Antoni Clavé
Natureza-morta com toalha de mesa. 1958

223 Rupprecht Geiger *OE 247. 1958*

224 Antonio Corpora *Pintura. 1958*

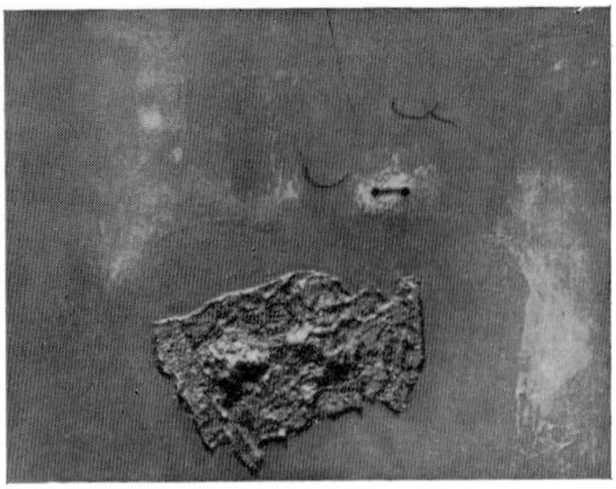

225 Modesto Cuixart
Necessidade oculta. 1958

226 François Morellet
I Cópia. 1959

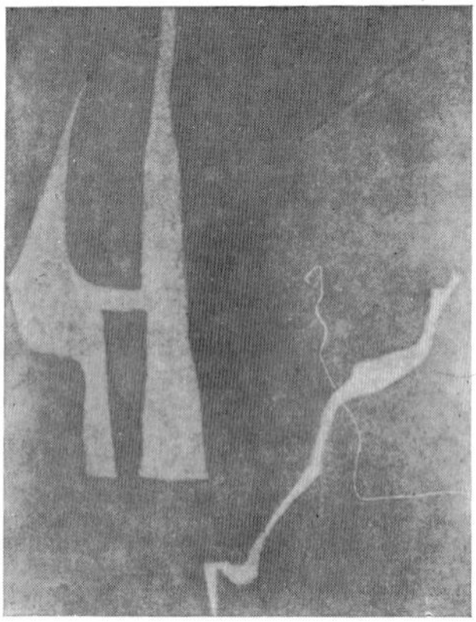

227 William Baziotes *Penumbra. 1958*

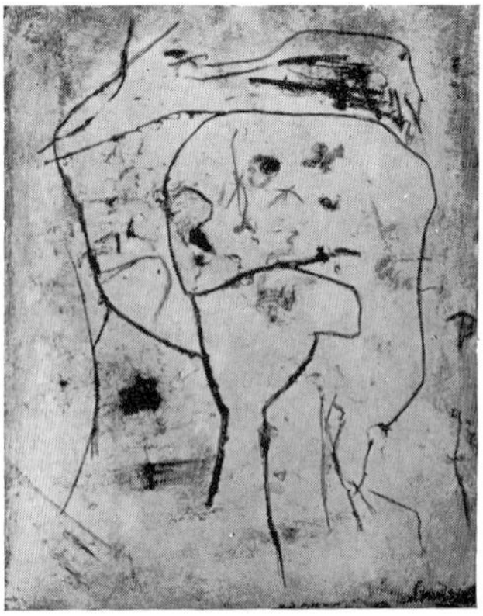

228 Emil Schumacher *Gonza. 1958*

229 Arman
Lixo I. 1960

230 Sandra Blow
Superfície rochosa: preto e branco. 1957-58

231 Larry Rivers
O último veterano da Guerra Civil. 1959

232 Argnes Martin
The Pipe Musical. 1961

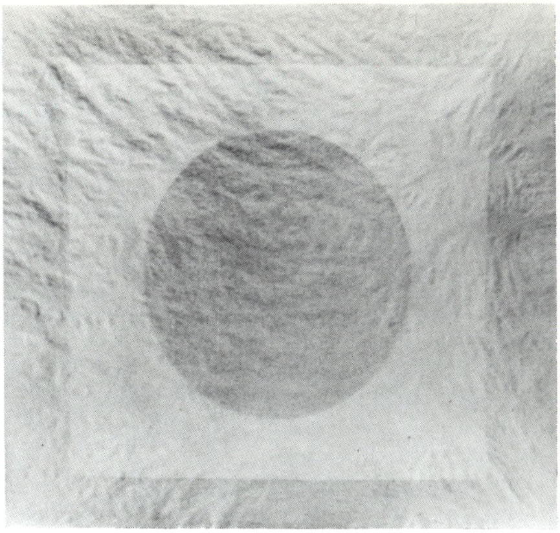

233 Francesco Lo Savio
Filtro dinâmico – Variação de intensidade-espaço-luz. 1959

234 John Hoyland
22.11.61. 1961

235 Enrico Castellani
Branco com bisseção e protuberâncias verticais. 1962

236 Allen Jones
Hermafrodita. 1963

237 Robyn Denny *Linha da vida II. 1963*

238 Richard Smith *Surfacing. 1963*

239 David Hockney
Cabeça egípcia desaparecendo em nuvens que descem. 1961

240 Roy Lichtenstein *Whaam! 1963*

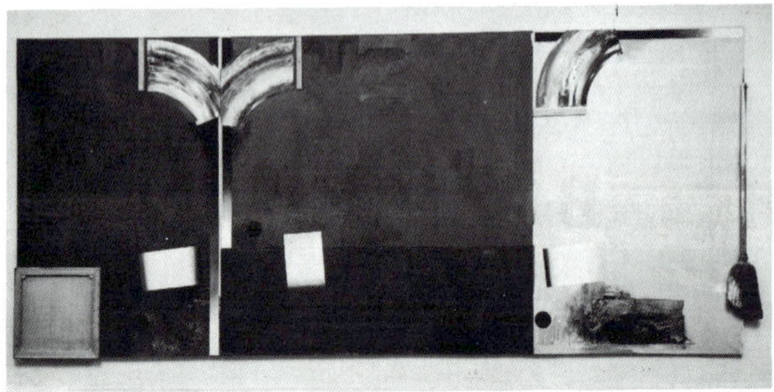

242 Jasper Johns *Sem título. 1964-65*

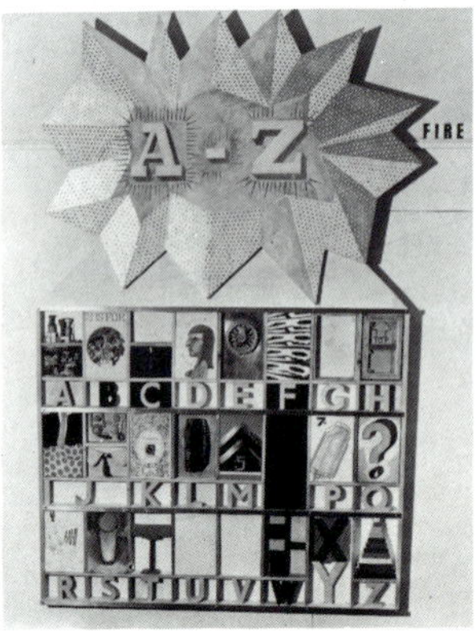

241 Joe Tilson *A-Z. 1963*

243 Harold Cohen *Conclave. 1963*

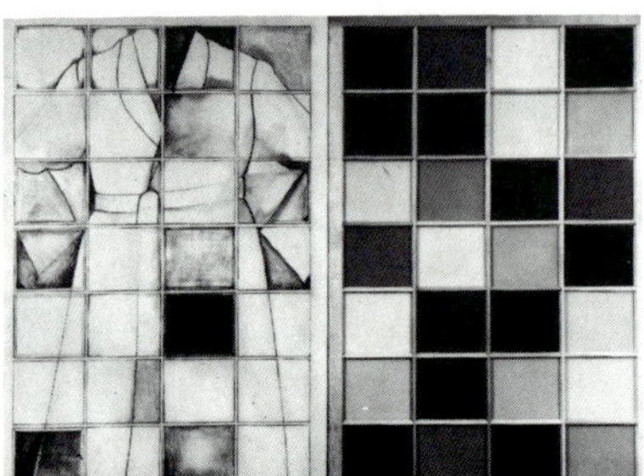

244 Jim Dine *Auto-retrato próximo a uma janela colorida. 1964*

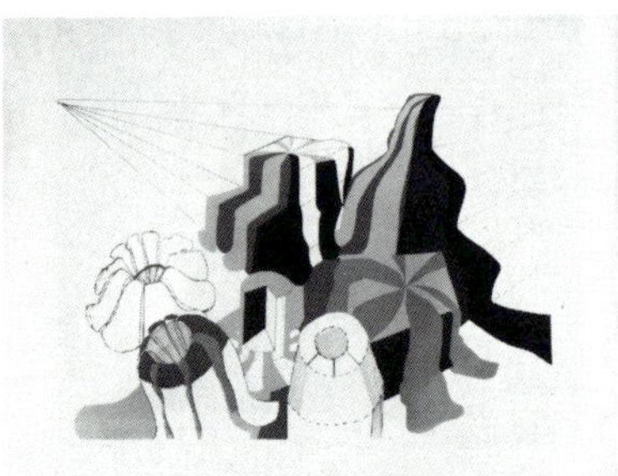

245 Gillian Ayres *I.C.A. Screenprint. 1964*

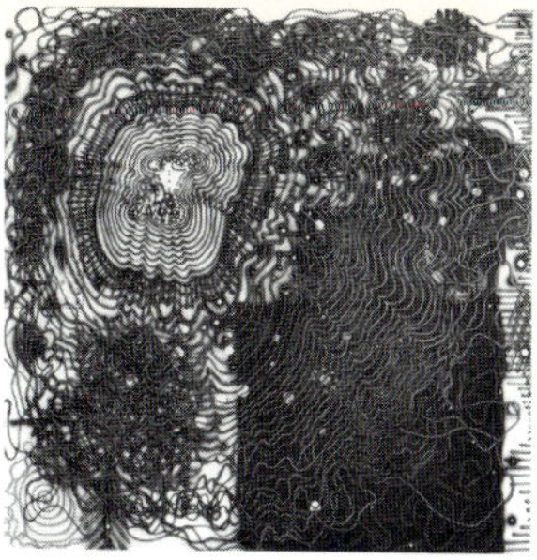

246 Bernard Cohen
Floris. 1964

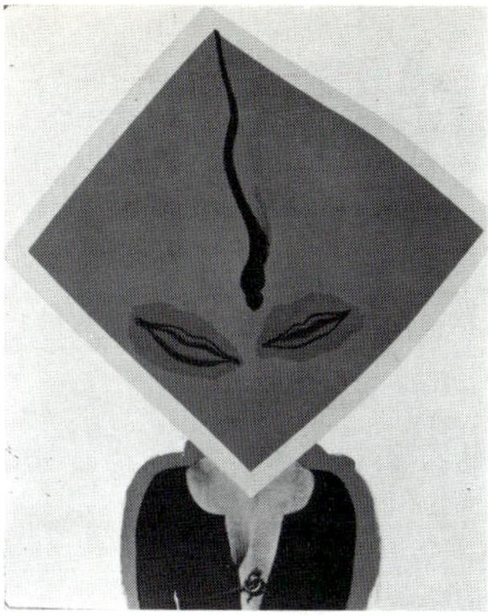

247 Allen Jones *Mulher. 1965*

248 Ellsworth Kelly
Laranja e verde. 1966

249 Bridget Riley *Arrest I. 1965*

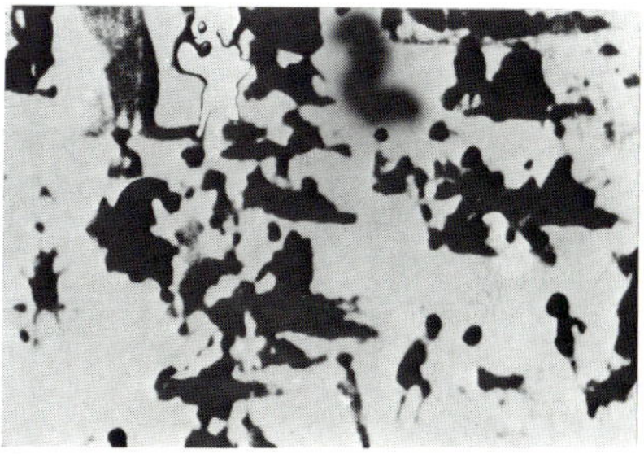

250 Richard Hamilton *Gente. 1965-66*

251 Peter Roehr *Retângulos pretos. 1966*

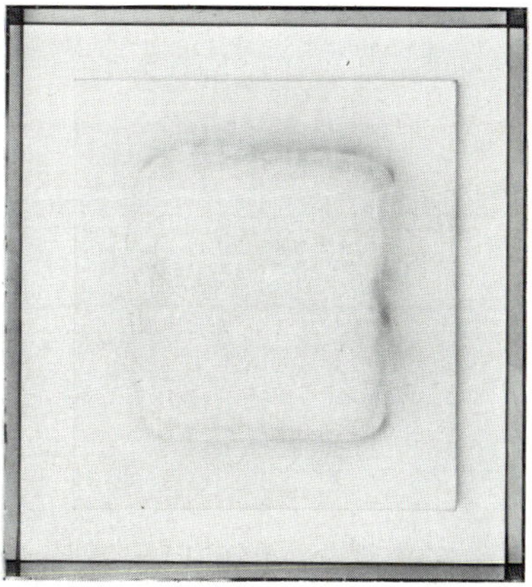

252 Gotthard Graubner *Sem título. 1966*

253 Roy Lichtenstein
Pintura moderna com arco. 1966

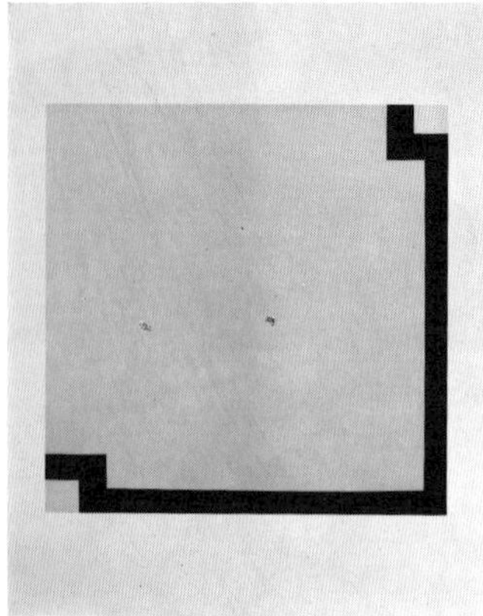

254 Al Held *Bastião. 1966*

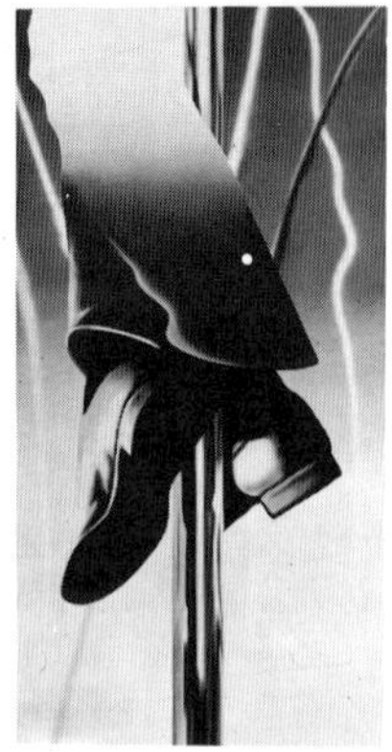

255 James Rosenquist
Estudo para Expo 67. 1967

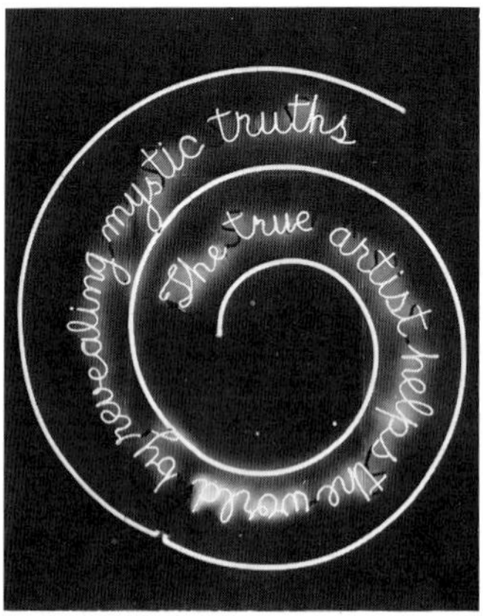

256 Bruce Nauman
O verdadeiro artista ajuda o mundo . . . 1967

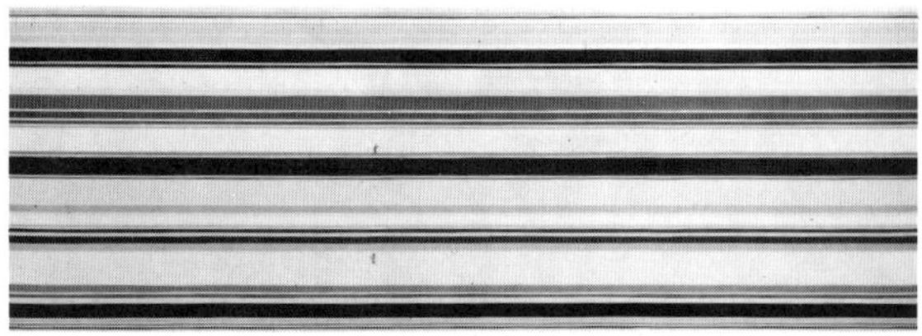

257 Kenneth Noland *Via Blues. 1967*

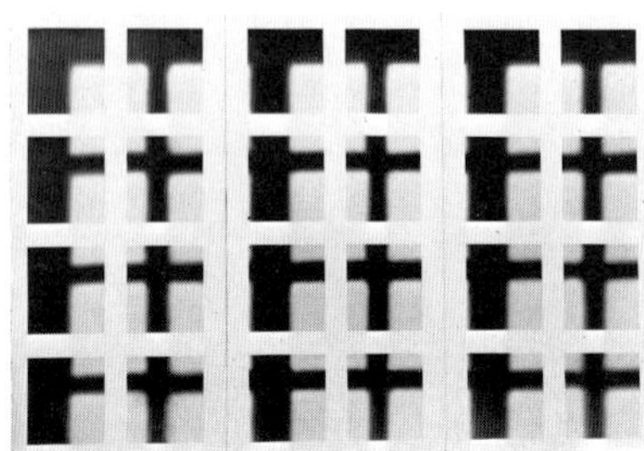

258 Gerhard Richter *Janela. 1968*

259 Cy Twombly *Sem título. 1967*

260 Andy Warhol *Cadeira elétrica. 1967*

261 Richard Hamilton
Formidável Londres 67. 1968

262 Tom Wesselmann
Grande nu americano n.º 99. 1968

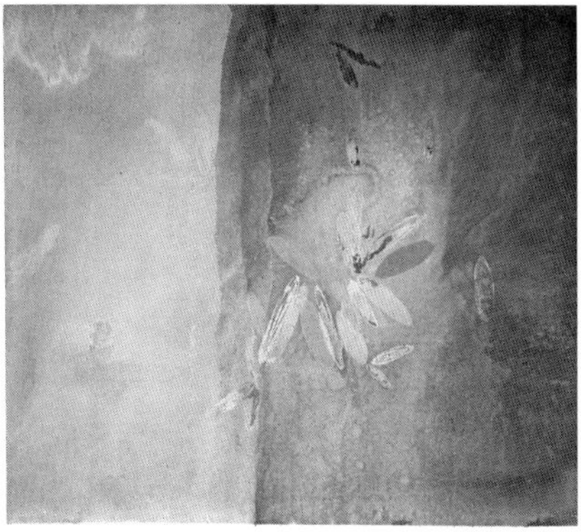

263 Larry Poons *Jornada noturna. 1968*

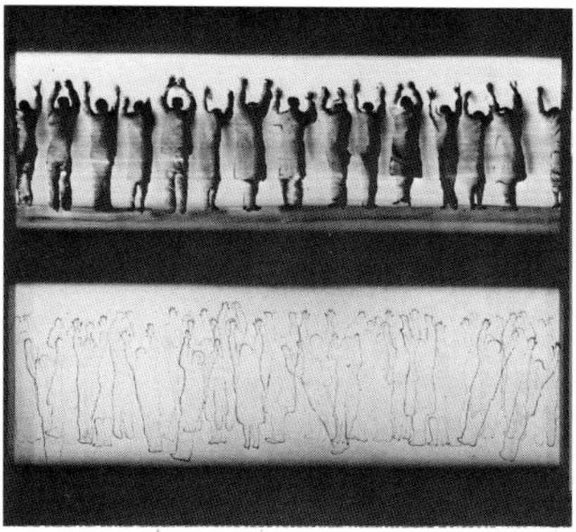

264 Juan Genovés *Fila sem fim. 1968*

265 Alberto Biasi *Prismas de luz. 1962-69*

266 Ad Dekkers *Gravura em madeira n.º VIII. 1970*

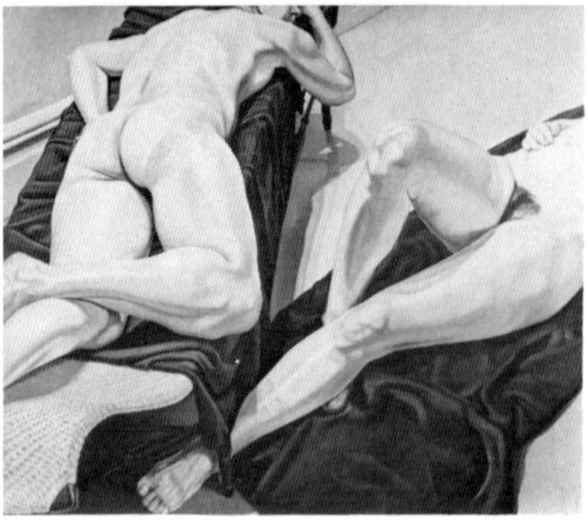

267 Philip Pearlstein
Nus deitados sobre lençóis vermelho e azul. 1970

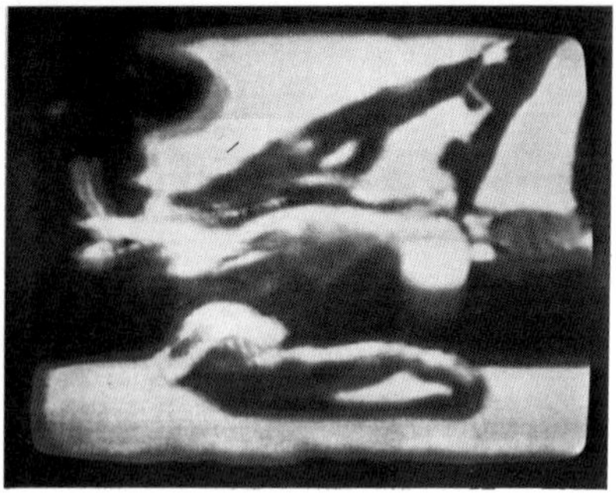

268 Richard Hamilton *Kent State. 1970*

269 Robert Smithson *Molhe espiral. 1970*

270 Ralph Goings *Circulação de ar. 1970*

271 Richard Long *Connemara, Ireland. 1971*

272 R. B. Kitaj
Bill ao pôr-do-sol. 1973

273 Hamish Fulton *Hode Lane. 197*

274 John Hoyland *10.3.71. 1971*

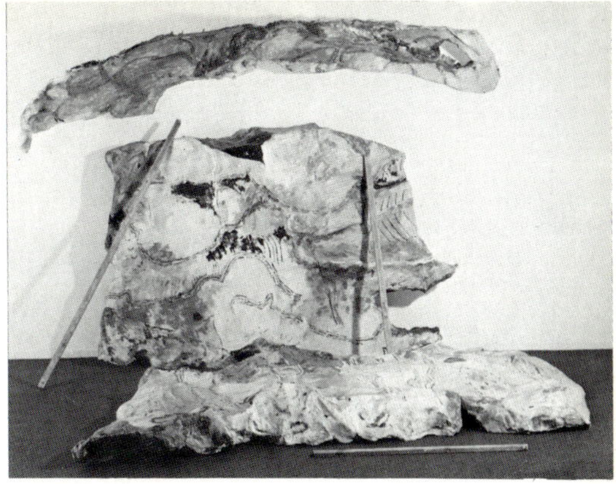

275 Nancy Graves
Pintura rupestre indígena, S. Western Arizona... 1971

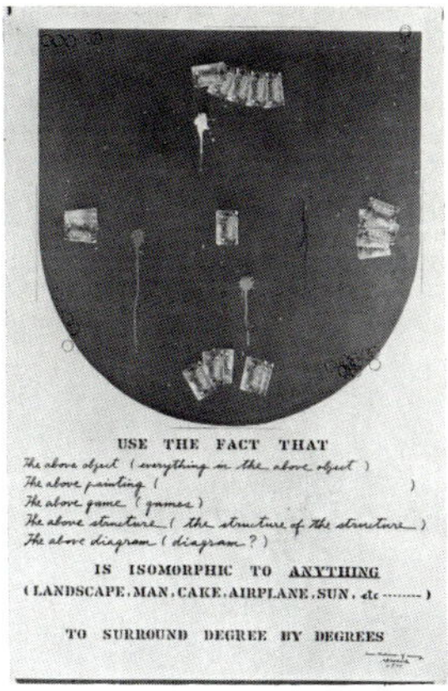

276 Arakawa
From Mechanism of Memory. 1971

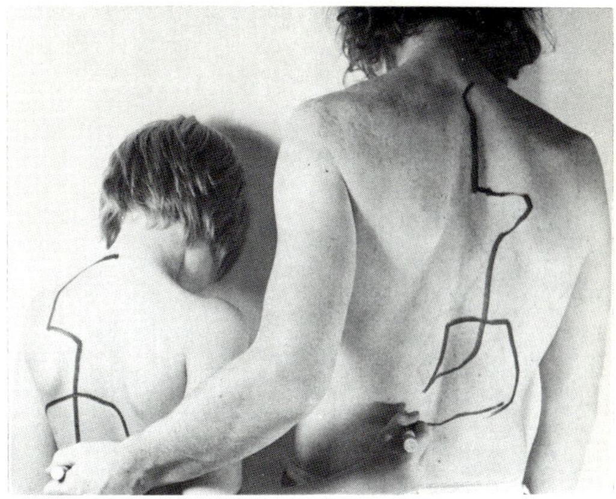

277 Dennis Oppenheim *Uma situação de retroalimentação. 1971*

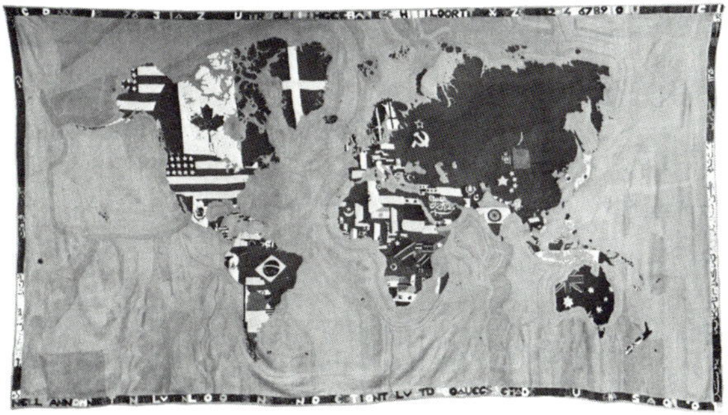

278 Alighiero Boetti *Mapa. 1971*

279 Louis Cane *Pintura. 1972*

280 Ellsworth Kelly *Dois painéis: preto com barra vermelha. 1971*

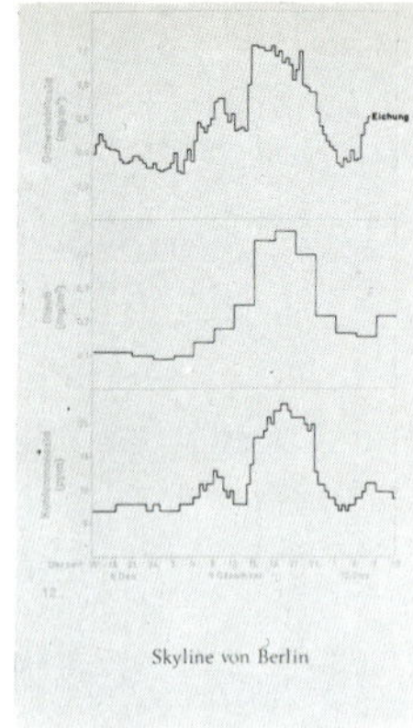

281 K. P. Brehmer
Horizonte de Berlim. 1972

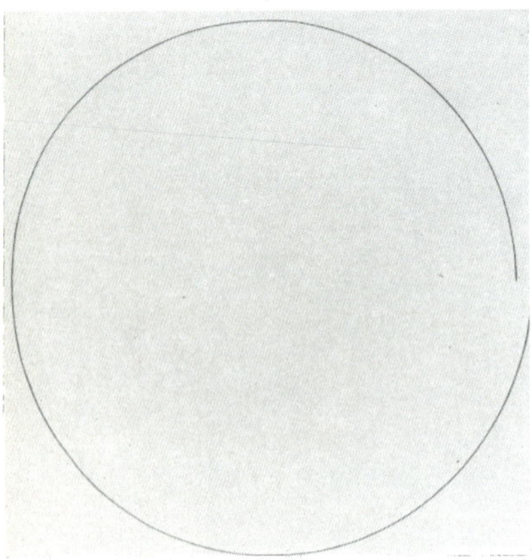

282 Robert Mangold
Círculo incompleto n.º 2. 1972

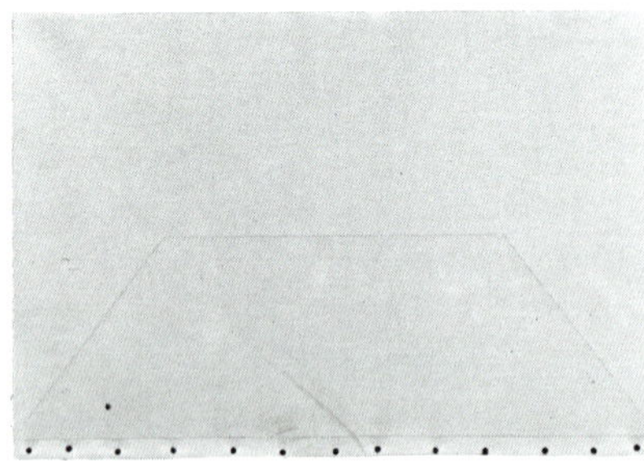

283 Giulio Paolini *O forro. 1972-73*

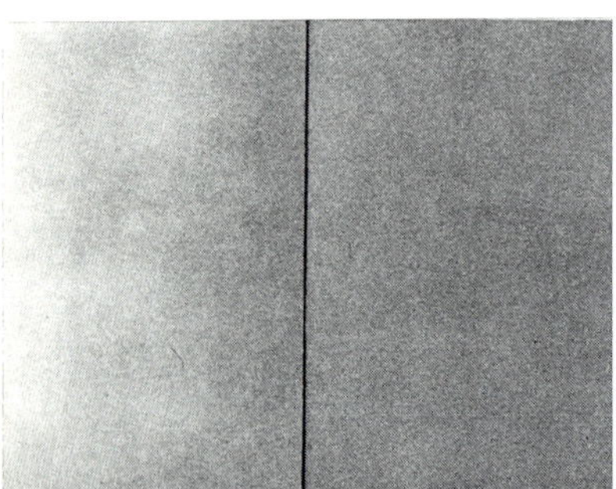

284 Brice Marden *Helen's. 1972*

285 Marcel Broodthaers *A torpeza de Charles Dodgson. 1972*

286 John Walker *Deirdre (n.º 3). 1972*

287 Gilbert and George
Gin da manhã no Bar Abercorn, outono de 1972. Uma escultura de beber. 1972

288 Jannis Kounellis *Invente no ato. 1972*

289 Dorothea Rockburne *X's. 1973*

290 Keith Milow *Sem título. 1972*

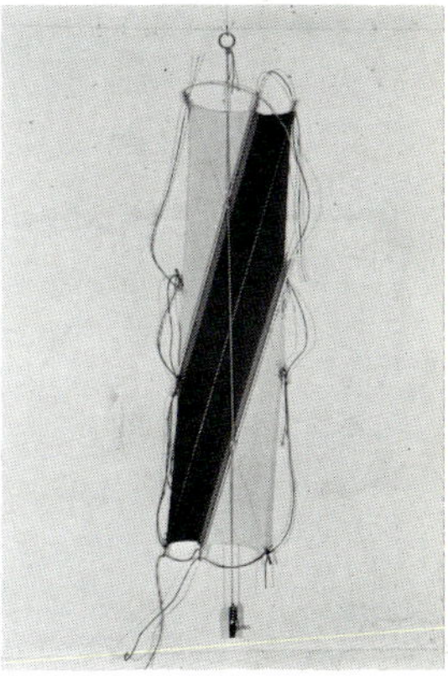

291 Richard Smith *Buckako. 1973*

292 Tom Phillips *Muro de Berlim com grama e céus alemães. 1973*

293 Patrick Caulfield
*Ah! Da costa do canal
chegam nuvens tempestuosas. 1973*

294 Richard Diebenkorn
Ocean Park n.º 67. 1973

295 Pintura mural, Chile. *1973*

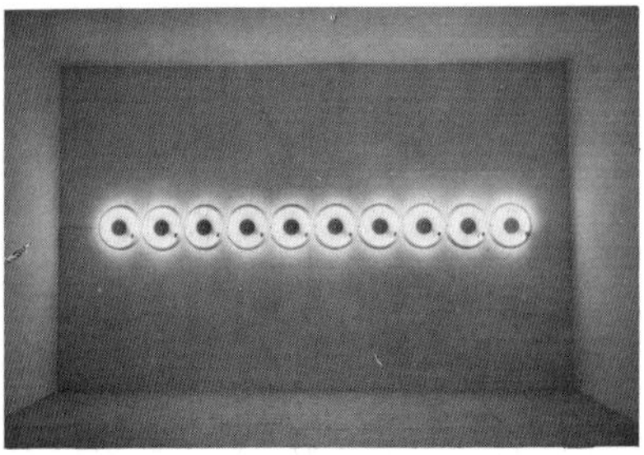

296 Dan Flavin
10 brancos frios e brancos quentes alternantes. 1973

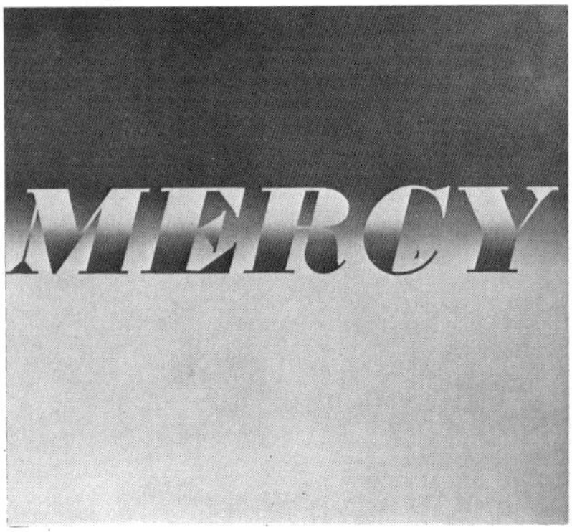

297 Ed Ruscha *Misericórdia. 1973*

NOTAS

Capítulo I *(pp. 11-31)*

1. R. G. Collingwood, *Speculum Mentis*, ou *The Wap of Knowledge*, Oxford, 1924, p. 82.

2. *Ibid.*, p. 236.

3. Conrad Fiedler, *Über den Ursprung der künstlerischen Thätigkeit*, 1887

4. De uma conversação com Cézanne transmitida por Émile Bernard, *Mercure de France*, CXLVIII, n.º 551 – junho de 1921. Cf. Gerstle Mack, *Paul Cézanne*, Londres, 1935, p. 315.

5. *Letters*, org. John Rewald, Londres, 1941, p. 203.

6. *Ibid.*, p. 228.

7. *Ibid.*, p. 234.

8. *Ibid.*, p. 239 (Carta a Émile Bernard, 25 de julho de 1904).

9. Cf. Carta a Bernard, 23 de dezembro de 1904, Rewald, *op. cit.*, p. 243.

10. Cf. Carta a Bernard, 23 de outubro de 1905, Rewald, *op. cit.*, pp. 251-2.

11. Prefácio a *Cézanne, son art, son oeuvre*, 2 vol., Paris, 1936.

12. *Ibid.*, p. 15: "L'artiste ne relève que de lui-même. Il ne promet aux siècles à venir que ses propres oeuvres; il ne cautionne que lui-même. Il meurt sans enfants. Il a été son roi, son prêtre et son Dieu."

13. *Ibid.*, p. 45.

14. Nikolaus Pevsner, *Pioneers of the Modern Movement*, Londres, 1936, abrange os campos da arquitetura e das artes aplicadas.

15. Alfred H. Barr nota (*Picasso: Fifty Years of his Art*, Nova York, 1936, p. 17) que *Joventut*, hebdomadário catalão para o qual Picasso contribuía com ilustrações em 1900, "voltou-se mais para a Inglaterra e a Alemanha" e reproduziu Beardsley e Burne-Jones.

16. Cf. *Camille Pissarro: Letters to his Son Lucien*, ed. John Rewald, Londres, 1943.

17. A gravura original dessas pinturas foi identificada por Douglas Cooper: "Two Japanese Prints from Vincent van Gogh's collection", *Burlington Magazine*, XCIX (junho de 1957), p. 204. Van Gogh também fez cópias diretas, em óleo, das gravuras japonesas. Cf. J. B. de la Faille, *Vincent van Gogh*, Londres, n.d.,

pl. II: *Japonaiserie: The Tree* (segundo Hiroshige), 1886.

18. Cf. John Rewald: *Post-Impressionism from van Gogh to Gauguin*, Nova York, 1956, p. 224. Mas Rewald chega a dizer que, apesar do uso dessas penas, os desenhos de Van Gogh "têm um sabor oriental muito tênue; não são nada elegantes, fluidos ou ágeis, nem têm as qualidades decorativas encontradas nos desenhos japoneses feitos com pincel". Depende do desenho japonês feito com pincel que tenhamos em mente para comparação: Van Gogh pode ter visto gravuras ou desenhos de paisagens de Hokusai ou Kunoyoshi, que são tão fortes quanto qualquer um de seus desenhos feitos com pena. Deve-se admitir que eles são sempre mais decorativos do que os desenhos de Van Gogh.

19. *Further Letters to his Brother.* Londres, 1929, nº 554, p. 234.

20. Cf. R. Rey, *Gauguin*, Paris, 1928, p. 25. Citado por Rewald, *op. cit.*, p. 308.

21. Cf. G. Kahn, "Seurat", *L'Art Moderne* – 5 de abril de 1891. Citado por Rewald, *op. cit.*, p. 99.

22. Rewald, *loc. cit.*

23. Originalmente, uma carta ao amigo Beaubourg, datada de 28 de agosto de 1890.

24. *Letters*, ed. Rewald, p. 158.

CAPÍTULO II *(pp. 32-66)*

1. Escrito primeiramente como tese, circulou entre um grupo pequeno de pessoas em 1906; a seguir, foi publicado em livro pela Piper Verlag, Munique, 1908. Entre 1908 e 1951 teve onze edições. Só em 1953 foi publicada uma tradução inglesa de Michael Bullock, embora as principais idéias de Worringer tenham sido introduzidas por T. E. Hulme (1883-1917) (*Speculations*, ed. Herbert Read, 1924), e seu segundo livro importante, *Formprobleme der Gothik*, tenha sido publicado em tradução inglesa em 1927 (*Form in Gothic*, ed. Herbert Read).

2. Primeiramente traduzido em inglês por M. T. H. Sadler como *The Art of Spiritual Harmony* (Londres, 1914) e retraduzido (por Ralph Manheim) como *Concerning the Spiritual in Art* (Nova York, 1947).

3. Georges Duthuit, *The Fauvist Painters*, trad. ing. Ralph Martheim, Nova York, 1930, p. 57.

4. Duthuit, *op. cit.*, p. 59 ss.

5. *Ibid.*, pp. 22-3.

6. Cf. Alfred H. Barr, Jr. *Matisse – his Art and his Public.* Nova York, 1951, p. 40.

7. *Ibid.*, p. 119, trad. ingl. Margaret Scolari.

8. *Ibid.*, p. 52.

9. *Ibid.*, p. 561; trad. ingl. Esther Rowland Clifford.

10. *Ibid.*, p. 121.

11. *Le Point*, IV, nº 21, julho de 1939, pp. 99-142, "Notes d'un peintre". Citado por Barr, *op. cit.*, p. 42.

12. "Foreword to the New Impression", 1948. Cf. *Abstraction and Empathy: a Contribution to the Psychology of Style*, trad. ingl. Michael Bullock, Londres e Nova York, 1953, p. VII.

13. *Form in Ghotic*, trad. e ed. Herbert Read, Londres, 1927, pp. 75-6.

14. *Ibid.*, capítulo XXII.

15. Der eigene Leben, 1913; Jahr der Kämpfe, 1934; Briefe aus den Jahren 1894-1926, ed. Max Sauerlandt, 1927.

16. *Ein selbsterzähltes Leben*, 1928, 2ª ed., 1948.

17. *Alpha and Omega*, publicado em 1909.

18. Publicadas em C. A. Loosli, *F. Hodler: Leben, Werk und Nachlass*, 4 vols., Berna, 1924.

19. Há uma interessante antologia de "confissões" de artistas, que contém depoimentos da maioria dos expressionistas; foi organizada por Paul Westheim: *Künstler-Bekenntnisse*, Berlim, 1925.

Capítulo III *(pp. 67-104)*

1. Resposta a um questionário. Cf. Alfred H. Barr, *Picasso: Fifty Years of his Art*. Nova York, 1946, p. 257.

2. Cf. Christian Zervos, *Pablo Picasso*, vol. II, Paris, 1942, p. 10.

3. John. Golding, "The 'Demoiselles d'Avignon'". *Burlington Magazine*, c, n.º 662, maio de 1958, pp. 155-63.

4. Cf J. J. Sweeney, "Picasso and Iberian Sculpture", *Art Bulletin*, XXIII, n.º 3, 1914; cf. também Golding, *loc. cit.*

5. Cf. Golding, *loc. cit.*, onde estão ilustradas (figs. 21, 23 e 24).

6. Cf. Venturi, *op. cit.*, bibliografia, itens 89, 106, 107, 123. Também Ambroise Vollard, *Paul Cézanne*, Paris, 1914.

7. Cf. Zervos. *op. cit.*, n.ºs 629, 632-44, com Venturi, *op. cit.*, n.ºs 264-76, 542-3, 580-2, 719-21 e especialmente 726, muito mais próxima que a 542, comparação apresentada por Golding.

8. Cf. James Johnson Sweeney, Plastic Redirections in 20th Century Painting, Chicago, 1934, p. 17.

9. Originalmente, uma entrevista em espanhol traduzida para o inglês por Forbes Watson e publicada em *The Arts*, maio de 1923. Cf. Barr, *op. cit.*, 270-1.

10. Patrick Heron. *The Changing Forms of Art*, Londres, 1955, p. 81.

11. Expressões que me foram sugeridas por Jean Casson, prefácio a "Le cubisme", catálogo de uma exposição realizada no Musée National d'Art Moderne, Paris, 30 de janeiro-9 de abril de 1953, p. 16. Esse catálogo contém valiosa documentação do movimento, de autoria de Bernard Dorival.

12. Guillaume Apollinaire, *The Cubist Painters, Aesthetic Meditations*, trad. ingl. Lionel Abel, Nova York, 1944, p. 23.

13. Isso ocorre numa carta de 15 de abril de 1904, a Émile Bernard, que foi publicada no catálogo da exposição retrospectiva das obras de Cézanne que faziam parte do Salon d'Automne de outubro de 1907. As palavras de Cézanne foram:

> "Permettez-moi de vous répéter ce que je vous disais ici: traiter la nature par le cylindre, la sphère, le cône, le tout mis en perspective. [...] Les lignes parallèles à l'horizon donnent l'étendue, soit une section de la nature. Les lignes perpendiculaires à cet horizon donnent la profondeur. Or la nature, pour nous hommes, est plus en profondeur qu'en surface."

> Permita-me repetir-lhe o que estava dizendo aqui: tratar a natureza por meio do cilindro, da esfera e do cone, tudo posto em perspectiva. [...] As linhas paralelas ao horizonte dão a extensão, ou seja, um corte da natureza. As linhas perpendiculares a esse horizonte dão a profundidade. Ora, a natureza, para nós, homens, é mais profundidade que superfície. [N. da T.]

14. Citação e tradução inglesa de Douglas Cooper: *Fernand Léger et le nouvel espace*, Genebra e Londres, 1949, p. viii. Texto francês original, p. 76.

15. *Ibid.*, pp. vii e 74.

16. Na Inglaterra, William Roberts foi o mais coerente deles.

17. *Op. cit.*, p. 15.

18. *Op. cit.*, p. 84.

19. *The Cubist Painters*, p. 33.

20. Cf. Ernst Cassirer, *The Philosophy of the Enlightenment*, Boston, 1955, capítulo VII.

21. Ver meu *Art of Sculpture*, Nova York e Londres, 1956, onde se estuda essa questão.

Capítulo IV *(pp. 105-46)*

1. Se lembrarmos a distinção que Coleridge faz entre imaginação e fantasia (*fantasy*) (*Biographia Litteraria*, capítulo IV), então a rigor a maioria dessas formas de arte seria determinada pela fantasia, e "Arte Fantástica" é o nome genérico que se atribui a essas vertentes (por exemplo, *Fantastic Art, Dada, Surrealism*, publicação do Museum of Modern Art, Nova York, org. Alfred H. Barr, Jr., 1936). Em meus próprios trabalhos de teoria crítica (cf. *Collected Essays in Literary Criticism*, EUA, título *The Nature of Literature*, Londres [1951] e NovaYork [1956], p. 31), tentei relacionar a imaginação com aquilo que em psicanálise é conhecido como pré-consciente, e a *fantasia* (*fancy*) com o inconsciente. "Essa distinção parece ser corroborada nas variedades de arte plástica que serão estudadas neste capítulo e no próximo. Eu diria que, *em geral*, este capítulo diz respeito às "obras de imaginação", e o próximo, às "obras de fantasia", mas é impossível manter a distinção porque os limites são vagos e flutuantes. Talvez fosse de se notar que os graus de *profundidade* que a psicanálise vê na psique humana não implicam conceitos de valor para a arte: apenas fornecem diferentes tipos de motivos.

2. F. T. Marinetti, *Manifeste technique de la littérature futuriste* (11 de maio de 1912); *L'imagination sans fils et les mots en liberté* (11 de maio de 1913); C. Carrà, *La pittura dei suoni, dei rumori, degli odori* (11 de agosto de 1913); *Zang Tumb Tuuum: Parole in Libertà*, Milão (1914); F. T. Marinetti, *La splendeur géometrique et mécanique de la nouvelle sensibilité numérique* (18 de março de 1914); Antonio Sant'Elia, *Manifesto dell'architettura* (9 de julho de 1914). Alguns desses detalhes do movimento futurista foram retirados de uma contribuição da viúva de Marinetti, Benedetta Marinetti, para *Collecting Modern Art: Paintings, Sculpture and Drawings from the Collection of Mr and Mrs Harry Lewis Winston*, The Detroit Institute of Arts, 1957. Mas ver a próxima nota.

3. *Pittura, scultura futuriste*, Milão, 1914. Para uma documentação completa do movimento, ver *Archivi del Futurismo*, Roma, 1955.

4. Foi essa palavra que deu nome ao ramo inglês do movimento futurista: *vorticist movement*, de vida breve, que foi dirigido por Wyndham Lewis. Associaram-se a esse "Great English Vortex": William Roberts, Frederick Etchells, Edward Wadsworth, Jacob Epstein, C. R. W. Nevinson e, por um curto período, antes de morrer no começo da guerra, o artista francês Henri Gaudier-Brzeska (1891-1915).

5. *Colletion of the Société Anonyme: Museum of Modern Art*, 1920, New Haven, 1950, p. 148.

6. *En avant Dada: die Geschichte des Dadaismus*, trad. ingl. Ralph Manheim em *The Dada Painters and Poets: an Anthology*, ed. Robert Motherwell, Nova York, 1951, pp. 21-47.

7. *Ibid.*, p. 26.

8. Para detalhes mais precisos sobre os acontecimentos daqueles anos, ver *Dada: Monograph of a Movement*, org. Willy Verkauf, Londres, Nova York etc., 1957.

9. É significativo que De Chirico também tenha escrito um romance onírico, *Hebdomeros* (1929).

10. *Nostalgia do infinito* é o título de um quadro (1911).

11. Waldemar George, *Giorgio de Chirico*, Paris, 1928.

12. Walter Erben, *Marc Chagall*, Londres, 1957, p. 124.

13. *Ibid.*, p. 149.

14. André Breton, *Les pas perdus*, Paris, 1924, trad. ingl. Ralph Manheim em Motherwell, *op. cit.*, p. 204.

15. Cf. Georges Ribemont-Dessaignes. *History of Dada*, in Motherwell, *op. cit.*, pp. 99-120. Originalmente publicado em *La Nouvelle Revue Française*, Paris, 1931.

16. André Breton, "The Dada Spirit in Painting", Cahiers d'Art, VII-IX, Paris, 1932-4, trad. ingl. Ralph Manheim in Motherwell, *op. cit.*, p. 187.

17. André Breton, *Manifeste du surréalisme. Poisson soluble.* Paris, 1924, nova edição, Paris, 1929, pp. 41-3, trad. ingl. em David Gascoyne, *A Short Survey of Surrealism*, Londres, 1935, pp. 46-7.

18. *Ibid.*, pp. 45-6.

19. Os primeiros capítulos de *Champs Magnétiques,* escritos por Breton, segundo o método "automático", em colaboração com Philippe Soupault, foram publicados na revista *Littérature*.

20. *What is Surrealism?*, trad. ingl. David Gascoyne, Londres, 1936, pp. 50-1.

21. Georges Hugnet, Introdução a *Petite anthologie poétique du surréalisme*, Paris, 1934, p. 41.

22. *Littérature*, Paris, outubro de 1922, trad. ingl. Ralph Manheim in Motherwell, *op. cit.*, pp. 209, 211.

23. "Genesis and Perspective of Surrealism" in *Art of this Century*, org. Peggy Guggenheim, Nova York, 1942, p. 16. Esse importante estudo do movimento surrealista foi depois publicado por Breton em *Le surréalisme et la peinture*, Nova York, 1945.

24. *Art of this Century*, p. 21.

25. *Ibid.*, p. 20.

26. *Ibid.*, p. 24.

27. A última manifestação organizada do movimento foi a Exposition Internationale du Surréalisme, apresentada por André Breton e Marcel Duchamp na Galerie Maetht de Paris, em 1947. Cf. *Le Surréalisme en 1947*, Paris, 1947.

28. Marcel Raymond, *From Baudelaire to Surrealism*, trad. ingl. G. M., Nova York, 1950, pp. 293-4.

29. André Breton, *Manifeste* (1924), p. 13. (Cf. *Situation du Surréalisme entre les deux Guerres*, Paris, 1945: "Cette exaltation m'est restée".)

30. *Ibid.*, pp. 13-14.

Capítulo V *(pp. 147-87)*

1. *L'intransigeant*, Paris, 15 de junho de 1932.

2. Esta lista baseia-se sobretudo em Alfred H. Barr, *Picasso: Fifty Years of his Art*, 1946.

3. Barr, *op. cit.*, p. 143.

4. Barr, *op. cit.*, p. 143.

5. Na verdade, a ambigüidade pode ser a essência do método, "um meio de aproximar-se da verdade", como sugere Roland Penrose, *Picasso, his Life and Work*, Londres, 1958, p. 270.

6. De uma entrevista dada a Jerome Seckler em 1945. Apud Barr, *op. cit.*, p. 202.

7. *London Bulletin*, outubro de 1938. Reproduzido em *A Coat of Many Colours*, Londres, 1945, pp. 317-19.

8. Cf. Lorenz Eitner, *Burlington Magazine*, Londres, XCIV, junho de 1957, pp. 193-199. Também Johannes Eichner, *Kandinsky und Gabriele Münter*, Munique, s.d. (1957?).

9. Eitner, *loc. cit.*

10. Kandinsky, *Concerning the Spiritual in Art*, Nova York, 1947, pp. 23-4 ss.

11. *Wassily Kandinsky*, org. Max Bill, com contribuições de Jean Arp, Charles Estienne, Carola Giedion-Welcker, Will Grohmann, Ludwig Grote, Nina Kandinsky e Alberto Magnelli, Paris, 1951, p. 165.

12. Will Grohmann, *Paul Klee*, ed. inglesa, Londres, 1954. Baseei-me nessa

obra respeitável na maioria dos fatos aqui registrados.

13. "Do ponto de vista quantitativo, *grosso modo* metade da obra total de Klee foi produzida durante os anos em que ensinou", Grohmann, *op. cit.*, p. 83.

14. Trad. ingl. Ralph Menheim.

15. "Le mouvement infini, le point qui remplit tout, le mouvement de repos: infini sans quantité, indivisible et infini." (Pascal, fragmento 425; Stewart 213.)

16. Paul Klee, *On Modern Art*, p. 55 (trad. ingl. revisada).

Capítulo VI *(pp. 188-217)*

1. Wassily Kandinsky, "Réflexions sur l'art abstrait", *Cahiers d'Art*, n.º 7-8, 1931.

2. Foram realizadas uma exposição de arte chinesa, japonesa e coreana em Munique no ano de 1909 e outra de arte maometana em 1910.

3. *Wassily Kandinsky Memorial*, Nova York (Solomon R. Guggenheim Foundation), 1945, p. 61.

4. Ilustrada por Peter Selz em *German Expressionist Painting*, Berkeley e Los Angeles, 1957, pr. 82.

5. Léonce Rosenberg, *Le Néo-plasticisme*, Paris, 1920. Mas ele usara o equivalente holandês, *Nieuwe Beelding*, no periódico *De Stijl* a partir de 1917. Uma tradução mais precisa dessa expressão seria "nova configuração".

6. *Apud* H. C. L. Jaffé, *De Stijl: 1917-31. The Dutch Contribution to Modern Art*, Amsterdam, 1956, p. 56. É o mais completo e respeitável trabalho sobre o movimento *De Stijl*.

7. *Ibid.*, pp. 55-6.

8. *Ibid.*, p. 61.

9. *Ibid.*, p. 30.

10. No último número de *De Stijl*. Cf. Jaffé, *op. cit.*, p. 89.

11. Piet Mondrian, *Plastic Art and Pure Plastic Art* (1937), Nova York, 1945, p. 54.

12. Georg Schmidt, "Piet Mondrian Today", prefácio a Michel Seuphor, *Piet Mondrian: Life and Work*, Londres, 1957.

13. Não é provável que ele tenha lido os famosos ensaios de Edward Bullough sobre o "'Problema perceptivo' na apreciação estética das cores simples", *British Journal of Psychology*, II, 1906-1908, 406 ss.; mas Bullough era representativo de grande parte das discussões então correntes sobre tais problemas.

14. Kasimir Malevich, *Die gegenstandslose Welt: Begründung und Erklärung des russischen Suprematismus*. Munique, 1927 (*Bauhausbücher II*). Alguns dos seus parágrafos foram traduzidos por R. Goldwater e M. Trèves, *Artists on Art*, Nova York, 1945, pp. 452-3, e serviram de base para as minhas citações.

15. *Naum Gabo: Antoine Pevsner*. Nova York, 1948, p. 53.

16. *Gabo: Constructions, Sculpture, Paintings, Drawings, Engravings*. Londres e Cambridge (Mass.), 1957, p. 156.

17. *Ibid.*, pp. 17-18.

18. "Russia and Constructivism", entrevista, 1956, in *Gabo* (*op. cit.*, 1957), p. 157.

19. *Ibid.*, p. 158.

20. *Apud Naum Gabo: Antoine Pevsner* (p. 57), da Galerie René Drouin, Paris, *Antoine Pevsner*, Paris, 1947.

21. *Bauhaus, 1919-28*, org. por Herbert Bayer, Walter Gropius, Ise Gropius, Nova York e Londres, 1939, p. 18.

22. Paris, 1918.

Capítulo VII *(pp. 218-85)*

1. Trad. ingl. *Form in Gothic* (publicada com uma introdução de Herbert Read), Londres, 1927.

2. Cf. o trecho de *Form in Gothic* de Worringer, já mencionado na p. 48.

3. Selecionei esses nomes propositalmente: há outro elemento da arquitetura moderna, representada por Mies van de Rohe e por Gropius, que é mais racional, sereno e clássico. É significativo que Walter Gropius seja o arquiteto da nova embaixada americana em Atenas.

4. Estranhamente, a palavra "expressionismo", como nome para o novo movimento, parece ter-se originado em Paris. Foi usado por Matisse, e Theodor Daubler, em seu livro *Im Kampf um die moderne Kunst*, Berlim, 1920, afirma que um crítico francês, Louis Vauxcelles, foi o primeiro a pô-lo em uso. Esse termo foi adotado pelo periódico alemão (Berlim) *Der Sturm* a partir de 1911, primeiro em relação aos pintores franceses que expunham na *Secessão* berlinense de 1911 e depois, indiscriminadamente, para descrever os artistas alemães que simpatizavam com eles. Num ensaio publicado no *Der Sturm* em 1911 (II, pp. 597-8), Worringer apresentou a primeira definição clara do termo, relacionando ao mesmo tempo suas manifestações contemporâneas a manifestações do mesmo "desejo de forma" do passado. Cf. Peter Selz, *German Expressionist Painting*, Berkeley e Los Angeles, pp. 255-8.

5. "Nós dois adorávamos o azul; Marc, cavalos; eu, cavaleiros. Então o nome surgiu sozinho." Afirmação de 1930, atribuída a Kandinsky. Cf. *Cicerone*, n.º 3, 1949, p. 111. *Apud* Bernard S. Myers, *Expressionism*, Londres e Nova York, 1957, p. 206, n.º 124.

6. G. F. Hartlaub in "The Arts", janeiro de 1931. Myers, *op. cit.*, p. 280.

7. *Apud* Selz, *op. cit.*, pp. 210-20.

8. August Macke. *Apud* Selz, *op. cit.*, p. 229.

9. Nome dado pelo Dr. Hartlaub. Ver nota 6 acima.

10. Ver p. 228.

11. De uma carta aberta que convidava todos os artistas a aderir ao Grupo de Novembro, enviada pelo comitê executivo em dezembro de 1918. Cf. Myers, *op. cit.*, p. 278.

12. Cf. Jean Leymarie: "Meglio di qualsiasi altro artista, Soutine, secondo il detto di Mellet, che sembra l'epigrafe dell'espressionismo moderno, 'ha messo la propria pelle nella sua opera'." ["Mais que qualquer outro artista, segundo palavras de Mellet que parecem ser a epígrafe do expressionismo moderno, 'Soutine pôs a própria pele em sua obra'." [N. da T.], XXVI Biennale di Venezia (1952), *Catalogo*, p. 179.

13. Edith Hoffman, *Kokoschka: Life and Work*, Londres, 1947, p. 33. Essa monografia respeitável contém várias declarações importantes feitas pelo próprio artista.

14. *Ibid.*, pp. 118-9.

15. Trad. ingl. E. Hoffman, *op. cit.*, p. 147.

16. Cf. Hans Maria Wingler, *Introduction to Kokoschka*, Londres, 1958, p. 112.

17. "Uma súplica de um artista estrangeiro ao justo povo da Grã-Bretanha por uma paz segura e presente", humildemente apresentada e assinada por Oskar Kokoschka, Londres, dezembro de 1945. Apêndice a Hoffman, *op. cit.*, pp. 247-284.

18. "On the nature of visions", trad. ingl. Hedi Medlinger e John Thwaites, in Hoffman, *op. cit.*, pp. 285-7.

19. Wassily Kandinsky, *Concerning the Spiritual in Art*, Nova York, 1947, pp. 67-8.

20. Em particular, Anton Ehrenzweig, *The Psychoanalysis of Artistic Vision and Hearing. An Introduction to a Theory of Unconscious Perception*, Londres, 1953.

21. Henri Michaux, *Un Barbare en Asie*, Paris, 1945.

22. Em *Fourteen Americans*, org. Dorothy C. Miller, Nova York, 1946, p. 70.

23. Demonstrado de maneira magnífica por Gyorgy Kepes em *The New Landscape in Art and Science*, Chicago, 1956.

24. *Ibid.*, p. 173.

25. Paris, 1958.

26. Mas esses fragmentos poderiam perfeitamente também ter vindo de Masson.

27. Introdução ao catálogo da Exposição de Jackson Pollock, feito sob os auspícios do Conselho Internacional do Museum of Modern Art, Nova York, 1958.

28. Jackson Pollock, "My painting", *Possibilities,* Nova York, nº 1, 1947, p. 79. *Apud* catálogo da exposição de Jackson Pollock, feito sob os auspícios do Conselho Internacional do Museum of Modern Art, Nova York, 1958.

29. Da resposta a um questionário, escrito por Jackson Pollock e editado em *Arts and Architecture*, LXI, fevereiro de 1944.

30. Hannah Arendt, *The Human Condition*, Nova York, 1958, pp. 323 s. Mas é possível argumentar que a *action painting* não é "expressionista". Cf. Harold Rosenberg:

> "A ação nunca se perfaz; mas tende ao perfazimento e a afastar-se do pessoal. Esse é o melhor argumento para nos abstermos da expressão 'expressionismo abstrato', com suas associações de ego e *Schmerz* pessoal, como nome para a atual pintura norte-americana. *Action painting* tem que ver com autocriação ou autodefinição, autotranscendência; mas isso a dissocia da auto-expressão, que pressupõe a aceitação do ego como ele é, com sua ferida e sua magia. A *action painting* não é 'pessoal', embora sua matéria seja a possibilidade individual do artista." *Apud* "A dialogue with Thomas B. Hess", *Catalogue of the Exhibition: Action Painting,* 1958, The Dallas Museum for Contemporary Arts. Reproduzido em *The Tradition of the New*, Nova York, 1959, pp. 28 ss.

Bibliografia

Esta lista é arbitrária; restringe-se aos livros essenciais à consulta e ao estudo. Para uma bibiliografia mais completa, remetemos o leitor a *Art of the Twentieth Century – a Bibliography*, de Bernard Karpel (Nova York, Wittenborn & Co.). A maioria das monografias sobre os artistas citados abaixo contém uma bibliografia pormenorizada sobre seu tema.

H. R.

Documentos sobre pintura moderna

FIEDLER, Conrad: *On Judging Works of Visual Art.* Trad. ingl. Henry Schaefer-Simmern e Fulmer Mood. University of California, 2ª ed., 1957.

VAN GOGH, Vincent: *The Complete Letters of Vincent van Gogh*, 3 vols. Londres, 1958.

CÉZANNE, Paul: *Letters.* Ed. John Rewald. Londres, 1941.

WORRINGER, Wilhelm: *Abstraktion und Einfühlung.* Munique, 1908, 1948. Trad. ingl. Michael Bullock: *Abstraction and Empathy.* Londres, 1953. *Formprobleme der Gothik.* Munique, 1912. Trad. ingl. *Form in Gothic.* Londres, 1927.

KANDINSKY, Wassily: *Über das Geistige in der Kunst.* Munique, 1912.
Trad. ingl. (1) *The Art of Spiritual Harmony.* Trad. ingl. com introdução de M. T. H. Sadler. Londres, 1914. (2) *Concerning the Spiritual in Art.* Tradução revisada por Francis Golffing, Michael Harrison e Ferdinand Ostertag. Nova York, 1947.

GLEIZES, Albert e Jean MEIZINGER: *Du "Cubisme".* Paris, 1912. Trad. ingl. *Cubism.* Londres, 1913.

APOLLINAIRE, Guillaume: *Les Peintres Cubistes.* Paris, 1913. Trad. ingl. Lionel Abet: *The Cubist Painters: Aesthetic Meditations.* Nova York, 1944. Nova ed. 1949. (Ver "Obras adicionais", abaixo.)

KLEE, Paul: *Über die moderne Kunst* (1924). Berna-Bümpliz, 1945.
Trad. ingl. Paul Findlay: *On Modern Art.* Londres, 1948.
Das bildnerische Denken. Ed. Jürg Spiller. Basiléia/Stuttgart, 1956.

MONDRIAN, Piet: *Plastic Art and Pure Plastic Art 1937 and other Essays, 1941-1943.* Nova York, 1945.
Archivi del Futurismo. Raccolti e ordinati da M. Druch Gambillo e T. Fiore. Roma, 1958-62.

Histórias da pintura moderna

[*Skira*] *History of Modern Painting:*

(1) *From Baudelaire to Bonnard. The Birth of a New Vision.* Texto de Maurice Raynal. Introdução de Herbert Read. Notas históricas e bibliográficas de Jean Leymarie. Trad. ingl. Stuart Gilbert, Genebra, 1949.

(2) *Matisse Munch Rouault. Fauvism Expressionism.* Texto e documentação de Maurice Raynal, Arnold Rüdlinger, Hans Bolliger, Jacques Lassaigne. Introdução de George Schmidt. Trad. ingl. Stuart Gilbert, Genebra, 1950.

(3) *From Picasso to Surrealism.* Textos e documentação de Maurice Raynal, Jacques Lassaigne, Werner Schmalenbach, Arnold Rüdlitiger, Hans Bolliger. Trad. ingl. Douglas Cooper, Genebra, 1950.

DORIVAL, Bernard: *Les étapes de la peinture française contemporaine.* Paris, 1943-1946.

HUYGHE, René: *Histoire de l'art contemporain: la peinture.* Em colaboração com G. Bazin. Paris, 1935.

ZERVOS, Christian: *Histoire de l'art contemporain.* Paris, 1938.

Monografias

(a) MOVIMENTOS

REWALD, John: *The History of Impressionism.* Nova York, 1946 (Londres e Nova York, 1974).
Post-Impressionism – From Van Gogh to Gauguin. Nova York, 1956.

PEVSNER, Nikolaus: *Pioneers of the Modern Movement – From William Morris to Walter Gropius.* Londres, 1936 (1966).

DUTHUIT, Georges: *Les Fauves.* Genebra, 1949.
Trad. ingl.: Ralph Manheim: *The Fauvist Painters.* Nova York, 1950.

BARR, Alfred H.: *Cubism and Abstract Art.* Nova York, 1936.

MOTHERWELL, Robert (org.): *The Dada Painters and Poets.* Nova York, 1951.

VERKAUF, Willy (org.): *Dada – Monograph of a Movement.* Nova York, 1957.

BARR, Alfred H. Jr.: *Fantastic Art, Dada, Surrealism,* com ensaios de Georges Hugnet. Nova York, 1936.

JAFFÉ, H. L. C.: *De Stijl – 1917-1931: The Dutch Contribution to Modern Art.* Amsterdam, 1956. (Ver "Obras adicionais", abaixo.)

SELZ, Peter: *German Expressionist Painting.* Berkeley e Los Angeles, 1957.

MYERS, Bernard S.: *Expressionism.* Londres e Nova York, 1957.

SEUPHOR, Michel: *L'Art Abstrait. Ses origines, ses premiers maîtres.* Paris, 1949.
Dictionnaire de la peinture abstraite. Paris e Londres, 1957.

BRION, Marcel: *Art abstrait.* Paris, 1956.

(b) ARTISTAS

MALINGUE, Maurice: *Gauguin – Le Peintre et son Oeuvre.* Paris, 1948.

DE LA FAILLE, J. B.: *Van Gogh.* Trad. ingl. Prudence Montagne-Pollock, Londres e Toronto, s.d.

VENTURI, Lionello: *Cézanne.* 2 vols. Paris, 1936.

FRY, Roger: *Cézanne, a Study of his Development*, Londres, 1927.

REWALD, John: *Seurat.* Nova York, 1943, 1946.

HODIN, J. P.: *Edvard Munch.* Estocolmo, 1948 (Londres e Nova York, 1972).

BARR, Alfred H. Jr.: *Matisse – His Art and his Public.* Nova York, 1951.
Picasso – Fifty Years of his Art. Nova York, 1946.

BOECK, Wilhelm e SABARTES, Jaime: *Picasso*, Londres e Nova York, 1955.

ZERVOS, Christian: *Pablo Picasso.* Vol. 1 (1895-1906); Vol. II (em duas partes – 1906-12 e 1912-17), Paris, 1932-42.

ELGAR, Frank e MAILLARD, Robert: *Picasso.* Paris e Londres, 1955 (1973).

PENROSE, Roland: *The Life of Picasso.* Londres, 1958 (1971).

EINSTEIN, Carl: *Georges Braque.* Paris, 1934.

HOPE, Henry R.: *Georges Braque.* Nova York, 1949.

KAHNWEILER, Daniel-Henry: *Juan Gris – His Life and Work.* Trad. ingl. Douglas Cooper, Londres, 1947.

BILL, Max: *Wassily Kandinsky* (com a participação de Jean Arp, Charles Estienne, Carola Giedion-Welcker, Will Grohmann, Ludwig Grote, Nina Kandinsky, Alberto Magnelli), Paris, 1951.

GROHMANN, Will: *Kandinsky.* Colônia, Londres e Nova York, 1958.

CROHMANN, Will: *Paul Klee.* Londres, 1954.

COOPER, Douglas: *Fernand Léger et le nouvel espace.* Genebra, 1949.

SWEENEY, James Johnson: *Joan Miró.* Nova York, 1941.

VENTURI Lionello: *Georges Rouault.* Nova York, 1940; Paris, 1948.

SOBY, James Thrall: *Georges Rouault.* Nova York, 1945.

HOFIMAN, Edith: *Kokoschka, Life and Work.* Londres, 1947.

WHEELER, Monroe: *Soutine.* Nova York, 1950.

SWEENEY, James Johnson: *Marc Chagall.* Nova York, 1946.

ERBEN, Walter: *Marc Chagall.* Londres, 1957.

SEUPHOR, Michel: *Piet Mondrian.* Londres e Nova York, 1957.

READ, Herbert (org.): (1) *Ben Nicholson – Paintings, reliefs, drawings.* Londres, 1948.
(2) *Ben Nicholson – Work since 1947.* Londres, 1956.

Obras adicionais

A bibliografia do autor foi praticamente toda reproduzida (com o acréscimo de algumas edições posteriores das obras indicadas). A nova parte arrola alguns livros úteis publicados a partir de 1959.

[*Skira*] *History of Modern Painting.*
(4) *Contemporary Trends.* Texto de Nello Ponente. Genebra, 1960.

RICHTER, Hans: *Dada, Art and Anti-Art.* Londres e Nova York, 1966.

LUCIE-SMITH, Edward: *Movements in Art Since 1945.* Londres, 1969. Publicado nos EUA como *Late Modern*, Nova York, 1969.

RUSSELL, John e GABLIK, Suzi: *Pop Art Redefined.* Londres e Nova York, 1969.

[*Skira*] *American Painting:* (2) *The Twentieth Century.* Texto de Barbara Rose, Genebra, 1969.

JAFFÉ, H. L. C.: *De Stijl.* Londres e Nova York, 1970.

SANDLER, Irving: *Abstract Expressionism: The Triumph of American Painting.* Nova York e Londres,1970.

Abstract Art Since 1945. Com participação de Jean Leymaric, Werner Haftmanti, Irving H. Sandler, Michel Ragon, Francine C. Legrand, Gillo Dorfles, H. L. C. Jaffé, Umbro Apollonio, Lucy R. Lippard, Oto Bihalji-Merin. Londres e Nova York, 1971.

Figurative Art Since 1945. Com a participação de J. P. Hodin, Giuseppe Marchiori, Emile Langui, René Passeron, Wieland Schmied, Jean Dypréau, Robert Melville, Lawrence Alloway, Mario Amaya, Pierre Restany, Gérald Gassiot-Talabot, Alain Jouffroy, Londres e Nova York, 1971.

GRAY, Camilla: *The Russian Experiment in Art, 1863-1922.* Londres e Nova York (1962), 1971.

COOPER, Douglas: *The Cubist Epoch.* Londres, Nova York e Los Angeles, 1971.

Apollinaire on Art: Essays and Reviews 1912-18. Org. LeRoy C. Breunig. Nova York e Londres, 1972.

KLEE, Paul: *Notebooks.* (I) *The Thinking Eye*; (II) *The Nature of Nature.* Org. Jürg Spiller, Londres e Nova York, 1961 e 1973.

APOLLONIO, Umbro (org.): *Futurist Manifestos.* Londres e Nova York, 1973.

Relação das obras reproduzidas

A relação está organizada alfabeticamente, segundo o nome do artista. Foram envidados todos os esforços para que as informações fossem completas e precisas, mas alguns detalhes não puderam ser esclarecidos, como o atual paradeiro de obras que mudaram de mãos desde a primeira edição deste livro. Quando não houver informação em contrário, a obra é óleo sobre tela. As medidas estão em centímetros. A altura precede a largura. Os números em negrito indicam as páginas em que as reproduções aparecem. Os números em itálico são os das reproduções presentes na "*Pinacoteca*".

AFRO (Afro Basaldella; 1912-)
Ballet. 1953. Coleção de Luca. *155*

ALBERS, Josef (1888-1976)
Estudo para Pintura Mirage A de 1940. Óleo sobre papel. (31 × 34). Coleção Sr. e Sra. Harry Lewis Winston, Detroit. *105*

Constelação estrutural. c. 1954. Plástico preto gravado de branco. (49 × 65). Galerie Denise René, Paris. **213**

ALECHINSKY, Pierre (1927-)
Dragon Anemone. 1956. (35 × 35). Coleção do artista. *185*

ALVA (1910-)
Trio. 1956. (91,5 × 60). Coleção particular, Nova York. *186*

ANÔNIMO
Pintura mural, Chile, 1973. *295*

APPEL, Karel (1921-)
Duas cabeças. 1953. (200 × 75). Solomon Guggenheim Museum, Nova York. *156*

ARAKAWA, Shusaku (1936-)
Graus do significado. 1970-71. Acrílico sobre tela. (183 × 122). Coleção Gordon Lambert. Foto: cortesia da Galeria Angela Flowers, Londres. *276*

ARMAN (Armand Fernandez, 1928-)
Lixo I. 1960. Montagem. (65,5 × 40 × 10). Kaiser Wilhelm Museum, Krefeld. *229*

ARP, Hans (1887-1966)
Configuração. 1928. (145,5 × 115,5). Kunstmuseum, Basiléia (Fundação Emanuel Hoffmann). **115**

Constelação em cinco formas brancas e duas pretas, Variação III. 1932. Relevo, óleo sobre madeira. (60 × 76). Solomon R. Guggenheim Museum, Nova York. *88*

Xilogravura "Onze peintres vus par Arp". 1949. (24 × 20). **120**

AYRES, Gillian (1930-)
I.C.A. Screenprint. 1964. Impressão serigráfica. (58,5 × 91,5). I.C.A., Londres. *245*

BACON, Francis (1909-92)
Estudo para uma composição maior: Figura na base de um crucifixo. 1944. Óleo sobre madeira. (94 × 74). Tate Gallery, Londres. *118*

BALLA, Giacomo (1871-1958)
Automóvel e barulho. 1912. (75 × 54). Coleção Peggy Guggenheim, Veneza. *25*

BARLACH, Ernst (1870-1938)
Rebelião (O Profeta Elias). 1922. Litografia. (52 × 42). National Gallery, Washington. **60**

BAUMEISTER, Willi (1889-1955)
Homem e máquinas. 1925. (100 × 81). Coleção Frau Margarete Baumeister. *77*

Duas lanternas. 1955. (65 × 54). Coleção particular. **227**

BAZAINE, Jean (1904-)
Maré baixa. 1955. (141 × 195). Galerie Maeght, Paris. **255**

Água. 1957. (79 × 160). Galerie Maeght, Paris. *208*

BAZIOTES, William (1912-63)
Penumbra. 1958. (152 × 122). Carnegie Institute, Pittsburgh. *227*

BECKMANN, Max (1884-1950)
Königinnen II. 1923. Água-forte. (29 × 24). Philadelphia Museum of Art. **233**

Homem com peixe. c. 1934. *90*

Caravana circense. 1940. (86 × 118,5). Staedelsches Kunstinstitut, Frankfurt/Main. **234**

BELLEGARDE, Claude (1927-)
Êxtase branco. 1957. Coleção do artista. *205*

BERTHON, Roland (1910-)
Homem com pau. 1957. (116 × 89). Coleção Hostettler, Berna. Cortesia Galerie Bing, Paris. *195*

BERTRAND, Gaston (1910-)
Itália. 1956. (97 × 163). Coleção do artista. *187*

BEUYS, Joseph (1921-86)
Como explicar pintura a uma lebre morta. 1965. Ação. Galerie Schmela, Düsseldorf. **322**

BIASI, Alberto (1937-)
Prismas de luz. 1962-69. Chão branco com prismas móveis e fontes de luz. (500 × 500). Cortesia do artista. *265*

BIROLLI, Renato (1906-59)
Máquina agrícola. 1955. (100 × 110). Coleção do artista. *181*

BLAKE, Peter (1932-)
Doktor K. Tortur. 1965. Cryla, colagem em tábua. (61 × 25,4). Coleção Erich Sommer. **307**

BLOW, Sandra (1925-)
Superfície rochosa: preto e branco. 1957-58. Óleo sobre madeira. (153 × 122). Coleção do artista. *230*

BOCCIONI, Umberto (1882-1916)
Dinamismo de ciclista. 1913. (70 × 95). Coleção Gianni Mattioli, Milão. *38*

BOETTI, Alighiero (1940-)
Mapa. 1971. Bordado. (400 × 200). Cortesia Gian Enzo Sperone. Foto Mimmo Capone. *278*

BORDUAS, Paul Émile (1905-60)
Silêncio magnético. 1957. (163 × 130). Arthur Tooth and Sons Limited, Londres. *198*

BORES, Francisco (1898-1972)
Praia. 1957. (146 × 114). Galeria Louise Carré, Paris. *199*

BRANCUSI, Constantin (1876-1957)
Cabeça de jovem. 1907-08. Pedra. (30 cm de altura). Coleção Arensberg, Philadelphia Museum of Art. **102**

Musa adormecida. 1909-26. Gesso. (17 × 30). Coleção Atelier Brancusi, Musée National d'Art Moderne, Paris. **101**

BRAQUE, Georges (1882-1963)
Casas em L'Estaque. 1908. (73 × 60). Fundação Rupf, Berna. **75**

O violinista. 1911. (100 × 73). Marlborough Fine Art Limited, Londres. *16*

Jovem com violão. 1913. (130 × 74). Musée National d'Art Moderne, Paris. **77**

Formas musicais. 1913. Óleo, *crayon* e carvão sobre tela. (92 × 65). Philadelphia Museum of Art. **2**

Bandolim, copo, jarra e fruto. 1927. (81 × 116,5). Tate Gallery, Londres. **164**

Cabeça de menina. 1929. Óleo sobre papel. **79**

BRAUNER, Victor (1903-66)
Cabeça desdobrada. 1955. Diversos materiais. (80 × 64). Coleção Sr. e Sra. Jean De Menil, Nova York. *169*

Espaço hermético. 1958. Óleo sobre papel. (56,5 × 77). Coleção Robert Altmann. **145**

BREHMER, K. P. (1938-)
Horizonte de Berlim. 1972. (155 × 109). Cortesia de Gerhard Steidl, Göttingen. *281*

BROODTHAERS, Marcel (1924-76)
A torpeza de Charles Dodgson. 1972. Impressão sobre tela. (100 × 80). Cortesia de Jack Wendler. *285*

BUREN, Daniel (1938-)
Photo/Souvenir. Londres. 1972. Cortesia de Jack Wendler. **320**

BURRI, Alberto (1915-95)
Sacco 3, Roma. 1953. Óleo sobre tela e estopa. (128 × 180). Coleção do artista. *149*

Sacco 4. 1954. Estopa, algodão, cola, seda e tinta sobre tela de algodão. (115 × 76). Coleção Anthony Denney, Londres. **284**

CAMARO, Alexander (1907-)
Ferrovia cênica. 1952. (86 × 117). Coleção do artista. *144*

CAMPENDONK, Heinrich (1889-1957)
Ouvindo. 1920. (125 × 94). Solomon R. Guggenheim Museum, Nova York. *68*

CAMPIGLI, Massimo (1895-1971)
Jogo de bolas. 1946. (60 × 66). Coleção Peggy Guggenheim, Veneza. *126*

CANE, Louis
Pintura. 1972. Acrílico sobre tela. (590 × 219). Galerie Yvon Lambert, Paris. *279*

CAPOGROSSI, Giuseppe (1900-72)
Superfície. 1957. (96 × 146). Coleção do artista. *213*

CARRÀ, Carlo (1881-1966)
Estudo em preto e branco para "La Galleria". 1912. Desenho. Coleção G. Mattioli, Milão. **109**

Composição com T.A. 1916. (54 × 70). Coleção R. Jucker. *51*

Musa metafísica. 1917. (89 × 65). Coleção Dr. Emilio Jesi, Milão. **107**

CASAS, Juan Vila (1920-)
Pintura. 1957. Coleção do artista. *204*

CASTELLANI, Enrico (1930-)
Branco com bisseção e protuberâncias verticais. 1962. (110 × 93). Kaiser

HOFMANN, Hans (1880-1966)
Exuberância. 1955. (127 × 102). Albright Knox Art Gallery, Buffalo. *177*

HOYLAND, John (1934-)
22.11.61. 1961. (173 × 173). Coleção do artista. *234*

10.3.71. 1971. Acrílico sobre tela. (201 × 183). Leslie Waddington Gallery, Londres. *274*

HUNDERTWASSER (Fritz Stowasser, 1928-99)
Cette fleur aura raison des hommes. 1957. Óleo, têmpera de ovo, folha de ouro, aquarela sobre papel. (76 × 119). Coleção Madame du Closel, Paris. *212*

INOUE, Youichi (1916-)
Desenho. 1956. (187 × 176). Coleção do artista. **249**

JAWLENSKY, Alexei von (1864-1941)
Natureza-morta. 1909. (50 × 54). Coleção Haubrich, Museu Wallraf-Richartz, Colônia. **189**

Menina espanhola. 1912. Óleo sobre tábua. (70 × 55). Coleção Rex de C. Nan Kivell. *26*

Cabeça. 1935. Óleo sobre tábua. (46 × 38). Redfern Gallery, Londres. **191**

JENKINS, Paul (1923-)
To Queequeg. 1957. (201 × 165). Arthur Tooth and Sons Limited, Londres. *207*

JOHNS, Jasper (1930-)
Flag above White with Collage. 1955. Encáustica e colagem sobre tela. (57,2 × 48,9). Coleção do artista. **300**

Alvo com quatro rostos. 1955. Encáustica sobre papel de jornal sobre tela (66 × 66), ensimado por quatro rostos de gesso em moldura de madeira (9,5 × 66), com frente articulada. The Museum of Modern Art, Nova York. Doação de Sr. e Sra. Robert C. Scull. *173*

Sem título. 1964-65. Óleo sobre tela com objetos. (183 × 426,5) fechado; (183 × 487,5) aberto. Museu Stedelijk, Amsterdam. Foto: Rudolph Burckhardt. *242*

JONES, Allen (1937-)
Hermafrodita. 1963. (183 × 61). Walker Art Gallery, Liverpool. *236*

Mulher. 1965. Litografia e colagem. (70 × 56). Editions Alecto, Londres. *247*

JORN, Asger (1914-73)
Carta a meu filho. 1956-57. (130 × 195). Coleção Albert Niels, Bruxelas. **280**

O defensor. 1957. (136 × 117). Coleção E. J. Power, Londres. *193*

KANDINSKY, Wassily (1866-1944)
Paisagem com torre. 1908. (100 × 75). Galerie Maeght, Paris. *9*

Composição n.º 2. 1910. (200 × 275). Solomon R. Guggenheim Museum, Nova York. **165**

Circunscrito. 1911. Aquarela. (49 × 49). Galerie Maeght, Paris. *18*

Composição. 1911. Xilogravura. (16 × 22). Philadelphia Museum of Art. **167**

Acompanhamento amarelo. 1924. (83 × 98). Solomon R. Guggenheim Museum, Nova York. **173**

Estrutura angular. 1930. Óleo sobre cartão. (60 × 70). Galerie Maeght, Paris. *84*

Contraste com acompanhamento. 1935. Óleo e areia sobre tela. (97 × 162). Solomon R. Guggenheim Museum, Nova York. **168-9**

KELLY, Ellsworth (1923-)
Laranja e verde. 1966. (223,5 × 165). Cortesia Sidney Janis Gallery, Nova York. *248*

Dois painéis: preto com barra vermelha. 1971. (172,5 × 305). Coleção particular. Cortesia Sidney Janis Gallery, Nova York. *280*

KINLEY, Peter (1926-)
Pintura azul e marrom. 1955. (127 × 64). Coleção Gimpel Fils, Londres. *168*

KIRCHNER, Ernst Ludwig (1880-1938)
Cinco mulheres na rua. 1913. (120 × 90). Museu Wallraf-Richartz, Colônia, Cortesia Stuttgarter Kunstkabinett. **63**

KITAJ, R. B. (1932-)
Bill ao pôr-do-sol. 1973. (243,8 × 76,2). Marlborough Fine Art Limited, Londres. *272*

KLEE, Paul (1879-1940)
Cabeças. 1913. Nanquim. Coleção Klee-Stiftung, Berna. **177**

Homenagem a Picasso. 1914. (38 × 30). Coleção particular, Basiléia. *45*

Domos vermelhos e brancos. 1914. Aquarela. (16 × 14). Coleção Clifford Odets, Nova York. *44*

Villa R. 1919. (27 × 22). Kunstmuseum, Basiléia. *64*

O barco passa pelos jardins botânicos. 1921. Nanquim. Coleção Klee-Stiftung, Berna. **179**

Cena de batalha da ópera cômica fantástica "Simbad, o Marujo". 1923. Aquarela. (38 × 51,5). Coleção Madame T. Durst-Haass. Muttenz. **184-5**

O Grande Domo. 1927. Nanquim. (27 × 30). Coleção Klee-Stiftung, Berna. **183**

Calma ousadia. 1930. Aquarela. (31 × 24). Coleção Klee-Stiftung, Berna. *83*

Frutos sobre azul. 1938. Tinta e goma sobre tela. (55 × 136). Coleção Klee-Stiftung, Berna. *100*

La belle jardinière. 1939. Óleo e têmpera sobre estopa. (95 × 170). Kunstmuseum, Basiléia. **181**

Morte e fogo. 1940. (46 × 44). Coleção Klee-Stiftung, Berna. *106*

KLEIN, Yves (1928-62)
Grande antropofagia – Homenagem a Tennessee Williams. 1960. Impressão de corpo de mulher com tinta sobre papel posto sobre tela. (276,6 × 418). Galerie Karl Flinker, Paris. Cortesia de Mme. Klein. **312**

KLINE, Franz (1911-62)
Acento grave. 1955. (192 × 131). Coleção Sra. John D. Rockefeller III, Nova York. **263**

KOKOSCHKA, Oskar (1886-1980)
Dents du Midi. 1909. (76 × 116). Coleção Madame M. Feilchenfeldt, Zurique. **239**

Retrato de Madame Franzos. 1909. (115 × 83). The Phillips Collection, Washington. *12*

Ilustração de "Assassino, esperança das mulheres". 1910. Litografia. Galerie St. Étienne, Nova York. **245**

Mulher de azul. 1919. (75 × 100). Staatsgalerie, Stuttgart. **242-3**

Auto-retrato com setenta anos. 1956. Litografia em verde, azul e vermelho. (58 × 42). **237**

Esboço para ilustração da Cantata de Bach "Ó Eternidade, tu palavra de trovão". Carvão. (69 × 48). Coleção Sra. Walter Neurath, Londres. **241**

KOONING, Willem de (1904-97)
Mulher II. 1952. (149,9 × 109,3). The Museum of Modern Art, Nova York. **281**

Composição. 1955. (201 × 176). Solomon R. Guggenheim Museum, Nova York. *176*

KOSUTH, Joseph (1945-)
Arte como idéia. 1966. Imagem fotostática aplicada. (122 × 122). Coleção Dorothy e Roy Lichtenstein, Nova York. **319**

KOUNELLIS, Jannis (1936-)
Invente no ato. 1972. (200 × 300). Galerie Sonnabend, Paris. *288*

KUPKA, František (1871-1957)
Primeiro passo. 1909. (83 × 130). The Museum of Modern Art, Nova York. *11*

LA FRESNAYE, Roger de (1885-1925)
Emblems. c. 1912. (89 × 200). The Phillips Collection, Washington. *23*

Vida conjugal. 1913. (96 × 118). Minneapolis Institute of Arts. **80**

LAM, Wifredo (1902-82)
A selva. 1943. Guache. (240 × 230). The Museum of Modern Art, Nova York. *114*

Harpa astral. 1944. (210 × 190). Coleção B. Urvater, Bruxelas. **143**

Cor de piche. 1946. Bico-de-pena. **141**

LANYON, Peter (1918-64)
Farm Backs. 1953. (102 × 69). Anteriormente na coleção do artista. *157*

LARIONOV, Michael (1881-1964)
Composição rayonista: dominação de Kiev. 1911. (52,7 × 72,4). The Museum of Modern Art, Nova York. *22*

LAURENS, Henri (1885-1954)
O violonista. 1916. Colagem. (37 × 21). Hanover Gallery, Londres. **99**

Cabeça de pugilista. 1920. Bronze. (44). Hanover Gallery, Londres. **99**

LE BROCQUY, Louis (1916-)
Presença masculina. 1956. (31 × 25). Coleção do artista. *188*

LECK, Bart van der (1876-1958)
Composição geométrica. 1917. (95 × 102). Museu Stedelijk, Amsterdam. *52*

LE CORBUSIER (Charles Edouard Jeanneret, 1887-1966)
Touro V. 1953-54. (196 × 97). Anteriormente na coleção do artista. *160*

LE FAUCONNIER, Henri Victor Gabriel (1881-1946)
O caçador. 1912. (158 × 118). The Museum of Modern Art, Nova York. *24*

LÉGER, Fernand (1881-1955)
Mulher em azul. 1912. (193 × 130). Kunstmuseum, Basiléia. **92**

Soldado com cachimbo. 1916. (130 × 97). Coleção Philippe Dotremont, Bruxelas. **89**

Cidade. 1919. (231,5 × 298,5). Coleção Gallatin, Philadelphia Museum of Art. **88**

O papagaio. 1940. Aquarela. (39 × 27). Buchholz Gallery, Nova York. **91**

Ciclistas. 1944. Nanquim, toques de cor. (20 × 43). Galerie Louise Carré, Paris. **87**

Natureza-morta com faca. 1950. (46 × 81). Marlborough Fine Art Limited, Londres. *138*

LEVEE, John (1924-)
Desenho. 1955. Bico-de-pena, pincel e tinta. The Museum of Modern Art, Nova York. **262**

LEVINE, Jack (1915-)
Festim da razão pura. 1937. (106,7 × 121,9). The Museum of Modern Art, Nova York. *94*

LEWIS, Percy Wyndham (1884-1957)
Atores romanos. 1934. Aquarela, guache e tinta. (38 × 54). The Museum of Modern Art, Nova York. *89*

LEWITT, Sol (1928-)
Desenho em parede n.º 10. Lápis de cera diretamente sobre a parede, dimensões dependentes do tamanho da parede. Lisson Gallery, Londres. *299*

LHOTE, André (1885- 1962)
Nu: flautista. 1911. (83 × 60). Marlborough Fine Art Limited, Londres. *19*

LICHTENSTEIN, Roy (1923-97)
Whaam. 1963. Magna sobre tela. (173 × 405). Tate Gallery, Londres. *240*

Pintura moderna com arco. 1966. Óleo e magna sobre tela. (122 × 122). Cole-

leção Munson-Williams-Proctor Institute, Nova York. **194-5**

Natureza-morta com panela de gengibre I. 1912. (65 × 75). Coleção S. B. Slijper, Gemeentemuseum, Haia. *32*

Natureza-morta com panela de gengibre II. 1912. (92 × 120). Coleção S. B. Slijper, Gemeentemuseum, Haia. *30*

Árvores em flor. 1912. (65 × 75). Galeria G. J. Nieuwenhuizen Segaar, Haia. *31*

O mar. 1914. Carvão. (95 × 128). Coleção Peggy Guggenheim, Veneza. *46*

Composição com vermelho, amarelo e azul. 1921. (80 × 50). Gemeentemuseum, Haia. **199**

Composição num quadrado. 1929. (50 × 50). Yale University Art Gallery. *80*

Broadway Boogie Woogie. 1942-43. (127 × 127). The Museum of Modern Art, Nova York. *112*

MORANDI, Giorgio (1890-1964)
Natureza-morta metafísica. 1918. (54 × 64). Coleção particular, Milão. *59*

MORELLET, François (1926-)
I Cópia (Desenho de grade, 4 grades duplas, – 4º + 4º – 8º + 8º). 1959. Óleo sobre madeira (80 × 80). Coleção do artista. Foto: cortesia Lucy Milton Gallery. *226*

MORRIS, Carl (1911-)
Pintura marrom. 1954. (102 × 122). Solomon R. Guggenheim Museum, Nova York. *159*

MORTENSEN. Richard (1910-)
Avignon. 1955. (100 × 81). Coleção Meyer-Chagall. *170*

MOSS, Marlow (1890-1958)
Composição: preto, amarelo, azul e branco. 1957. (53 × 53). Hanover Gallery, Londres. *214*

MOTHERWELL, Robert (1915-91)
Pancho Villa, vivo e morto. 1943. Guache e óleo com colagem. (71 × 91). The Museum of Modern Art, Nova York. *115*

MUELLER, Otto (1874-1930)
Auto-retrato com nu. 1920. Têmpera sobre tela. (96 × 60). Galerie Ferdinand Moller, Colônia. *66*

Ciganos com girassóis. 1927. (145 × 105). Saarland-Museum, Saarbrücken. Cortesia Stuttgarter Kunstkabinett. **65**

MUNCH, Edvard (1863-1944)
O grito. 1895. Litografia. (35 × 25). Coleção Lessing J. Rosenwald, National Gallery of Art, Washington. **57**

A dança da vida. 1899-1900. (125 × 190). Galeria Nacional, Oslo. **54**

NASH, Paul (1889-1946)
Event on the Downs. 1937. (50 × 60). Coleção Sra. Charles Neilson. *95*

NAUMAN, Bruce (1941-)
O verdadeiro artista ajuda o mundo revelando verdades místicas. 1967. Instalação elétrica. (140 × 152, 5 × 6). Cortesia Galerie Bischofberger, Zurique, Nova York. *256*

NAY, Ernest Wilhelm (1902-)
Alpha. 1957. (116 × 89). Coleção particular. **273**

NEWMAN, Barnett (1905-70)
Quem tem medo do vermelho, do amarelo e do azul III. 1966-67. (244 × 544). Museu Stedelijk, Amsterdam. **292**

NICHOLSON, Ben (1894-1982)
Relevo branco. 1942. Escavado em placa sintética. Coleção particular, EUA. *111*

Natureza-morta (ligeiramente esverdeada). 1945-54. (56 × 69). Coleção Sr. e Sra. M. G. Bendon. **215**

NOLAN, Sidney (1917-92)
Glenrowan. 1956-57. Ripolin sobre tábua. (9,15 × 122). Tate Gallery, Londres. *194*

NOLAND, Kenneth (1924-)
Via Blues. 1967. Acrílico sobre tela. (229

× 670,5). Coleção Robert A. Rowan. Cortesia André Emmerich Gallery, Nova York. Foto: Geoffrey Clements. *257*

Cantabile. 1962. Acrílico sobre tela. (169 × 164). Walker Art Center. Minneapolis. Foto: Eric Sutherland. **291**

NOLDE, Emil (1867-1956)
Profeta. 1912. Xilogravura. (32 × 23). Coleção Lessing J. Rosenwald, National Gallery of Art, Washington. **61**

Paisagem. 1931. Aquarela. *85*

O limoeiro. 1933. (73 × 89). Coleção Dr. Max Lütze, Bad Homburg. **59**

OKADA, Kenzo (1902-)
Solstício. 1954. (145 × 179). Solomon R. Guggenheim Museum, Nova York. *162*

OPPENHEIM, Dennis (1938-)
Uma situação de retroalimentação. 1971. "Eu origino o movimento que Eric Oppenheim traduz e me devolve. O que recebo de volta é meu movimento digerido pelo sistema sensório dele." Fotografia do artista e de seu filho desenhando-se nas costas. Cortesia da Sonnabend Gallery, Nova York/Paris. *277*

OZENFANT, Amédée (1886-1966)
Natureza morta. 1920. (81 × 100). Solomon R. Guggenheim Museum, Nova York. *35*

PAALEN, Wolfgang (1905-59)
Fumage. 1944-45. Óleo e fuligem de vela sobre papel. (48 × 26). The Museum of Modern Art, Nova York. *119*

PALAZUELO, Pablo (1916-)
Rima IV. 1958. (41 × 81). Galerie Maeght, Paris. *215*

PAOLINI, Giulio (1941-)
O forro. 1972-73. Desenho sobre tela. (40 × 60). Coleção Yvon Lambert Galerie, Paris. Foto: cortesia André Morain. *283*

PAOLOZZI, Eduardo (1924-)
Cabeça I. 1954. Desenho. (29 × 21). Coleção do artista. **278**

Evadne in Green Dimension. 1972. Impressão serigráfica e colagem. (21 × 30). Marlborough Graphics, Londres. **287**

PASMORE, Victor (1908-98)
Mar interior. 1950. (81 × 100). Tate Gallery, Londres. **214**

Construção em relevo: branco, preto, vermelho e castanho-avermelhado. 1956-57. Compensado. (74 × 69). Coleção do artista. *192*

PEARLSTEIN, Philip (1924-)
Nus deitados sobre lençóis vermelho e azul. 1970. (152 × 183). Neue Galerie der Stadt Aachen-Sammlung Ludwig. Foto: Ann Münchow. *267*

PECHSTEIN, Max (1881-1955)
Sob as árvores. 1911. (74 × 74). Detroit Institute of Arts. *20*

Retrato do Dr. Paul Fechter. 1921. Ponta-seca. (39 × 31). Coleção Lessing J. Rosenwald, National Gallery, Washington. **64**

PERMEKE, Constant (1886-1952)
Família de camponeses com gato. 1928. (166 × 182). Coleção Gustave van Geluwe, Bruxelas. **231**

O noivo. 1923. (151 × 130). Musées Royaux des Beaux-Arts, Bruxelas. *71*

PEVSNER, Antoine (1886-1962)
Formas abstratas. 1923 (antes datado de 1913). Encáustica sobre madeira. (44 × 34). The Museum of Modern Art, Nova York. *39*

Projeto em esmalte. 1923. (39 × 29). Coleção Mrs. Molesworth, Londres. **211**

PHILLIPS, Tom (1937-)
Muro de Berlim com grama e céus alemães. 1973. Acrílico sobre tela. (152,5 × 213,5). Marlborough Fine Art Limited, Londres. *292*

PICABIA, Francis (1878-1953)
Parade Amoureuse. 1917. (97 × 74). Coleção M. G. Neumann. Cortesia Sidney Janis Gallery, Nova York. *53*

tela. (274 × 315). Coleção Sr. e Sra. Carter Burden, Nova York. Foto: Leo Castelli, Nova York. *263*

PRAMPOLINI, Enrico (1896-1956)
Linhas de força no espaço. 1914. Têmpera. (30 × 30). Coleção Peggy Guggenheim, Veneza. *42*

RAUSCHENBERG, Robert (1925-)
Leito. 1955. Materiais diversos. (188 × 79). Coleção Leo Castelli, Nova York. **301**

REINHARDT, Ad (1913-67)
Pintura abstrata n.º 7A. 1953. (174,5 × 101,5). Coleção Sr. e Sra. Ben Heller, Nova York. Foto: Geoffrey Clements. *152*

Pintura negra. 1960-66. Óleo sobre tela. (149,9 × 149,9). **297**

RETH, Alfred (1884-1966)
Canto do estúdio. 1913. (72 × 92). Coleção do artista. *40*

RIBEMONT-DESSAIGNES, Georges (1884-1972)
Jovem mulher. c. 1915. (73 × 60). Yale University Art Gallery. *49*

RICHARDS, Ceri (1903-71)
Vórtice azul nas cores primárias. 1952-53. (102 × 127). Coleção do artista. *151*

RICHTER, Gerhard (1932-)
Janela. 1968. (200 × 300). Coleção Neue Galerie der Stadt Aachen–Sammlung Ludwig. Foto: Ann Münchow. *258*

RIETVELD, Gerrit Thomas (1888-1964)
Desenho arquitetônico. 1923-24. Museu Stedelijk, Amsterdam. **201**

RILEY, Bridget (1931-)
Arrest I. 1965. Emulsão sobre tábua. (178 × 174,5). Peter Stuyvesant Foundation Limited. *249*

RIOPELLE, Jean-Paul (1924-)
Encontro. 1956. (100 × 81). Museu Wallraf-Richartz, Colônia. **250**

Rastro púrpura. (81 × 100). Coleção Jacques Dubourg, Paris. *184*

RIVERS, Larry (1923-)
O último veterano da Guerra Civil. 1959. Óleo e carvão sobre tela. (209,6 × 162,9). The Museum of Modern Art, Nova York, Blanchette Rockefeller Fund. *231*

ROCKBURNE, Dorothea
X's (Estrutura isomórfica). 1973. Papel carbono e linhas. (86,4 × 101,5). Lisson Gallery, Londres. *289*

RODCHENKO, Alexander (1891-1956)
Composição. 1918. Guache. (33 × 16). The Museum of Modern Art, Nova York. *58*

ROEHR, Peter (1944-68)
Retângulos pretos. 1966. Papelão recortado sobre placa de compensado. (122 × 139,7). Coleção particular, Krefeld. *251*

ROHLFS, Christian (1849-1938)
A mãe do artista. 1934. (65 × 45). Galerie Ferdinand Moller. Colônia. **58**

ROSENQUIST, James (1933-)
Estudo para Expo 67. 1967. Coleção Sr. e Sra. C. Scull, Nova York. Foto: Rudolph Burckhardt. *255*

ROTHKO, Mark (1903-70)
Duas aberturas no preto sobre vinho. 1958. (226 × 381). Tate Gallery, Londres. **288**

ROUAULT, Georges (1871-1958)
O palhaço, c. 1905. Aquarela. **221**

Au salon. 1906. (73 × 54). Coleção la Baronne Lambert, Bruxelas. **219**

Tia Sallies. 1907. Óleo sobre papel. (75 × 105,5). Tate Gallery, Londres. *5*

RUSCHA, Ed (1937-)
Misericórdia. 1973. (137 × 152). Nigel Greenwood Inc. Ltd. *297*

RUSSELL, Morgan (1886-1953)
Sincronia n.º 2 para luz. 1912. Tela sobre cartão. (33 × 24). Coleção Sr. e Sra. Harry Lewis Winston, Detroit. *33*

WYNTER, Bryan (1916-)
Fonte. 1957. (142 × 112). Coleção do artista. *197*

ZACK, Léon (1892-)
Géèrbé. 1957. (163 × 97). Carnegie Institute, Pittsburgh. *200*

ZAO WOU-KI (1921-)
Catedral e seus arredores. 1955. (89 × 115). Hanover Gallery, Londres. *183*

ÍNDICE REMISSIVO

Os números em itálico indicam as ilustrações da "*Pinacoteca*" (pp. 325-68).